DE BROEDER

* Ook in POEMA POCKET verschenen
❖ Ook als e-book verkrijgbaar

Voor een stel mensen die ik al heel lang ken en bewonder omdat ze goed werk leveren en goede mensen zijn: Peter Styles, Richard Boukes, Bill Anderson (hallo, Danielle), Dave Gaulke en Tom Fenner (hallo, Gabriella, Katia en Troy).
We gaan in het hiernamaals een prachtig feest bouwen, maar laten we ons niet haasten.

Leer ons...
Geven zonder ons te bezinnen op de kosten;
Strijden zonder ons te bekommeren om de wonden;
Werken zonder naar rust te zoeken...

SINT-IGNATIUS VAN LOYOLA

1

Omringd door stenen, ondergedompeld in stilte, zat ik hoog achter het raam te kijken hoe de derde dag van de week plaatsmaakte voor de vierde. De rivier van de nacht stroomde verder zonder zich iets van de kalender aan te trekken.

Ik hoopte getuige te zijn van het wonderbaarlijke moment waarop het echt zou gaan sneeuwen. Eerder op de avond waren een paar vlokjes uit de lucht omlaag gedwarreld, maar daar was het bij gebleven. De echte bui liet nog steeds op zich wachten.

De kamer werd alleen verlicht door een dikke kaars in een amberkleurig glas op het bureau in de hoek. Iedere keer als een vleugje tocht over het vlammetje streek, droop het licht als smeltende boter over de kalkstenen muren en klotsten vloeibare schaduwen in golven door de hoeken.

De meeste avonden vind ik het licht van de lamp veel te sterk. En als ik zit te schrijven komt het enige schijnsel van het computerscherm, louter het licht van grijze lettertjes op een donkerblauwe achtergrond. En omdat er nu geen licht op het raam viel, werd mijn gezicht er niet in weerspiegeld. Ik kon onbelemmerd naar de donkere nacht achter het glas kijken.

Bij een verblijf in een klooster, ook al ben je slechts gast en geen monnik, heb je meer kans dan op andere plaatsen om de wereld te zien zoals die is, in plaats van door de schaduw die je er zelf op werpt.

St. Bartholomew's Abbey lag midden in de uitgestrektheid van de Sierra Nevada, aan de Californische kant van de grens. De oeroude wouden die de steile hellingen bedekten, waren in duisternis gehuld.

Vanaf dit raam op de tweede verdieping kon ik maar een gedeelte zien van de grote voortuin en de geasfalteerde oprit die er dwars doorheen sneed. Vier lage lantaarns met klokvormige kappen verspreidden hun licht in bleke ronde cirkels.

Het gastenverblijf bevindt zich in de noordwestelijke vleugel van de abdij. Op de begane grond liggen conversatiekamers, de twee verdiepingen erboven bevatten privéverblijven.

Terwijl ik zat te wachten tot het ging sneeuwen zwierf iets wits dat geen sneeuw was door de tuin vanuit het donker het lantaarnlicht binnen.

De abdij heeft één hond, een bijna vijftig kilo zware kruising tussen een Duitse herder en vermoedelijk een labrador. Hij is helemaal wit en beweegt met de gratie van mist. Hij heet Boo.

Trouwens, ik heet Odd Thomas. Mijn verknipte ouders beweren dat er een vergissing is gemaakt bij de aangifte en dat ik eigenlijk Todd had moeten heten. Maar zo hebben ze me nooit genoemd. En de afgelopen eenentwintig jaar heb ik ook geen moment overwogen om mijn naam in Todd te veranderen. Odd betekent raar of bizar en dat past perfect bij de vreemde wending die mijn leven heeft genomen, of mijn ouders nu wel of niet bewust voor die naam hebben gekozen.

Beneden bleef Boo midden op de oprit staan en tuurde de weg af die geleidelijk in het donker verdween.

Bergen bestaan niet alleen uit hellingen. Hier en daar wordt een helling onderbroken, en de abdij staat op een hooggelegen weide, gericht op het noorden.

Te oordelen naar Boos gespitste oren en opgeheven kop, zag hij een bezoeker aankomen. Hij hield zijn staart laag. Ik kon zijn nekharen niet zien, maar zijn gespannen houding deed vermoeden dat die recht overeind stonden.

De lantaarns langs de oprit blijven branden vanaf de schemering tot het ochtendgloren. De monniken van St. Bart's vinden dat nachtelijke bezoekers, ook al zijn die nog zo zeldzaam, met licht verwelkomd moeten worden.

De hond bleef een tijdje roerloos staan en richtte toen zijn aandacht op het gazon rechts van de oprit. Zijn kop ging omlaag. Zijn oren drukten zich plat tegen zijn kop.

Het duurde even voordat ik zag wat Boo zo verontrustte.

Maar opeens kreeg ik een gedaante in het oog, even vluchtig als een nachtelijke schaduw die over zwart water zweeft. De gedaante kwam dicht genoeg bij een van de lantaarnpalen om kortstondig zichtbaar te worden.

Zelfs op klaarlichte dag zou dit een bezoeker zijn die alleen de hond en ik konden zien.

Ik zie dode mensen, geesten van overleden personen die ieder om een eigen reden deze wereld nog niet willen verlaten. Sommigen komen naar mij toe omdat ze vermoord zijn en gerechtigheid eisen, anderen zijn op zoek naar troost of gezelschap, en weer anderen zoeken me op om redenen die ik niet altijd begrijp. Dat maakt mijn leven knap gecompliceerd.

Ik ben niet uit op medeleven. Ieder van ons heeft zo zijn eigen problemen en u vindt die van u waarschijnlijk net zo belangrijk als ik die van mij.

Misschien staat u elke ochtend anderhalf uur in de file, uw voortgang verhinderd door ongeduldige en incompetente weggebruikers, onder wie prikkelbare exemplaren met door veelvuldig gebruik gespierde middelvingers. Maar probeert u zich eens uw mate van stress voor te stellen als op zo'n ochtend op de passagiersplaats een jongeman zat met een gruwelijke, met een bijl toegebrachte wond in zijn hoofd en op de achterbank een oude vrouw met uitpuilende ogen en een paars gezicht, die door haar man was gewurgd.

De doden praten niet. Ik weet niet waarom. En een met een bijl toegetakelde geest laat op de bekleding geen bloedsporen achter. Desalniettemin is een gevolg van recent overledenen verontrustend en niet bepaald opwekkend.

De bezoeker op het gazon was geen gewone geest, het wás misschien helemaal geen geest. Behalve de op aarde talmende geesten van de doden zie ik nog een ander soort bovennatuurlijke entiteiten. Die noem ik *bodachs*.

Ze zijn pikzwart, vloeiend van vorm en even weinig substantieel als schaduwen. Ze zijn geruisloos, zo groot als een gemiddelde man en bewegen zich dikwijls in een soort tijgersluipgang over de grond.

Het wezen op het gazon liep rechtop: zwart en zonder duidelijke kenmerken, al deed het wel denken aan iets wat half mens, half wolf was. Gestroomlijnd, lenig en onheilspellend.

Zijn voorbijgaan bracht het gras niet in beweging. Als het gras water was geweest, zou het wezen geen rimpelingen in zijn kielzog hebben achtergelaten.

In de folklore van de Britse eilanden is een bodach een verachtelijk beest dat 's nachts door schoorstenen omlaag glibbert en stoute kinderen meeneemt. Te vergelijken met, bijvoorbeeld, belastinginners.

De wezens die ik zie, zijn geen bodachs en ook geen belastinginners. Ze nemen geen stoute kinderen mee en ook geen volwassen onverlaten. Maar ik heb gezien hoe ze huizen binnendrongen via de schoorsteen – of via een sleutelgat of een kier in een raamkozijn, zo vluchtig als rook – en ik weet geen betere naam voor ze.

Hun onregelmatig opduiken is altijd een reden voor verontrusting. Deze wezens lijken onstoffelijke vampiers te zijn die in de toekomst kunnen kijken. Ze worden aangetrokken door plaatsen waar binnen afzienbare tijd geweld of grote rampen zullen plaatsvinden, alsof ze zich voeden met menselijk leed.

Hoewel Boo, en dat moest ook wel, een dappere hond was, deinsde hij terug voor de passerende verschijning. Zijn zwarte lippen trokken zich terug en ontblootten zijn scherpe, witte snijtanden.

De geest bleef even staan, alsof hij de hond wilde tergen. Bodachs lijken te weten dat sommige dieren hen kunnen zien.

Ik geloof niet dat ze weten dat ook ik hen kan zien. Als dat wel het geval was, zouden ze volgens mij minder mededogen met me hebben dan krankzinnige moellahs met hun slachtoffers wanneer ze in de stemming zijn om iemand te laten vierendelen en onthoofden.

Bij het zien van dit exemplaar was mijn eerste opwelling: ik ga weg bij het raam en zoek de stofnesten onder mijn bed op. Mijn tweede opwelling was: ik moet plassen.

Maar ik negeerde zowel de aanval van lafheid als het signaal van mijn blaas en rende vanuit mijn kamer de gang op. Op de tweede verdieping van het gastenverblijf zijn twee kleine suites. De andere was momenteel niet bewoond.

Op de eerste verdieping lag de Rus met de dreigende blik

ongetwijfeld te fronsen in zijn slaap. De massieve constructie van de abdij zou voorkomen dat mijn voetstappen tot zijn dromen zouden doordringen.

Het gastenverblijf heeft een nauwe wenteltrap, granieten treden omsloten door stenen muren. De treden zijn afwisselend zwart en wit en doen me altijd denken aan harlekijns en pianotoetsen en aan een oud, mierzoet nummer van Paul McCartney en Stevie Wonder.

Hoewel stenen trappen keihard zijn en het zwart-witpatroon je makkelijk je gevoel voor richting kan ontnemen, rende ik in volle vaart naar de benedenverdieping, met het risico het graniet te beschadigen als ik zou vallen en er met mijn hoofd tegenaan zou slaan.

Zestien maanden eerder had ik dat wat mij het dierbaarst was verloren, waardoor mijn hele wereld was ingestort, maar toch ben ik doorgaans niet roekeloos. Ik heb minder om voor te leven dan vroeger, maar mijn leven heeft nog steeds een doel en ik doe mijn best betekenis te vinden in de dagen.

Toen ik zonder schade aan te richten op de benedenverdieping was aanbeland, haastte ik me door de grote conversatiekamer, waar alleen een nachtlampje met een met kralen versierde kap de duisternis verdreef, en vervolgens door een zware, eikenhouten deur met een gebrandschilderd raam, en ik zag mijn adem een wolkje vormen in de winternacht.

De kloostergang van het gastenverblijf omringt een binnenplaats met een spiegelende vijver en een witmarmeren standbeeld van Sint-Bartholomeus, zonder twijfel de minst bekende van de twaalf apostelen.

De plechtstatige Sint-Bartholomeus staat hier afgebeeld met zijn rechterhand op zijn hart gedrukt en zijn linkerarm uitgestrekt. Op zijn handpalm ligt iets wat op een pompoen lijkt, maar het kan ook een andere kalebasachtige vrucht zijn.

De symbolische betekenis van de pompoen ontgaat me.

In deze tijd van het jaar was de vijver leeggepompt en er rees geen geur van natte kalksteen uit op, zoals in warmere jaargetijden. Wel bespeurde ik een flauwe ozongeur, zoals na bliksem tijdens een voorjaarsbui. Dat vond ik vreemd, maar ik rende verder.

Ik volgde de zuilengang naar de deur van de ontvangstruimte van het gastenverblijf, ging naar binnen, liep dwars door het in schaduwen gehulde vertrek en door de voordeur van de abdij weer de decembernacht in.

Onze witte bastaardherder, Boo, die nog steeds op dezelfde plek op de oprit stond waar ik hem vanuit mijn raam op de tweede verdieping had zien staan, draaide zijn kop om en keek me aan toen ik de treden van het brede bordes afliep. Zijn ogen waren helder en blauw, zonder die griezelige glans die je bij dierenogen in het donker doorgaans ziet.

Door het ontbreken van sterren- en maanlicht, was de uitgestrekte voortuin voor het grootste deel in diepe duisternis gehuld. Als zich daar ergens een bodach schuilhield, kon ik hem niet zien.

'Waar is hij gebleven, Boo?' fluisterde ik.

Hij gaf geen antwoord. Mijn leven mag dan vreemd zijn, het is niet zo vreemd dat er ook pratende honden in voorkomen.

Maar de hond stapte wel uiterst behoedzaam van de oprit af de tuin in. Hij liep naar het oosten, langs de indrukwekkende abdij, die er met haar smalle, nauwelijks waarneembare voegen tussen de stenen uitziet alsof ze uit een enkel reusachtig rotsblok was gehakt.

Er stond geen zuchtje wind en de duisternis hing met dichtgevouwen vleugels om ons heen.

Het platgetrapte gras, bruin van de winterse kou, knisperde onder mijn voeten. Ik slaagde er niet in om me even geruisloos voort te bewegen als Boo.

Ik had het gevoel dat ik werd gadegeslagen en keek op naar de ramen, maar zag niemand, geen licht, op het zwakke flakkeren van de kaars in mijn verblijf na, geen bleek gezicht dat door een donkere ruit naar buiten tuurde.

Ik was alleen in een spijkerbroek en een T-shirt naar buiten gerend. Nu sneed de decemberkou in mijn blote armen.

Nog steeds in oostelijke richting liepen we langs de kerk, die geen op zichzelf staand gebouw is, maar deel uitmaakt van de abdij.

In het koor brandt altijd een lamp, maar het schijnsel daarvan is te zwak om de gebrandschilderde ramen te verlichten. Door raam na raam leek het zwakke licht ons gade te slaan als het norse oog van iets wat in een bloeddorstige bui was.

Nadat hij me naar de noordoostelijke hoek van het gebouw had gebracht, sloeg Boo af naar het zuiden, langs de achterkant van de kerk. We vervolgden onze weg naar de vleugel van de abdij waarin op de eerste verdieping het noviciaat is gevestigd. Daar slapen de novicen die de gelofte nog niet hebben afgelegd. Van de vijf die momenteel hun opleiding kregen, mocht en vertrouwde ik er vier.

Plotseling liet Boo zijn behoedzame tred varen. Hij rende pal naar het oosten, weg van de abdij, en ik rende achter hem aan.

Toen de tuin overging in de ongetemde weide, striemde het gras langs mijn knieën. Binnenkort zouden die lange, dorre halmen door een pak sneeuw worden platgedrukt. Het land loopt over een afstand van enkele tientallen meters licht naar beneden. De weide liep een kleine honderd meter schuin af waarna het kniehoge gras weer overging in een vlak gemaaid gazon. Voor ons in de duisternis doemde St. Bartholomew's School op.

Het woord 'school' is in feite een eufemisme. De leerlingen zijn elders ongewenst en de school is tegelijk hun thuis, misschien het enige dat sommigen van hen ooit zullen kennen. Het is de oorspronkelijke abdij, vanbinnen geheel verbouwd, maar nog altijd een indrukwekkend gebouw. Hierin is tevens het klooster gehuisvest waar de nonnen wonen die de leerlingen onderwijzen en verzorgen.

Achter de voormalige abdij tekende het woud zich af tegen de zwaarbewolkte lucht, zwarte overhangende takken die onzichtbare paden beschutten die tot ver in de eenzame duisternis voerden.

De hond, die klaarblijkelijk het spoor van de bodach volgde, liep de brede treden van het bordes op naar de voordeur van de school.

De meeste deuren van de abdij worden nooit op slot gedaan, maar ter bescherming van de leerlingen wordt de school in de regel wel afgesloten. Alleen de abt, de moeder-overste en ik hebben een loper waarmee we overal naar binnen kunnen. Ik ben de eerste gast die een dergelijk blijk van vertrouwen mocht ontvangen.

Dit bewijs van vertrouwen vervult me niet met trots. Het is eerder een last. De loper in mijn zak voelt soms aan als een ijzeren noodlot dat aangetrokken wordt door een diep in de aarde verborgen magneet. De sleutel stelt me in staat snel op zoek te gaan naar broeder Constantine, de dode monnik, wanneer die zich manifesteert met het luiden van de klokken in een van de torens of met een andersoortige kakofonie elders.

In Pico Mundo, het woestijnstadje waar ik het grootste deel van mijn leven heb doorgebracht, waren nog steeds de geesten rond van een groot aantal mannen en vrouwen. Hier hebben we alleen broeder Constantine, die in zijn eentje net zoveel last veroorzaakt als alle doden van Pico Mundo bij elkaar, één geest, maar één te veel. Maar met een rondsluipende bodach in de buurt was broeder Constantine wel de minste van mijn zorgen. Huiverend stak ik mijn sleutel in het slot. De scharnieren piepten en ik liep achter de hond aan de school in.

In de ontvangstruimte hielden twee nachtlampjes de volslagen duisternis op afstand. Diverse zitjes gevormd door zitbanken en leunstoelen schonken de ruimte het aanzien van een hotellobby.

Ik haastte me langs de onbezette receptiebalie en liep door een klapdeur een gang binnen die verlicht werd door een noodlamp en rood opgloeiende UITGANG-bordjes. Op deze verdieping bevonden zich de leslokalen, de ziekenzaal, de keuken en de gemeenschappelijke eetzaal. De met culinaire gaven begiftigde nonnen waren nog niet begonnen met de voorbereidingen voor het ontbijt. Het zou nog uren duren voordat de stilte in deze vertrekken doorbroken werd.

Ik liep via de zuidelijke trap naar de overloop op de eerste verdieping, waar Boo op me stond te wachten. Hij was nog steeds in een ernstige stemming, hij kwispelde niet en begroette me niet met een grijns.

Twee lange en twee korte gangen vormden een rechthoek

die toegang bood tot de kamers van de leerlingen. Elke kamer huisvestte twee leerlingen.

Op de zuidoostelijke en noordwestelijke overgang van de gangen bevond zich een nonnenpost die allebei binnen mijn gezichtsveld lagen toen ik boven aan de trap in de zuidwestelijke hoek van het gebouw stond. In de noordwestelijke post zat een non achter de balie te lezen, maar vanaf deze afstand kon ik niet zien wie het was. Bovendien werd haar gezicht half verborgen door haar kap. Dit zijn geen moderne nonnen die zich kleden als vrouwelijke parkeerwachten. Deze zusters dragen nog steeds het ouderwetse habijt, waarmee ze sommige mensen evenveel ontzag inboezemen als een soldaat in gevechtstenue.

De zuidoostelijke post was verlaten. De dienstdoende non maakte waarschijnlijk net haar ronde of hield zich bezig met een van haar pupillen.

Toen Boo rechts afsloeg, in zuidoostelijke richting, liep ik achter hem aan zonder mijn aanwezigheid kenbaar te maken aan de lezende non. Toen ik drie stappen had genomen was ze buiten mijn gezichtsveld.

Veel van de nonnen zijn verpleegkundige, maar ze doen hun best om te zorgen dat de eerste verdieping meer op een gezellig studentenverblijf lijkt dan op een ziekenhuis. Over twintig dagen was het Kerstmis en de gangen waren getooid met plastic dennentakken en glimmende versierselen. Uit consideratie met de slapende leerlingen was het licht gedimd. De glans van de versieringen werd voor het merendeel geabsorbeerd door trillende schaduwen.

De deuren van sommige kamers waren dicht, andere stonden op een kier. Er stonden niet alleen nummers op, maar ook namen.

Halverwege het trappenhuis en de nonnenpost bleef Boo staan voor kamer 32, waarvan de deur op een kier stond. Op de naambordjes stond in blokletters ANNAMARIE en JUSTINE.

Dit keer stond ik dicht genoeg bij Boo om te zien dat zijn nekharen overeind stonden.

De hond liep de kamer in, maar ik aarzelde uit kiesheid. Ik had eigenlijk een non moeten vragen me naar de leerlingen-

verblijven te vergezellen. Maar dan had ik haar moeten uitleggen wat bodachs waren en dat wilde ik eigenlijk niet.
Bovendien wilde ik niet het risico lopen dat een van die kwaadaardige geestverschijningen zou horen dat ik over ze praatte.

Officieel waren maar twee personen – één in de abdij en één
in het klooster – op de hoogte van mijn gave, als je iets wat zo
veel weg heeft van een vloek tenminste een gave kunt noemen.
Zuster Angela, de moeder-overste, is deelgenoot van mijn geheim, en ook pater Bernard, de abt.

Goed fatsoen had geboden dat zij een duidelijk beeld hadden van de gekwelde jongeman die zij voor lange tijd als gast
verwelkomden. Om zuster Angela en abt Bernard ervan te
overtuigen dat ik noch een bedrieger noch een zot was, had
Wyatt Porter, de politiecommissaris van Pico Mundo, mijn
woonplaats, hen deelgenoot gemaakt van de bijzonderheden
van een paar moordzaken waarbij ik hem geholpen had. Ook
pater Sean Llewellyn had een goed woordje voor me gedaan.
Hij is de katholieke priester in Pico Mundo en bovendien de
oom van Stormy Llewellyn, van wie ik had gehouden, maar die
ik was verloren, en wier herinnering ik voor eeuwig zal blijven
koesteren.

Tijdens de zeven maanden die ik inmiddels in dit toevluchtsoord in de bergen had doorgebracht, had ik nog iemand
deelgenoot gemaakt van de waarheid van mijn leven: broeder
Boksbeugel, een van de monniken. Hij heet eigenlijk Salvatore, maar we noemen hem meestal Boksbeugel. Broeder Boksbeugel zou geen moment hebben geaarzeld op de drempel van
kamer 32. Hij is een monnik van de daad. Hij zou onmiddellijk hebben besloten dat de dreiging die van de bodach uitging
geen ruimte liet voor kiesheid. Hij zou net zo stoutmoedig als
de hond naar binnen zijn gestormd, zij het minder gracieus en
met veel meer lawaai.

Ik duwde de deur verder open en liep naar binnen.

Er stonden twee ziekenhuisbedden. In het bed het dichtst
bij de deur lag Annamarie, in het andere lag Justine. Allebei
sliepen ze.

Op de muur achter elk bed hing een lamp die bediend kon
worden met een schakelaar aan een snoer, dat om de zijstang

van het bed was geslagen. Met de schakelaar kon ook de lichtsterkte worden geregeld.

Annamarie, tien jaar oud, maar klein voor haar leeftijd, had
haar lamp gedimd laten branden, bij wijze van nachtlampje.
Ze was bang in het donker. Haar rolstoel stond naast het bed.
Aan een van de handgrepen aan de rugleuning van de stoel
hing een gewatteerd windjack. Aan de andere handgreep hing
een wollen muts. Die wilde ze in winternachten per se altijd
bij de hand hebben.

Het meisje lag te slapen met de rand van het bovenlaken stijf
in haar broze vingers geklemd, alsof ze klaar lag het beddengoed van zich af te gooien. Haar gespannen gezichtsuitdruk-
king wees op bezorgde afwachting, zwakker dan angst, sterker
dan lichte onrust. Hoewel ze diep in slaap was, leek ze voorbereid te zijn om bij het minste of geringste op de vlucht te
slaan.

Eén keer per week oefende Annamarie, uit eigen beweging,
met stijf dichtgeknepen ogen, hoe ze in haar elektrische rolstoel bij de twee liften moest komen. De ene was in de oostelijke vleugel, de andere in de westelijke. Ondanks haar wrede
beperkingen was ze een opgewekt kind. De voorbereidingen
voor een vlucht waren eigenlijk niets voor haar. Hoewel ze er
niet over wilde praten, leek ze aan te voelen dat er een nacht
van verschrikkingen op komst was, een vijandige duisternis
waardoor ze haar weg zou moeten zoeken. Misschien was ze
helderziend.

De bodach die ik voor het eerst vanuit mijn raam op de bo-
venste verdieping had gezien was hiernaartoe gekomen, maar
niet alleen. Drie van die stille, wolfachtige schaduwen stonden
rond het tweede bed, waarin Justine lag te slapen.

Een enkele bodach is de voorbode van dreigend geweld dat
ofwel nabij en waarschijnlijk is ofwel ver weg en minder zeker.
Wanneer ze in groepjes van twee of drie verschijnen, is het gevaar al dichterbij. Ik weet inmiddels uit ervaring dat het verschijnen van een hele horde betekent dat het niet langer gaat
om dreigend gevaar maar om daadwerkelijk ophanden zijnd levensgevaar en dat binnen luttele dagen of uren heel wat mensen de dood zullen vinden. Hoewel de rillingen me over de rug

liepen toen ik dat drietal zag, was ik blij dat het er geen dertig waren.

Bevend van opwinding bogen de bodachs zich over de slapende Justine, alsof ze haar aandachtig bestudeerden. Alsof ze
zich met haar aanblik voedden.

2

De lamp boven het tweede bed was gedimd, maar dat had Justine niet zelf gedaan. Een non had de lichtsterkte teruggebracht tot de laagste stand in de hoop dat het meisje dit prettig zou vinden.

Justine deed weinig zelf en vroeg om niets. Ze was gedeeltelijk verlamd en kon niet spreken. Toen Justine vier was, had haar vader haar moeder gewurgd. Naar verluidt had hij toen ze dood was een roos tussen haar tanden geklemd – maar met de lange doornige steel in haar keel geschoven. Hij verdronk de kleine Justine in de badkuip, dat dacht hij tenminste. Hij liet haar voor dood achter, maar ze overleefde het met hersenschade door langdurig gebrek aan zuurstof. Ze had wekenlang in coma gelegen, maar dat was jaren geleden. Tegenwoordig sliep ze en werd weer wakker, maar als ze wakker was, bleek haar vermogen tot interactie met haar verzorgsters sterk te wisselen.

Foto's van Justine op vierjarige leeftijd laten een uitzonderlijk mooi kind zien. Op die kiekjes ziet ze er ondeugend en blij uit. Nu, op haar twaalfde, acht jaar na het bad, was ze mooier dan ooit. De hersenbeschadiging had geen gezichtsverlamming of verwrongen gelaatstrekken tot gevolg gehad. Vreemd genoeg was ze ondanks haar grotendeels binnenshuis doorgebrachte leven niet bleek en afgetrokken. Haar gezicht had kleur en was vrij van onvolkomenheden. Haar schoonheid was ingetogen, als die van een Botticelli-madonna, en etherisch. Justines schoonheid wekte bij niemand die haar kende afgunst of verlangen op, maar vervulde iedereen met een verwonderlijk ontzag en, onverklaarbaar genoeg, met iets als hoop.

Ik vermoed dat het drietal dreigende gedaanten die zich met levendige belangstelling over haar heen bogen, niet op haar schoonheid was afgekomen. Wat hen aantrok was haar niet-aflatende onschuld en hun verwachting – hun zekerheid? – dat ze binnenkort een gewelddadige dood zou sterven en eindelijk lelijk zou zijn.

Deze doelbewuste schaduwen, zo zwart als stukjes sterrenloze nachthemel, hebben geen ogen, maar toch voelde ik hun wellustige blik, geen mond, maar ik kon bijna de gulzige geluiden horen terwijl ze zich te goed deden aan de belofte van de dood van dit meisje.

Ik heb ze een keer gezien bij een herstellingsoord, luttele uren voordat een aardbeving het gebouw met de grond gelijkmaakte. Bij een tankstation vlak voor een explosie gevolgd door een tragische brand. Terwijl ze een tiener volgden die Gary Tolliver heette in de dagen voorafgaand aan de dag dat hij zijn hele familie heeft gemarteld en vermoord. Een enkelvoudig overlijden trekt hen niet aan, zelfs niet dat van twee of drie. Ze hebben een voorkeur voor theatraal geweld, en voor hen eindigt de voorstelling niet met de aria van de dikke diva, maar pas als die aan flarden is gescheurd. Ze lijken niet in staat te zijn onze wereld te beïnvloeden, alsof ze niet echt aanwezig zijn in dit oord en deze tijd, maar op de een of andere manier *virtueel* aanwezig. Het zijn reizigers die onze pijn gadeslaan en er plezier aan beleven. Toch vrees ik hen en niet alleen omdat hun aanwezigheid naderend onheil aankondigt. Hoewel ze niet in staat lijken te zijn deze wereld op enigerlei betekenisvolle wijze te beïnvloeden, heb ik het vermoeden dat ik een uitzondering ben op de regels die hen beperken, dat ik kwetsbaar voor hen ben, even kwetsbaar als een mier in de schaduw van een neerkomende schoen.

Boo, die witter leek dan normaal in het gezelschap van de inktzwarte bodachs, gromde niet, maar keek met argwaan en afkeer naar de geesten.

Ik deed net of ik was gekomen om mezelf ervan te overtuigen dat de thermostaat goed was afgesteld, om de geplooide rolgordijnen op te trekken en te controleren of het raam was dichtgedaan tegen de tocht, om een beetje was uit mijn rechteroor te peuteren en een stukje sla van tussen mijn tanden te verwijderen, zij het niet met dezelfde vinger.

De bodachs negeerden me – of deden alsof ze me negeerden. De slapende Justine had hun volle aandacht. Hun handen of poten hingen een paar centimeter boven het meisje en hun vingers of klauwen beschreven cirkels in de lucht boven haar, alsof ze muzikanten in een noveltyact waren die een instrument bespeelden dat bestond uit drinkglazen, en door over de natte kristallen randen te wrijven spookachtige muziek tevoorschijn toverden. Misschien, als een vasthoudend ritme, was het haar onschuld die hen opwond. Misschien waren haar nederige omstandigheden, haar gedweeë gratie, haar volslagen kwetsbaarheid voor hen de elementen van een symfonie. Ik kan slechts theoretiseren over bodachs. Ik weet niets zeker over hun aard of oorsprong.

Dit geldt niet alleen voor bodachs. Het dossier met het opschrift DINGEN WAAROVER ODD THOMAS NIETS WEET is net zo omvangrijk als het heelal. Het enige wat ik zeker weet is hoeveel ik niet weet. Misschien is er wijsheid in die erkenning. Jammer genoeg heb ik daar weinig troost in gevonden.

De bodachs vlogen plotseling uit hun gebogen houding overeind en draaiden als één wezen hun wolfachtige kop naar de deur, alsof ze reageerden op een ontbiedend trompetsignaal dat ik niet kon horen. Boo kon het duidelijk ook niet horen, want hij spitste zijn oren niet. Zijn aandacht bleef gericht op de duistere geesten.

Als door licht verjaagde schaduwen wervelden ze bij het bed vandaan, vlogen op de deur af en verdwenen de gang in. Ik wilde achter ze aan gaan, maar aarzelde toen ik zag dat Justine me aankeek. Haar blauwe ogen waren kristalheldere poelen: onvertroebeld, schijnbaar zonder mysterie, maar tegelijkertijd bodemloos.

Soms weet je zeker dat ze je ziet. Andere keren, zoals nu, krijg je het gevoel dat je voor haar zo doorzichtig bent als glas, dat ze in deze wereld dwars door alles heen kan kijken.

'Niet bang zijn,' zei ik tegen haar, wat op twee punten aanmatigend was. Ten eerste wist ik helemaal niet of ze bang was of dat ze zelfs in staat was angst te voelen. Ten tweede impliceerden mijn woorden een belofte tot bescherming die ik in de komende crisis misschien niet zou kunnen waarmaken.

Boo, die te verstandig en bescheiden was om de held uit te hangen, had de kamer verlaten. Toen ik naar de deur liep, mompelde Annamarie in het eerste bed: 'Zonderling.' Haar ogen bleven dicht. Haar handen omklemden nog steeds het laken. Ze ademde oppervlakkig, ritmisch. Toen ik aan het voeteneind van haar bed bleef staan, sprak het meisje opnieuw, duidelijker nu: 'Zonderling.'

Annamarie was geboren met een open rug. Haar heupen waren ontwricht. Haar hoofd op het kussen leek bijna even groot als het ineengekrompen lichaam onder de deken. Ze leek te slapen, maar ik fluisterde: 'Wat is er, liefje?'

'Zonderling,' zei ze.

Haar geestelijke handicap was niet ernstig en kwam niet tot uiting in haar stem; die was niet dik of brabbelig, maar hoog, lieflijk en charmant.

'Zonderling.'

Er trok opeens een koude rilling door mijn lichaam, alsof ik in de winternacht buiten in de vrieskou stond. Iets als intuïtie deed me naar Justine kijken, in het tweede bed. Haar hoofd had zich gedraaid zodat ze me met haar blik kon volgen. Voor het eerst keek ze me recht in de ogen.

Justines hoofd bewoog, maar ze bracht zelfs niet een van de woordloze geluiden voort waartoe ze, zwaar geestelijk gehandicapt als ze was, in staat was. Terwijl Justine zich tevergeefs inspande om te spreken, zei Annamarie opnieuw: 'Zonderling.'

De geplooide rolgordijnen hingen losjes voor de ramen. De pluchen speelgoedkatjes op de planken boven Justines bed zaten er onbeweeglijk bij, zonder een knipperbeweging met de ogen of een trillende snorhaar. Aan Annamaries kant van de kamer stonden de kinderboeken op haar planken netjes op een rij. Een porseleinen konijn met beweegbare bonten oren, gekleed in edwardiaanse kleren, hield de wacht op haar nachtkastje.

Het was doodstil, maar toch bespeurde ik een nauwelijks te beteugelen energie. Het zou me niet hebben verbaasd als elk onbezield voorwerp in de kamer plotseling tot leven was gekomen, was opgestegen, wervelend, heen en weer kaatsend tussen de muren. Maar de stilte regeerde en Justine probeerde weer te spreken, en Annamarie zei: 'Praat,' met haar lieflijke, schrille stem.

Ik liep bij het slapende meisje vandaan naar het voeteneind van Justines bed. Uit vrees dat mijn stem de betovering zou verbreken, zei ik niets. Ik vroeg me af of het meisje met de hersenbeschadiging ruimte had gemaakt voor een bezoeker en wenste dat de bodemloze blauwe ogen zouden veranderen in een specifiek paar Egyptisch-zwarte ogen dat ik maar al te goed kende.

Op sommige dagen heb ik het gevoel dat ik altijd eenentwintig ben geweest, maar in werkelijkheid was ik vroeger jong. In die tijd, toen doodgaan iets was wat anderen overkwam, placht mijn vriendin, Bronwen Llewellyn, die liever Stormy werd genoemd, soms te zeggen: 'Praat me bij, zonderling van me.' Dan bedoelde ze dat ze wilde dat ik haar deelgenoot maakte van mijn belevenissen van die dag, of van mijn gedachten, of mijn angsten en zorgen. In de zestien maanden sinds Stormy in deze wereld tot as was geworden en naar de volgende was overgegaan, had niemand deze woorden tegen me geuit.

Justine bewoog haar mond zonder geluid voort te brengen en in het eerste bed zei Annamarie in haar slaap: 'Praat me bij.'

Alle lucht leek uit kamer 32 te zijn verdwenen. Na die drie woorden stond ik in een stilte even diep als in een vacuüm. Ik kon niet ademen. Ik had net nog gewenst dat die blauwe ogen zouden veranderen in het zwart van Stormy's ogen, dat het vermoeden van een bezoek bevestigd zou worden. Nu was het vooruitzicht angstaanjagend.

Wanneer we hopen, hopen we doorgaans op het verkeerde. We verlangen naar de dag van morgen en de vooruitgang die die vertegenwoordigt. Maar gisteren was eens morgen en waar was de vooruitgang? Of we verlangen naar de dag van gisteren, naar wat was of wat had kunnen zijn. Maar terwijl we verlangen wordt het heden verleden en dus is het verleden niets anders dan ons verlangen naar een tweede kans.

'Praat me bij,' zei Annamarie nog eens.

Zolang ik onderworpen blijf aan de rivier van tijd, en dat zal zijn zolang als ik leef, is er geen weg terug naar Stormy, naar wat dan ook. De enige weg terug is vooruit, stroomafwaarts. De weg omhoog is de weg omlaag en de weg terug is de weg vooruit.

'Praat me bij, zonderling van me.'

Mijn hoop hier, in kamer 32, zou niet gericht moeten zijn op nú met Stormy te spreken, maar pas aan het eind van mijn reis, als de tijd geen macht meer over me heeft, als een eeuwigdurend heden het verleden al zijn aantrekkingskracht heeft ontnomen.

Voor ik misschien in die blauwe leegte het Egyptisch-zwart zou zien waarop ik hoopte, wendde ik mijn blik af en staarde naar mijn handen, die het voeteneind van het bed omklemden.

Stormy's geest is niet in deze wereld blijven rondhangen, zoals sommige dat doen. Ze is verder getrokken, zoals het hoort. De krachtige onvergankelijke liefde van de levenden kan als een magneet op de doden werken. Door haar terug te lokken zou ik haar een afschuwelijk slechte dienst bewijzen. En hoewel hernieuwd contact in eerste instantie mijn eenzaamheid misschien zou verlichten, komt er uiteindelijk alleen maar ellende voort uit hopen op het verkeerde.

Ik staarde naar mijn handen.

Annamarie deed er in haar slaap het zwijgen toe.

De pluchen speelgoedkatjes en het porseleinen konijn bleven onbezield, waarmee ze ofwel een demonisch ofwel een Disney-moment vermeden.

Even later klopte mijn hart weer in een normaal tempo.

Justines ogen waren dicht. Haar wimpers glansden en haar wangen waren vochtig. Aan haar kaaklijn hingen twee tranen, die trilden en toen op het laken vielen.

Ik liep de kamer uit en ging op zoek naar Boo en bodachs.

3

In de vroegere abdij, die tegenwoordig St. Bartholomew's School was, waren moderne mechanische systemen geïnstalleerd waarop toezicht werd gehouden vanaf een computerstation in de kelder.

In de sobere computerruimte stonden een bureau, twee stoelen en een niet-gebruikte dossierkast. Om precies te zijn: de onderste la van de kast was volgepropt met ruim duizend lege KitKatwikkels. Broeder Timothy, die verantwoordelijk was voor de mechanische systemen van zowel de abdij als de school, was verslaafd aan KitKatrepen. Klaarblijkelijk lag zijn hunkering naar zoetigheid voor zijn gevoel angstig dicht bij de zonde van gulzigheid, want het had er alle schijn van dat hij probeerde het bewijs te verbergen.

Alleen broeder Timothy en bezoekende onderhoudsmannen hadden reden de ruimte regelmatig binnen te gaan. Hij had het gevoel dat zijn geheim hier veilig was. Alle monniken wisten ervan. Velen van hen hadden me met een knipoog en een grijns aangespoord om een blik te werpen in de onderste la van de dossierkast. Niemand kon weten of broeder Timothy gulzigheid had opgebiecht aan de prior, pater Reinhart, maar het bestaan van zijn wikkelverzameling leek erop te wijzen dat hij betrapt wilde worden.

Zijn broeders zouden maar al te graag het bewijs ontdekken, maar niet eerder dan dat de berg wikkels nog groter was geworden en niet eerder dan op het juiste moment, het moment waarop ze zeker konden zijn dat Timothy in de grootst mogelijke verlegenheid zou worden gebracht. Hoewel broeder Timothy bij iedereen geliefd was, had hij de pech ook bekend te staan om zijn vuurrode blos, die zijn gezicht tot een lantaarn maakte. Broeder Roland had geopperd dat God een man nooit zo'n luisterrijke fysiologische reactie op verlegenheid zou hebben geschonken als Hij niet had gewild dat die dikwijls werd gedemonstreerd zodat iedereen ervan kon genieten.

Aan de muur van deze kelderruimte, die door de broeders de KitKat Catacombe werd genoemd, hing een ingelijste geborduurde merklap met de tekst: DE DUIVEL SCHUILT IN DE DIGITALE DATA.

Met de computer die hier stond kon ik zowel het overzicht van de afgelopen tijd als de huidige status bekijken met betrekking tot het functioneren van het verwarmings- en koelingssysteem, het lichtsysteem, het brandblussysteem en de noodaggregaten.

Op de eerste verdieping zwierven de drie bodachs nog steeds van kamer naar kamer om vooraf een blik te werpen op de slachtoffers ter verhoging van het plezier dat ze zouden beleven aan het bloedbad wanneer dat zich voordeed. Ik zou er niets wijzer van worden die wezens in de gaten te houden.

Angst voor brand had me naar de kelder gedreven. Op het scherm bestudeerde ik de schema's die betrekking hadden op het brandblussysteem. In het plafond van elke kamer was minstens één sprinklerkop geïnstalleerd. In de gangen zat om de vijf meter zo'n sproeikop. Volgens het controleprogramma waren alle sprinklers in orde en hadden alle waterleidingen de vereiste druk. De rookdetectoren en alarmkastjes functioneerden prima en voerden bovendien met regelmatige tussenpozen een zelftest uit.

Na het brandblussysteem riep ik het schema van het verwarmings- en koelingssysteem op. Ik was met name geïnteresseerd in de boilers, waarvan de school er twee had. Aangezien er geen aardgasleidingen tot in deze verre uithoek van de Sierra doorliepen, werden beide boilers gestookt op propaan. Op enige afstand van zowel de school als de abdij was een grote hogedruktank in de grond ingegraven.

Volgens het schema was de propaantank voor vierentachtig procent van de maximumcapaciteit gevuld. De toevoer naar de boilers zag er normaal uit. Alle kleppen functioneerden. De verhouding tussen geproduceerde BTU's en verbruikte propaan wees niet op lekken in het systeem. Beide onafhankelijke nood-stopschakelaars waren operationeel.

In het schema was elk punt waar zich een mechanische storing zou kunnen voordoen aangegeven met een klein groen lampje. Op het scherm was nergens een ontsierend rood oplichtend puntje te zien. Om het even welke ramp ons misschien boven het hoofd hing, hij zou waarschijnlijk niet gepaard gaan met brand.

Ik keek naar de ingelijste geborduurde merklap aan de muur boven de computer: DE DUIVEL SCHUILT IN DE DIGITALE DATA.

Op een keer, toen ik vijftien was, had een stelletje echte slechteriken, ieder met een platte hoed met een smalle rand op zijn hoofd, me handboeien omgedaan, mijn enkels met een ketting aan elkaar gebonden, me in de kofferbak van een oude Buick opgesloten, de Buick met een hijskraan opgetild, de auto in een hydraulische autopers laten vallen, zo'n apparaat dat elk eens zo fier voertuig verandert in een kubus van een meter bij een meter slechte moderne kunst, en de knop ODD THOMAS PLETTEN ingedrukt.

Rustig maar. Het is niet mijn bedoeling u te vervelen met een oud oorlogsverhaal. Ik breng de kwestie van de Buick alleen maar ter sprake ter illustratie van het feit dat helderziendheid waar ik van op aan kan, niet tot mijn bovennatuurlijke gaven behoort.

Die slechteriken hadden de ijzige schittering in hun ogen van vrolijke psychopaten, littekens in het gezicht die een aanwijzing inhielden dat ze op zijn zachtst gezegd avontuurlijk waren, en een manier van lopen die wees op of pijnlijke testikeltumoren of een arsenaal verborgen wapens. Toch onderkende ik het gevaar pas toen ze me met een *bratwurst* van vijf kilo tegen de grond sloegen en me in elkaar begonnen te trappen.

Ik had me laten afleiden door twee andere gasten die gekleed waren in zwarte laarzen, zwarte broek, zwart shirt, zwarte cape en een eigenaardige zwarte hoed. Later kwam ik erachter dat dit twee leraren waren die onafhankelijk van elkaar hadden be-

sloten als Zorro naar een gekostumeerd feest te gaan. Terug-
blikkend, toen ik in de kofferbak van de Buick opgesloten zat
met een tweetal dode resusapen en de bratwurst, besefte ik dat
ik de onruststokers als zodanig had moeten herkennen op het
moment dat ik de smal gerande platte hoeden zag. Hoe is het
in godsnaam mogelijk dat iemand bij zijn volle verstand goede bedoelingen toekent aan drie kerels met identieke smal gerande platte hoeden? Tot mijn verdediging kan ik aanvoeren
dat ik toentertijd pas vijftien was en lang niet zo ervaren als tegenwoordig, en dat ik nooit heb beweerd dat ik helderziend
ben. Misschien was mijn angst voor brand nu net als mijn argwaan jegens de Zorro-nabootsers toen: misplaatst.

Hoewel mijn controle van de betreffende mechanische systemen me geen reden had gegeven om te geloven dat ophanden zijnde vlammen de bodachs naar St. Bart's School hadden
getrokken, kon ik het gevoel niet van me afzetten dat er brand
dreigde. Niets anders leek zo'n groot gevaar te vormen voor
een grote gemeenschap van geestelijk en lichamelijk gehandi-
capten.

Aardbevingen kwamen in de bergen van Californië minder
voor en waren er minder krachtig dan in de valleien en op het
vlakke land. Bovendien was de nieuwe abdij gebouwd volgens
de maatstaven van een vesting, en was de oude met zo veel toewijding herbouwd dat hij naar alle waarschijnlijkheid heftige
en langdurige schokken zou overleven. Op deze hoogte in de
Sierra lag vast gesteente vlak onder het oppervlak, op sommige plekken brak het reusachtige granieten geraamte er zelfs
doorheen. Onze twee gebouwen waren verankerd in vast gesteente.

We hebben hier geen last van tornado's, orkanen, actieve
vulkanen of moordzuchtige bijen. Wel hebben we iets wat gevaarlijker is dan al die dingen bij elkaar. We hebben mensen.

De monniken in de abdij en de nonnen in het klooster kwamen me niet voor als waarschijnlijke booswichten. Het kwaad
kan zich verschuilen onder een dekmantel van vroomheid en
naastenliefde, maar ik kon me moeilijk voorstellen dat een van
de broeders of zusters als een bezetene dood en verderf zou
zaaien met een kettingzaag of machinegeweer. Zelfs broeder

Timothy met zijn gevaarlijk hoge suikerspiegel en verteerd door KitKatschuldgevoelens, joeg me geen angst aan.

De Rus met de dreigende blik op de eerste verdieping van het gastenverblijf was een meer voor de hand liggend voorwerp van achterdocht. Hij droeg geen smal gerande platte hoed, maar zijn manier van doen was onvriendelijk en geheimzinnig.

Mijn maanden van rust en bespiegeling waren ten einde. De aanslag die mijn gave op mij deed, de stille maar dringende smeekbeden van de talmende doden, de gruwelijke verliezen die ik niet altijd had weten te voorkomen, al deze dingen hadden mij de rust van St. Bartholomew's Abbey doen opzoeken. Ik moest mijn leven vereenvoudigen.

Ik was niet naar dit hooggelegen toevluchtsoord gekomen om er de rest van mijn leven te slijten. Ik had God alleen maar om een time-out gevraagd en die was me toegekend, maar de klok was weer begonnen met tikken.

Toen ik het schema van het verwarmings- en koelingssysteem wegklikte, werd het computerscherm zwart met een eenvoudig wit keuzemenu. In het weerspiegelende scherm zag ik achter me iets bewegen.

Zeven maanden lang was de abdij een rustpunt in de rivier geweest, waar ik langzaam ronddreef, dezelfde vertrouwde oever altijd in zicht, maar nu deed het ware ritme van de rivier zich weer gelden. Eigenzinnig, ongetemd en dwingend spoelde de stroom mijn gevoel van vrede weg en sleurde me weer mee naar mijn bestemming.

Me schrap zettend tegen een harde klap of een aanval met iets scherps, liet ik de kantoorstoel snel ronddraaien in de richting van de bron van de weerspiegeling in het computerscherm.

4

Mijn ruggengraat was veranderd in ijs en mijn mond in stof uit angst voor een non.

Batman zou me hebben bespot en Odysseus zou er ook geen goed woord voor over hebben gehad, maar ik zou ze hebben gezegd dat ik nooit heb beweerd een held te zijn. In wezen ben ik maar een eenvoudige snelbuffetkok, momenteel werkloos.

Tot mijn verdediging moet ik aanvoeren dat de zuster die de computerruimte had betreden niet de eerste de beste non was, maar zuster Angela, die de anderen met moeder-overste aanspraken. Ze heeft het lieve gezicht van een dierbare grootmoeder, zeker, maar de onwrikbare vastberadenheid van de Terminator.

Ik bedoel natuurlijk de góéde Terminator uit de tweede film in de reeks.

Hoewel benedictijner nonnen doorgaans een grijs of zwart habijt dragen, dragen deze nonnen wit omdat ze een tweemaal hervormde orde zijn van een eerder hervormde orde van benedictijnen van na de hervorming, al willen ze niet op één lijn worden gesteld met trappisten of cisterciënzers. Het is niet erg als u hier geen touw aan vast kunt knopen. God Zelf is er nog steeds niet uit.

De essentie van al deze hervormingen is dat deze nonnen orthodoxer zijn dan die moderne nonnen die zichzelf lijken te beschouwen als welzijnswerksters die niet met mannen uitgaan. Ze bidden in het Latijn, eten op vrijdag nooit vlees en zouden met een blik de stem en gitaar van elke folkzanger die het waagde om tijdens de mis een maatschappelijk relevant nummer te brengen, het zwijgen opleggen.

Zuster Angela zegt dat zij en haar zusters dateren van een periode in het eerste derde deel van de vorige eeuw, toen de Kerk overtuigd was van haar tijdeloosheid en 'de bisschoppen nog normaal deden'. Hoewel ze pas in 1945 werd geboren en het door haar bewonderde tijdperk niet heeft meegemaakt, zegt ze dat ze liever in de jaren dertig zou leven dan in de tijd van internet en shock-jocks die uitzenden via de satelliet.

Ik heb best wel begrip voor haar standpunt. In die tijd waren er ook geen kernwapens, geen georganiseerde terroristen die stonden te trappelen om vrouwen en kinderen op te blazen, en je kon overal Black Jack-kauwgom kopen en dat kostte niet meer dan een stuiver per pakje. Dit stukje kauwgomtrivia komt uit een roman. Ik heb heel wat kennis uit romans gehaald. Een deel daarvan is zelfs waar.

Zuster Angela installeerde zich op de tweede stoel en zei: 'De zoveelste rusteloze nacht, Odd Thomas?' Van voorgaande gesprekken wist ze dat ik de laatste tijd minder goed sliep dan voorheen. Slaap is een soort vrede en vrede heb ik nog niet verdiend.

'Ik kon niet naar bed voor het begon te sneeuwen,' zei ik. 'Ik wilde zien hoe de wereld wit werd.'

'De sneeuwstorm is nog steeds niet losgebarsten. Maar een kelderruimte is een vreemde plek om daarop te wachten.'

'Inderdaad, zuster.'

Ze heeft een bepaald soort lieftallige glimlach die ze in geduldige afwachting heel lang kan vasthouden. Als ze je een zwaard boven het hoofd zou houden, zou dat als verhoormiddel minder effectief zijn dan die geduldige glimlach.

Na een stilte die een meting van wilskracht was, zei ik: 'Zuster, u kijkt me aan alsof u denkt dat ik iets voor u verberg.'

'Verberg je dan iets, Oddie?'

'Nee, zuster.' Ik wees naar de computer. 'Ik heb alleen maar de mechanische systemen van de school gecontroleerd.'

'Juist. Je valt dus in voor broeder Timothy? Is hij soms in een kliniek opgenomen vanwege zijn KitKatverslaving?'

'Ik vind het gewoon leuk om nieuwe dingen te leren... om mezelf nuttig te maken,' zei ik.

'De pannenkoeken die je elk weekend bakt voor het ontbijt

zijn een groter geschenk dan welke gast van de abdij ook ons ooit heeft gebracht.'

'Niemand kan luchtigere pannenkoeken bakken dan ik.'

De kleur van haar ogen is hetzelfde vrolijke blauw als het motief op het Royal Doulton-porselein dat mijn moeder bezat en waarvan ze van tijd tot tijd een stuk tegen de muur gooide of naar mijn hoofd slingerde. 'Je had vast een schare trouwe aanhangers bij het snelbuffet waar je werkte.'

'Ik was een ster met een spatel.'

Ze glimlachte naar me. Glimlachte en wachtte.

'Komende zondag maak ik gebakken aardappeltjes. Mijn gebakken aardappeltjes kent u nog niet.'

Glimlachend speelde ze met de kralenketting aan het kruis op haar borst.

Ik zei: 'Eerlijk gezegd heb ik een nare droom gehad over een ontploffende boiler.'

'Een droom over een ontploffende boiler?'

'Inderdaad.'

'Wat je noemt een nachtmerrie, zeker?'

'Het was behoorlijk angstig.'

'Was het een van onze boilers die ontplofte?'

'Dat zou kunnen. In de droom was dat niet echt duidelijk te zien. U weet hoe dromen zijn.'

Een twinkeling deed haar maagdenpalm-blauwe ogen oplichten. 'Zag je in die droom brandende nonnen die gillend rondrenden in een sneeuwachtige nacht?'

'Nee, zuster. Lieve hemel, nee. Alleen dat de boiler ontplofte.'

'Zag je gehandicapte kinderen die uit ramen sprongen waaruit de vlammen naar buiten sloegen?'

Ik probeerde stilte en een eigen glimlach.

Ze zei: 'Hebben je nachtmerries altijd zo'n onduidelijke plot, Oddie?'

'Niet altijd, zuster.'

Ze zei: 'Af en toe droom ik van Frankenstein, door een film die ik als kind heb gezien. In míjn droom zie ik een oude windmolen met flarden half vergaan zeildoek aan de wieken, die krakend ronddraaien in een storm. Een striemende regen, hemelsplijtende bliksemschichten, opspringende schaduwen, trappenhuizen van koud steen, in boekenkasten verborgen deuren, door kaarsen verlichte geheime gangen, bizarre machines met vergulde gyroscopen, knetterende bogen elektriciteit, een krankzinnige bultenaar met oplichtende ogen, altijd het sjokkende monster vlak op mijn hielen, en een wetenschapper in een witte laboratoriumjas die zijn eigen afgehakte hoofd draagt.' Toen ze was uitgesproken, keek ze me weer glimlachend aan.

'Alleen maar een ontploffende boiler,' zei ik.

'God heeft veel redenen om van je te houden, Oddie, maar zeker is dat Hij van je houdt omdat je zo'n onervaren en incompetente leugenaar bent.'

'Ik heb in mijn leven diverse kolossale leugens verteld,' verzekerde ik haar.

'De bewering dat je kolossale leugens hebt verteld is de grootste kolossale leugen die je ooit hebt verteld.'

'Op de nonnenschool was u vast en zeker voorzitster van de debatingclub.'

'Biecht maar op, jongeman. Jij hebt helemaal niet gedroomd over een ontploffende boiler. Er is iets anders wat je verontrust.'

Ik haalde mijn schouders op.

'Je bent even bij de kinderen in hun kamers gaan kijken.'

Ze wist dat ik de talmende doden kon zien, maar ik had haar noch abt Bernard iets over bodachs verteld. Aangezien hun bloeddorstige geest wordt aangetrokken door gebeurtenissen waarbij veel slachtoffers vallen, had ik niet verwacht ze tegen te komen op een plek die zo afgelegen is als deze. Stadjes en grote steden zijn hun natuurlijk jachtgebied.

Bovendien zullen degenen die me op mijn woord geloven als ik zeg dat ik talmende doden zie, me minder snel geloven als ik te snel na onze kennismaking ook nog begin te praten over lenige, schimmige demonen die genot vinden in dood en vernietiging.

Een man die een aapje als huisdier houdt zal misschien worden gezien als een beminnelijke excentriekeling. Daarentegen zal een man die van zijn huis een apenhuis heeft gemaakt en horden kwetterende chimpansees door de kamers laat ronddartelen, bij de mensen van de geestelijke gezondheidszorg aan geloofwaardigheid inboeten.

Maar ik besloot open kaart te spelen omdat zuster Angela goed kan luisteren en een betrouwbaar oor voor onoprechtheid heeft. Twee betrouwbare oren. Misschien werkt de kap rond haar gezicht als geluidrichtend instrument, waardoor zij meer nuances in andermans toon opvangt dan mensen zonder non-nenkap. Daarmee wil ik niet zeggen dat nonnen beschikken over de technische expertise van Q, de geniale uitvinder die James Bond in zijn films voorziet van te gekke gadgets. Het is een theorie die ik niet zonder meer zal verwerpen, maar ik kan niets bewijzen.

Vertrouwend op haar welwillendheid en het nonsensfilter van haar kap vertelde ik haar over de bodachs.

Ze luisterde aandachtig, haar gezicht onbewogen, en liet uit niets merken of ze wel of niet dacht dat ik psychisch gestoord was.

Zuster Angela is in staat je met de kracht van haar persoonlijkheid te dwingen haar aan te kijken. Er bestaan misschien een paar wilskrachtige mensen die in staat zijn hun blik van de hare los te rukken, maar daar hoor ik niet bij. Tegen de tijd dat ik haar alles over bodachs had verteld, had ik het gevoel dat ik gemarineerd was in maagdenpalmblauw.

Toen ik was uitgesproken, bleef ze me zwijgend bestuderen, haar uitdrukking ondoorgrondelijk, en op het moment dat ik meende dat ze had besloten om te bidden voor mijn geestelijke gezondheid, aanvaardde ze de waarheid van alles wat ik haar had verteld door simpelweg te zeggen: 'Wat moeten we doen?'

'Dat weet ik niet.'

'Dat is een uiterst onbevredigend antwoord.'

'Uiterst,' gaf ik toe. 'Waar het om gaat is dat de bodachs pas een halfuur geleden zijn komen opdagen. Ik heb ze nog niet lang genoeg gadegeslagen om te kunnen gissen wat ze hierheen heeft gelokt.'

In de wijde mouwen van haar habijt balden haar handen zich tot roze vuisten met witte knokkels. 'De kinderen lopen gevaar.'

'Niet per se alle kinderen. Misschien een aantal. En misschien niet alleen de kinderen.'

'Hoeveel tijd hebben we tot… wat het ook mag zijn?'

'Doorgaans verschijnen ze een dag of twee voor de gebeurtenis. Om vooraf te genieten van de aanblik van degenen die…'
Ik wilde het niet uitspreken.

Zuster Angela maakte mijn zin af: '… spoedig zullen sterven.'

'Als er een moordenaar bij betrokken is, een menselijk instrument in plaats van, bijvoorbeeld, een ontploffende op propaan gestookte boiler, zijn ze soms even gefascineerd door hem als door de potentiële slachtoffers.'

'Er zijn hier geen moordenaars,' zei zuster Angela.

'Wat weten we in wezen eigenlijk over Rodion Romanovich?'

'De Russische heer in het gastenverblijf?'

'Hij heeft een dreigende blik,' zei ik.

'Dat heb ik soms ook.'

'Jawel, zuster, maar bij u komt die blik uit bezorgdheid voort, en bovendien bent u non.'

'En hij is een spirituele pelgrim.'

'We hebben bewijs dat u non bent, maar we hebben alleen maar zijn woord over wat hij is.'

'Heb je bodachs achter hem aan zien lopen?'

'Nog niet.'

Zuster Angela fronste, nog net niet dreigend, en zei: 'Hij is goed voor ons geweest hier in de school.'

'Ik beschuldig meneer Romanovich nergens van. Ik ben alleen nieuwsgierig naar hem.'

'Na de lauden zal ik met abt Bernard spreken over de noodzaak voor waakzaamheid in het algemeen.'

De lauden vormen het ochtendgebed, het tweede van zeven getijden in het dagelijkse Heilig Officie dat de monniken naleven.

In St. Bartholomew's Abbey volgen de lauden onmiddellijk na de metten – het zingen van psalmen en lezingen uit de Bijbel – die aanvangen om kwart voor zes 's ochtends en om halfzeven ten einde komen.

Ik schakelde de computer uit en stond op. 'Ik ga nog een beetje rondkijken.'

In een wolk wit habijt kwam zuster Angela overeind. 'Aangezien we morgen misschien worden geconfronteerd met een crisissituatie, kan ik maar beter zorgen dat ik wat slaap krijg. Maar in geval van nood kun je me bellen op mijn mobieltje, op elk uur van de dag of nacht.'

Ik schudde lachend mijn hoofd.

'Wat is er?' vroeg ze.

'De wereld draait en de wereld verandert. Nonnen met mobieltjes.'

'Makkelijk genoeg om te aanvaarden,' zei ze. 'Veel makkelijker dan een snelbuffetkok die dode mensen ziet in je filosofie incalculeren.'

'Dat is waar. Ik denk dat het equivalent van mij iets zou zijn als in die tv-serie die vroeger werd uitgezonden – een vliegende non.'

'Ik duld geen vliegende nonnen in mijn klooster,' zei ze. 'Die neigen naar frivoliteit en tijdens nachtelijke vluchten willen ze nog wel eens dwars door gesloten ramen vliegen.'

5

Onderweg van de computerruimte in de kelder naar de eerste verdieping kwam ik geen bodachs tegen. Misschien stonden ze over de bedden van andere kinderen gebogen, maar dat dacht ik niet. Ik bespeurde nergens hun aanwezigheid.

Ze konden ook op de tweede verdieping zijn, waar de nonnen sliepen, zich van geen kwaad bewust. De zusters zouden eveneens voorbestemd kunnen zijn om bij een explosie om te komen.

Ik kon niet onuitgenodigd naar de tweede verdieping gaan, behalve in een noodgeval. In plaats daarvan liep ik de school uit en opnieuw de nacht in.

De weide en de omringende bomen en de hoger op de helling gelegen abdij wachtten nog steeds op hun witte deklaag.

De laaghangende wolken, de ongeboren storm, waren niet te zien, de berg was bijna even donker als de hemel en weerkaatste niets op de onderkant van de wolken.

Boo had me in de steek gelaten. Hij mag dan mijn gezelschap op prijs stellen, ik ben niet zijn baas. Hij heeft hier geen baas. Hij is een zelfstandig handelend dier en trekt zijn eigen plan.

Ik wist eigenlijk niet hoe ik verder moest en waar ik moest zoeken naar een nieuwe aanwijzing voor wat de bodachs had aangelokt. Ik stak de voortuin van de school over en liep in de richting van de abdij.

De temperatuur van bloed en botten was gedaald met de komst van de bodachs, maar boosaardige geesten en decemberlucht samen vormden nog geen verklaring voor de kou die door mijn lichaam trok. De ware bron van de koude rillingen zou kunnen zijn dat we maar één keus hebben: brandstapel of brandstapel, dat we leven en ademen om te worden verteerd door vuur of vuur, niet alleen nu en in St. Bartholomew's, maar altijd en overal. Verteerd of gereinigd door vuur.

De aarde rommelde en de grond beefde en het hoge gras sidderde, terwijl er nog geen bries was opgestoken. Hoewel het een subtiel geluid was, een lichte beweging, waardoor waarschijnlijk geen enkele monnik wakker was geworden, zei mijn instinct *aardbeving*. Ik vermoedde echter dat broeder John wel eens verantwoordelijk zou kunnen zijn voor de bevende aarde.

Van de weide steeg een ozongeur op. Ik had dezelfde geur eerder geroken, in de kloostergang van het gastenverblijf, toen ik langs het standbeeld liep van Sint-Bartholomeus die een pompoen aanbiedt.

Toen de aarde een halve minuut later ophield met rommelen, besefte ik opeens dat het grootste gevaar voor brand en rampspoed wel eens niet van de propaantank en de boilers die onze gebouwen verwarmden zou kunnen komen. Broeder John, die in zijn ondergrondse toevluchtsoord de fundamentele structuur van de werkelijkheid bestudeerde, was iets waar ernstig rekening mee gehouden moest worden.

Ik haastte me naar de abdij, rende langs de verblijven van de novicen en toen zuidwaarts langs het kantoor van de abt. Abt Bernards privévertrekken lagen boven het kantoor, op de eerste verdieping.

Op de tweede verdieping bood zijn kleine kapel hem een plek voor privégebed. Langs de afgeschuinde randen van die koude ramen flakkerde een zwakke lichtgloed.

's Nachts om vijf over halfeen was het waarschijnlijker dat de abt lag te snurken dan dat hij zat te bidden. Het trillende lichtschijnsel dat de snijlijnen in het glas volgde moest afkomstig zijn van een devotielicht, een enkele flakkerende kaars.

Ik liep de zuidoosthoek van de abdij om en vervolgde mijn weg in westelijke richting, voorbij de laatste kamers van het noviciaat, voorbij de kapittelkamer en de keuken. Toen kwam ik bij de stenen trap voor het refectorium.

Een enkele gloeilamp onder aan de trap verlichtte een bronzen deur. Op de gegoten bronzen plaat boven deze ingang stonden de Latijnse woorden LIBERA NOS A MALO.

Verlos ons van den boze.

Met mijn loper draaide ik het zware slot open. De deur draaide geruisloos op kogellagerscharnieren naar binnen open, een gewicht van vijfhonderd kilo dat zo volmaakt was uitgebalanceerd, dat ik het met één vinger in beweging kon brengen.

Achter de deur lag een stenen gang, overspoeld met blauw licht.

De bronzen deur draaide dicht en viel achter me in het slot en ik liep naar een tweede deur, ditmaal van geborsteld roestvrij staal. In het korrelige oppervlak waren glimmende letters gegrift die drie Latijnse woorden vormden: LUMIN DE LUMINE.

Licht uit licht.

Deze ontzagwekkende barrière werd omlijst door een brede stalen architraaf. Ingelegd in de architraaf was een twaalf-inch-plasmascherm.

Wanneer het scherm aangeraakt werd, lichtte het op. Ik legde mijn vlakke hand erop.

Ik zag en voelde niets terwijl de scanner mijn vingerafdrukken las, maar toch werd ik geïdentificeerd en goedgekeurd. Met een pneumatisch gesis gleed de deur open.

Volgens broeder John is het gesis niet een onvermijdbaar uitvloeisel van de werking van de deur. Hij had de deur ook zo kunnen maken dat hij geruisloos openging. Hij bouwde het gesis in om zichzelf eraan te herinneren dat in elke menselijke onderneming, hoe rechtschapen de bedoelingen ook mogen zijn, een serpent op de loer ligt.

Achter de stalen deur lag een ruimte van zeventig centimeter in het vierkant die leek op een naadloze, wasgele, porseleinen bak. Ik stapte erin en stond daar als een eenzaam zaadje in een holle, glanzende kalebas.

Toen ik achter me opnieuw gesis hoorde en ik me omdraaide, was er geen spoor meer van de deur te zien.

Het botergele licht straalde af van de muren en net als bij eerdere bezoeken aan dit rijk had ik het gevoel dat ik een droom was binnengestapt. Tegelijkertijd ervoer ik een loskomen van de wereld én een verhoogde realiteit.

Het licht in de muren stierf weg. Duisternis omsloot me.

Hoewel het hokje een lift moest zijn die me een verdieping of twee naar beneden voerde, bespeurde ik geen beweging. Het aandrijfmechanisme werkte geruisloos.

In de duisternis verscheen een rechthoek van rood licht toen voor me een volgende deur sissend openging.

Een hal toonde drie geborsteld stalen deuren. De rechter- en linkerdeur waren vlak. Ze hadden geen zichtbaar slot en ik was nooit uitgenodigd daar naar binnen te gaan.

In de derde deur, recht tegenover me, waren ook glimmende letters gegrift: PER OMNIA SAECULA SAECULORUM.

Tot in alle eeuwigheid.

In het rode licht gloeide de geborsteld-stalen deur zwak, als smeulende sintels. De glimmende letters lichtten fel op.

Zonder gesis gleed *Tot in alle eeuwigheid* open alsof ik werd uitgenodigd de eeuwigheid te betreden.

Ik liep een rond vertrek binnen van een meter of tien in doorsnee, op een gezellig zitje van vier oorfauteuils in het midden na kaal. Naast elke stoel stond een staande lamp, maar op het moment gaven er maar twee licht.

Hier zat broeder John in zijn tunica en scapulier, maar met zijn kap naar achteren geschoven, van zijn hoofd af. In de tijd voor hij monnik was geworden, was hij de beroemde John Heineman geweest.

Het tijdschrift *Time* had hem 'de briljantste fysicus van deze halve eeuw, zij het steeds sterker een gekwelde ziel' genoemd, en als bijartikel van hun hoofdartikel een analyse gebracht van Heinemans 'levensbeslissingen', geschreven door een psycholoog met een succesvol tv-programma waarin hij uit de losse pols de problemen oploste van bijvoorbeeld kleptomane moeders met aan boulimie lijdende bikerdochters.

The New York Times had aan John Heineman gerefereerd als 'een raadsel verpakt in een mysterie verborgen in een enigma'. Twee dagen later had de krant in een korte rectificatie gemeld dat het die gedenkwaardige omschrijving niet had moeten toeschrijven aan de actrice Cameron Diaz nadat ze Heineman had ontmoet, maar aan Winston Churchill, die deze woorden als eerste had gebruikt in 1939 om Rusland te beschrijven.

In een artikel getiteld 'De domste beroemdheden van het

jaar', had *Entertainment Weekly* hem een 'wedergeboren debiel' genoemd en 'een hopeloze geitenbreier die Eminem en Oprah nog niet uit elkaar zou kunnen houden'.

De *National Enquirer* had beloofd het bewijs te leveren dat hij en ontbijtprogrammapresentatrice Katie Couric iets met elkaar hadden, terwijl het *Weekly World News* had gemeld dat hij met prinses Di omging, die niet – zo meldden ze nadrukkelijk – zo dood was als iedereen dacht.

In de verdorven geest van veel hedendaagse wetenschap zetten diverse wetenschappelijke tijdschriften met een eigen agenda vraagtekens bij zijn onderzoek, zijn theorieën, zijn recht zijn onderzoek en theorieën te publiceren, zelfs zijn recht zulk onderzoek uit te voeren en zulke theorieën eropna te houden, zijn beweegredenen, zijn geestelijke gezondheid en de onbehoorlijke omvang van zijn vermogen.

Als de vele aan hem toegekende patenten gerelateerd aan zijn onderzoek hem niet tot viervoudig miljardair hadden gemaakt, zouden de meeste van die tijdschriften geen belangstelling voor hem hebben gehad. Rijkdom is macht en macht is het enige waar de hedendaagse cultuur om maalt.

Als hij niet zijn gehele vermogen stilletjes had weggeschonken, zonder een aan de pers verstrekt communiqué en zonder interviews te geven, zouden ze niet zo boos op hem zijn geweest. Net als popsterren en filmcritici leven ook verslaggevers voor macht.

Als hij zijn geld aan een erkende universiteit had geschonken, zouden ze hem niet hebben gehaat. De meeste universiteiten zijn niet langer tempels van kennis, maar van macht, en ware aanhangers van de nieuwe tijd belijden daar hun geloof.

Als hij op enig tijdstip in de loop van de jaren sinds dit alles was gebeurd zou zijn betrapt met een minderjarig hoertje of zich had laten opnemen in een kliniek wegens een cocaïneverslaving die zo chronisch was dat zijn neustussenschot volledig was weggerot, zou hem alles zijn vergeven, de pers zou hem hebben aanbeden. In onze tijd vormen genotzucht en zelfvernietiging, niet zelfopoffering, de basis voor nieuwe heldenmythen.

In plaats daarvan had John Heineman zich jarenlang teruggetrokken in een klooster, had hij soms zelfs maanden achtereen als kluizenaar geleefd, eerst elders en toen hier in zijn ondergrondse retraite, zonder ook maar een woord te wisselen met wie dan ook. Zijn meditaties waren anders van aard dan die van andere monniken, zij het niet per se minder vroom.

Ik liep over de in schaduw gehulde strook rondom het zitje. De vloer was van steen. Onder de stoelen lag een wijnrood vloerkleed.

Door de getinte gloeilampen en de lampenkappen van omberbruine stof had het licht de kleur van gekaramelliseerde honing.

Broeder John was een lange, slanke, breedgeschouderde man. Zijn handen – die op de armleuningen van de stoel rustten – waren groot, met grove polsen.

Hoewel een lang gelaat meer in overeenstemming zou zijn geweest met zijn lange, magere lichaamsbouw, was zijn gezicht rond. Het lamplicht wierp de scherpe, puntige schaduw van zijn krachtige neus in de richting van zijn linkeroor, alsof zijn gezicht een zonnewijzer was, zijn neus de gnomon en zijn oor het aanwijspunt voor negen uur.

Ervan uitgaand dat de tweede brandende lamp bedoeld was om mij de weg te wijzen, ging ik op de stoel tegenover hem zitten.

Zijn ogen waren paarsblauw en half dicht en zijn blik was zo vast als die van een door de strijd geharde scherpschutter.

Rekening houdend met de mogelijkheid dat hij in meditatie verzonken was en liever niet gestoord werd, zei ik niets.

De monniken van St. Bartholomew's worden aangemoedigd om te allen tijde het stilzwijgen te bewaren, behalve tijdens ingeplande sociale uurtjes.

De stilte overdag, die de Kleine Stilte wordt genoemd, begint na het ontbijt en duurt voort tot aan de ontspanningsperiode na het avondeten. Tijdens de Kleine Stilte spreken de broeders alleen dan met elkaar als het werk dit vereist.

De stilte na de completen – het avondgebed – heet de Grote Stilte. In St. Bartholomew's duurt die tot en met het ontbijt.

Ik wilde broeder John niet aansporen om met mij te praten.

Hij wist dat ik zonder een goede reden op dit tijdstip niet naar hem toe zou zijn gekomen, maar de beslissing om wel of niet de stilte te verbreken was aan hem.

Terwijl ik wachtte keek ik om me heen in het vertrek.

Omdat het licht hier altijd gedimd is en beperkt tot het midden van de ruimte, had ik de doorlopende muur die de ronde ruimte omsloot nooit goed kunnen bekijken. Een donkere glans wees op een glimmend oppervlak en ik vermoedde dat het wel eens glas zou kunnen zijn waarachter een geheimzinnige duisternis lag.

Aangezien we ondergronds waren, zou er geen berglandschap wachten om onthuld te worden. Aaneengesloten panelen van dik, gebogen glas van een kleine drie meter hoog deden denken aan een aquarium. Maar als we omringd waren door een aquarium, liet wat daar ook in rondzwom zich in mijn aanwezigheid nooit zien. Er gleed nooit een lichte schim voorbij. Er was nog nooit een waterbewoner met een grote muil en een knipperloze staar tot vlak voor de aquariumwand gezwommen om vanuit zijn luchtloze wereld naar mij te kijken.

Broeder John was onder alle omstandigheden een ontzagwekkend man en deed me opeens denken aan kapitein Nemo op de brug van de *Nautilus*, wat een ongelukkige vergelijking was. Nemo was een machtig man en een genie, maar hij had ze niet allemaal op een rijtje.

Broeder John is even gezond van geest als ik. Daar mag u van denken wat u wilt.

Na nog een minuut van stilte bereikte hij kennelijk het einde van de gedachtereeks die hij niet had willen onderbreken. Zijn paarsblauwe ogen maakten zich los van een ver landschap en richtten zich op mij, en met een diepe, schorre stem zei hij: 'Neem een koekje.'

6

In de ronde kamer, in het karamelkleurige licht, stond naast elke stoel een klein tafeltje. Op het tafeltje naast mijn stoel stond een rood bord met drie chocoladekoekjes. Broeder John bakt die zelf. Ze zijn verrukkelijk.

Ik pakte een koekje. Het was nog warm.

Vanaf het moment dat ik met mijn loper de bronzen deur had opengemaakt tot ik dit vertrek was binnengegaan, waren er nog geen twee minuten verstreken.

Ik betwijfelde of broeder John de koekjes zelf had gehaald. Hij was echt in gedachten verzonken geweest.

We waren alleen in de kamer. Ik had toen ik binnenkwam geen zich verwijderende voetstappen gehoord.

'Overheerlijk,' zei ik toen ik een hap koek had doorgeslikt.

'Als jongen wilde ik bakker worden,' zei hij.

'De wereld heeft goede bakkers nodig, broeder.'

'Ik kon niet lang genoeg ophouden met denken om bakker te worden.'

'Ophouden met denken over wat?'

'Het heelal. Het weefsel van de werkelijkheid. De structuur.'

'O, ik begrijp het,' zei ik, maar dat was niet waar.

'Ik begreep subatomaire structuur toen ik zes was.'

'Toen ik zes was, bouwde ik van legosteentjes een hartstikke gaaf fort. Torens en kantelen, alles erop en eraan.'

Zijn gezicht klaarde op. 'Als kind gebruikte ik zevenenveertig dozen lego om een ruw model van kwantumschuim te bouwen.'

'Sorry, broeder. Ik heb geen flauw idee wat kwantumschuim is.'

'Om dat te begrijpen moet je in staat zijn je een piepklein

landschap voor te stellen, een tiende miljardste van een miljoenste van een meter – en alleen zoals dat bestaat in een spikkel tijd van een miljoenste van een miljardste van een miljardste van een seconde.'

'Daarvoor zou ik een beter horloge nodig hebben.'

'Het landschap waarover ik het heb ligt twintig machten van tien onder het niveau van het proton, waar geen links of rechts is, geen boven of beneden, geen voor of na.'

'Zevenenveertig dozen lego moeten een kapitaal hebben gekost.'

'Mijn ouders moedigden me aan.'

'De mijne niet,' zei ik. 'Ik moest op mijn zestiende het huis uit en als snelbuffetkok aan het werk gaan om in mijn levensonderhoud te voorzien.'

'Je pannenkoeken zijn uitzonderlijk, Odd Thomas. In tegenstelling tot kwantumschuim weet iedereen wat pannenkoeken zijn.'

Nadat hij een vier miljard dollar groot liefdadigheidsfonds in het leven had geroepen, op naam van en te beheren door de Kerk, was John Heineman verdwenen. De media hadden jarenlang hardnekkig jacht op hem gemaakt, maar zonder succes. Ze kregen te horen dat hij de afzondering had opgezocht met de bedoeling monnik te worden, wat de waarheid was.

Sommige monniken worden priester, andere niet. Hoewel ze allemaal broeder zijn, worden sommigen pater genoemd. De priesters mogen de mis lezen en heilige riten uitvoeren die de ongewijde broeders niet zijn toegestaan, maar voor het overige beschouwen ze elkaar als gelijken. Broeder John is monnik, maar geen priester.

Een beetje geduld, alstublieft. De structuur van het kloosterleven is moeilijker te begrijpen dan pannenkoeken, maar bij lange na niet zo'n hersenkraker als kwantumschuim.

Deze monniken leggen geloften af van armoede, kuisheid, gehoorzaamheid en stabiliteit. Bij sommigen van hen gaat het maar om een bescheiden bezit waarvan ze afstand doen, terwijl anderen een voorspoedige carrière achterlaten. Ik denk dat je gerust kunt zeggen dat broeder John de enige is die vier miljard dollar de rug heeft toegekeerd.

Volgens de wens van John Heineman gebruikte de Kerk een deel van dat geld om de voormalige abdij om te bouwen tot een school en een thuis voor kinderen die zowel lichamelijk als geestelijk gehandicapt waren en die door hun familie aan hun lot waren overgelaten. Het waren kinderen die anders zouden wegkwijnen in doorgaans liefdeloze openbare inrichtingen of stilletjes geëuthanaseerd zouden worden door zichzelf ongevraagd opwerpende 'engelen des doods' in het medisch systeem.

In deze decembernacht werd ik verwarmd door de aanwezigheid van een man als broeder John, een man wiens barmhartigheid niet onderdeed voor zijn genialiteit. Om eerlijk te zijn leverde het koekje een belangrijke bijdrage aan mijn verbeterde stemming.

Er was ook een nieuwe abdij gebouwd, inclusief een serie ondergrondse kamers die volgens broeder Johns gedetailleerde beschrijving werden geconstrueerd en ingericht.

Niemand noemde dit onderaardse complex een laboratorium. Voor zover ik kon zien was het ook geen laboratorium, maar iets unieks dat alleen aan zijn geniale brein kon zijn ontsproten, het uiteindelijke doel een mysterie.

De broeders, van wie er maar weinigen ooit hier kwamen, noemden deze vertrekken John's Mew. Het Engelse *mew* moet in dit geval vertaald worden als toevluchtsoord. Een schuilplaats.

Een mew is ook een kooi waarin haviken worden gehouden terwijl ze in de rui zijn. Mew betekent ook 'ruien'.

Ik heb een keer een monnik over broeder John horen zeggen dat die 'daar beneden zat te wachten tot zijn nieuwe veren waren aangegroeid'.

Een andere broeder had dit kelderverblijf een cocon genoemd en zich afgevraagd wanneer de transformatie tot vlinder zou plaatshebben.

Zulke opmerkingen suggereerden dat broeder John iemand anders zou kunnen worden dan hij was, een grootser iemand.

Omdat ik gast was en geen monnik, kon ik niet meer uit de broeders loskrijgen. Ze namen hem en zijn privacy in bescherming.

Ik was bekend met broeder Johns ware identiteit omdat hij me die zelf had onthuld. Hij had me geen eed van geheimhouding afgenomen. Hij had alleen maar gezegd: 'Ik weet dat je me niet zult verraden, Odd Thomas. Je discretie en loyaliteit staan in de sterren geschreven.'

Hoewel ik geen flauw idee had wat hij daarmee bedoelde, drong ik niet aan op een verklaring. Hij zei veel dingen die ik niet volledig begreep en ik wilde niet dat onze relatie een gesproken sonate zou worden waarin een ritmisch *Watte? Watte? Watte?* mijn enige bijdrage was.

Ik had hem mijn geheim niet verteld. Ik weet niet waarom. Misschien heb ik gewoon liever dat bepaalde mensen die ik bewonder geen reden hebben mij als een freak te beschouwen.

De broeders bejegenden hem met aan ontzag grenzend respect. Ook bespeurde ik in hen een spoor van vrees. Ik kon me vergissen.

Ik beschouwde hem niet als angstaanjagend. Ik zag in hem geen dreiging. Maar soms zag ik dat hij zelf ergens bang voor was.

Abt Bernard noemt deze ruimte niet John's Mew, zoals de andere monniken. Hij noemt die het adyton.

Adyton is een middeleeuws woord dat 'het heilige der heiligen, verboden voor het publiek, het binnenste gedeelte van de tempel' betekent.

De abt is een opgewekt man, maar het woord 'adyton' spreekt hij nooit met een glimlach uit. De drie lettergrepen komen altijd prevelend of fluisterend over zijn lippen, plechtig, en in zijn ogen liggen dan verlangen en ontzag en misschien ook angst.

Over de reden die broeder John had doen besluiten succes en het wereldlijk bestaan te verruilen voor armoede en het klooster, had hij alleen maar gezegd dat zijn studie van de structuur van de werkelijkheid via die tak van fysica die bekendstaat als kwantummechanica hem tot openbaringen had geleid die hem deemoedig maakten. 'Deemoedig maakten en de stuipen op het lijf joegen,' zei hij.

Toen ik het laatste stukje chocoladekoekje ophad, vroeg hij:

'Waaraan dank ik je bezoek op dit late uur, tijdens de Grote Stilte?'

'Ik weet dat u het grootste deel van de nacht wakker bent.'

'Ik slaap steeds minder, ik kan mijn gedachten niet uitschakelen.'

Zelf had ik ook regelmatig last van slapeloosheid, en ik zei: 'Er zijn nachten dat mijn hersenen net de tv van iemand anders zijn, iemand die maar blijft zappen.'

'En als ik dan eindelijk in slaap val,' zei broeder John, 'is dat dikwijls op ongelegen tijdstippen. Op elke willekeurige dag loop ik een of twee getijden van het Heilig Officie mis – soms metten en lauden, soms sext of completen. Ik heb zelfs ontbroken bij de mis, al slapend op deze stoel. De abt is begripvol. De prior is te clement met mij, schenkt me makkelijk absolutie en legt me te weinig boetedoening op.'

'Ze hebben veel respect voor u, broeder.'

'Het is als zitten op een strand.'

'Waar?' vroeg ik, behendig *Watte?* omzeilend.

'Hier, in de stille uren na middernacht. Als zitten op een strand. De nacht rolt en breekt en brengt onze verliezen aan de oppervlakte als wrakstukken van een schip.'

Ik zei: 'Daar zit wat in', omdat ik werkelijk dacht dat ik zijn stemming zo niet de volle betekenis van zijn woorden begreep.

'Niet-aflatend onderzoeken we de wrakstukken in de branding, alsof we het verleden weer kunnen lijmen, maar daarmee blijven we onszelf kwellen.'

Dat gevoel had tanden. Ook ik had de beet ervan ervaren. 'Broeder John, ik heb een vreemde vraag.'

'Uiteraard,' zei hij, ofwel doelend op de mysterieuze aard van mijn nieuwsgierigheid, ofwel op mijn naam.

'Broeder John, het zal misschien een onnozele vraag lijken, maar ik heb goede reden om hem te stellen. Bestaat er ook maar een geringe mogelijkheid dat uw werk hier zou… ontploffen of zoiets?'

Hij boog zijn hoofd, hief een hand van de armleuning van zijn stoel en wreef over zijn kin, klaarblijkelijk mijn vraag overpeinzend.

Hoewel ik hem dankbaar was dat hij me een weloverwogen

antwoord wilde geven, zou ik blijer zijn geweest als hij zonder aarzeling had gezegd: *Nee, niet de geringste, onmogelijk, belachelijk.*

Broeder John maakte deel uit van een lange traditie van monnik- en priesterwetenschappers. De Kerk had het concept van de universiteit in het leven geroepen en in de twaalfde eeuw de eerste gesticht. Roger Bacon, een franciscaner monnik, was een van de grootste wiskundigen van de dertiende eeuw. Bisschop Robert Grosseteste was de eerste om de noodzakelijke stappen voor het uitvoeren van een wetenschappelijk experiment op te schrijven. Jezuïeten hadden de eerste spiegeltelescopen, microscopen en barometers gebouwd, hadden als eerste de constante van de zwaartekracht berekend, hadden als eerste de hoogte van de bergen op de maan gemeten, hadden als eerste een accurate methode ontwikkeld voor het berekenen van de baan van een planeet, hadden als eerste een samenhangende beschrijving van de atoomtheorie uitgewerkt en gepubliceerd.

Voor zover ik wist had geen enkele van die mannen in de loop der eeuwen per ongeluk een klooster de lucht in geblazen.

Maar ik weet natuurlijk niet alles. Rekening houdend met de oneindige hoeveelheid kennis die je kunt vergaren in een schier eindeloze reeks intellectuele disciplines, is het waarschijnlijk accurater om te zeggen dat ik helemaal níéts weet.

Het zou best kunnen dat monnikwetenschappers zo nu en dan een klooster hebben opgeblazen, maar ik ben er redelijk zeker van dat ze dit nooit met opzet hebben gedaan.

Ik kon me broeder John, filantroop en koekjesbakker, niet voorstellen in een geheimzinnig verlicht laboratorium, het kakelende lachje van een krankzinnige wetenschapper kakelend en plannen smedend om de wereld te vernietigen. Hij was briljant, maar ook menselijk, en ik kon me dus wel makkelijk voorstellen dat hij geschrokken opkeek van een experiment en *oeps* zei, vlak voor hij onbedoeld de abdij terugbracht tot een plas nanobrij.

'Zoiets,' zei hij ten slotte.

'Pardon?'

Hij hief zijn hoofd op en keek me weer aan. 'Ja, misschien zoiets.'

'Zoiets, broeder?'

'Ja. Je vroeg me of de mogelijkheid bestaat dat mijn werk hier zou ontploffen of zoiets. Ik geloof niet dat het zou kunnen ontploffen. Ik bedoel, niet het werk zelf.'

'O. Maar er zou iets anders kunnen gebeuren.'

'Misschien wel, waarschijnlijk niet. Zoiets.'

'Maar misschien wel. Wat voor iets?'

'Wat dan ook.'

'Wat dan ook wat?' vroeg ik.

'Wat je je maar kunt voorstellen.'

'Broeder?'

'Neem nog een koekje.'

'Broeder, álles is voorstelbaar.'

'Ja. Dat klopt. Het voorstellingsvermogen kent geen grenzen.'

'Dus er zou van alles mis kunnen gaan?'

'*Zou kunnen* is niet *zal*. Er kan om het even welk verschrikkelijk, rampzalig iets gebeuren, maar waarschijnlijk zal er niets plaatsgrijpen.'

'Waarschijnlijk?'

'Waarschijnlijkheid is een belangrijke factor, Odd Thomas. Er *zou* zo meteen een bloedvat kunnen barsten in je hersenen zodat je ter plekke dood zou neervallen.'

Ik had opeens spijt dat ik niet nog een koekje had gepakt.

Hij glimlachte. Hij keek op zijn horloge. Hij keek mij aan. Hij haalde zijn schouders op. 'Zie je wel? De waarschijnlijkheid was gering.'

'Dat van alles wat zou kunnen gebeuren,' zei ik, 'ervan uitgaand dat het daadwerkelijk gebeurt, zou dat tot gevolg kunnen hebben dat een heleboel mensen een gruwelijke dood sterven?'

'Gruwelijk?'

'Ja, broeder. Gruwelijk.'

'Dat is een subjectief oordeel. Gruwelijk kan voor de een iets anders betekenen dan voor de ander.'

'Verbrijzelende botten, barstende harten, uiteenspattende

hoofden, brandend vlees, bloed, pijn, gegil – dat soort gruwe-lijk.'

'Misschien wel, misschien niet.'

'Weer hetzelfde.'

'Het is waarschijnlijker dat ze gewoon zouden ophouden te bestaan.'

'Dat is dood.'

'Nee, het is anders. Dood laat een lijk achter.'

Ik had mijn hand uitgestoken om een koekje te pakken. Ik trok mijn hand terug zonder er een van het bord te pakken.

'Broeder John, u maakt me bang.'

Een blauwe reiger die rustig zit doet je verbaasd opkijken wanneer hij zijn ware grootte onthult door het strekken van zijn lange, stokdunne poten. Net zo, bleek broeder John nog groter te zijn dan ik me herinnerde toen hij opstond van zijn stoel. 'Ook ik word dikwijls door angst overvallen, doodsangst, en dat duurt nu al jaren voort. Je leert ermee leven.'

Ik kwam overeind en zei: 'Broeder John... wat het werk ook mag zijn dat u hier uitvoert, weet u zeker dat u dat zou moe-ten doen?'

'Mijn intellect is een godsgeschenk. Ik heb een heilige plicht dat te gebruiken.'

Zijn woorden vonden weerklank in mij. Wanneer een van de talmende, door moord omgekomen doden naar mij komt voor gerechtigheid, voel ik me altijd verplicht die arme ziel te helpen.

Het verschil is dat ik me verlaat op zowel mijn gezond ver-stand als iets wat je een zesde zintuig zou kunnen noemen, ter-wijl broeder John bij zijn onderzoek alleen maar zijn intellect gebruikt.

Een zesde zintuig is iets wonderbaarlijks dat op zich iets bo-vennatuurlijks heeft. Het menselijk intellect daarentegen, hoe krachtig en zegerijk ook, wordt voor het merendeel gevormd door deze wereld en is daardoor corrumpeerbaar.

De handen van deze monnik waren net als zijn intellect een geschenk van God, maar hij kon ervoor kiezen ze te gebruiken om baby's te wurgen.

Ik hoefde hem hier niet aan te herinneren. Ik zei alleen: 'Ik heb een afschuwelijke droom gehad. Ik maak me zorgen over de kinderen in de school.'

In tegenstelling tot zuster Angela had hij niet onmiddellijk door dat mijn droom een leugen was. Hij zei: 'Zijn je dromen in het verleden altijd uitgekomen?'

'Nee, broeder. Maar deze was bijzonder... echt.'

Hij trok zijn kap over zijn hoofd. 'Probeer over iets prettigs te dromen, Odd Thomas.'

'Ik heb geen controle over mijn dromen, broeder.'

Hij sloeg met een vaderlijk gebaar een arm om mijn schouders. 'Dan is het misschien beter dat je niet gaat slapen. De fantasie heeft een angstaanjagende kracht.'

Zonder dat ik het me bewust was, waren we de kamer doorgelopen. Het zitje lag nu achter ons en voor me gleed een deur geruisloos open. Achter de deur lag de antichambre overspoeld met rood licht.

Toen ik in mijn eentje over de drempel was gelopen, draaide ik me weer om naar broeder John.

'Broeder John, toen u besloot uw leven als alleen maar wetenschapper in te ruilen voor dat van monnikwetenschapper, hebt u toen ooit overwogen om in plaats daarvan verkoper van autobanden te worden?'

'Wat is de clou?'

'Het is geen mop, broeder. Toen mijn leven te gecompliceerd werd en ik mijn loopbaan als snelbuffetkok moest opgeven, heb ik een leven tussen autobanden overwogen. Maar in plaats daarvan ben ik hiernaartoe gekomen.'

Hij zei niets.

'Als verkoper van autobanden, mensen de weg opsturen op kwaliteitsrubber, tegen een redelijke prijs, zou ik goed werk doen. Als het mogelijk zou zijn om verkoper van autobanden te worden en *verder niets*, alleen maar een goede verkoper van autobanden met een klein appartementje en het meisje dat ik eens heb gekend, zou ik daar genoeg aan hebben.'

Zijn paarsblauwe ogen waren roodachtig in het licht van de hal. Hij schudde zijn hoofd en verwierp het bandenleven. 'Ik wil weten.'

'Wat wilt u weten?' vroeg ik.

'Alles,' zei hij, en toen gleed de deur tussen ons dicht.

Glimmende stalen letters op geborsteld staal: PER OMNIA SAECULA SAECULORUM.

Tot in alle eeuwigheid.

Door sissende deuren, door botergeel licht en blauw, ging ik naar de oppervlakte, de nacht in, en draaide ik de bronzen deur met mijn loper op slot.

LIBERA NOS A MALO stond op de deur.

Verlos ons van den boze.

Terwijl ik de stenen treden naar de abdijtuin op liep, begon het te sneeuwen. Grote vlokken dwarrelden bevallig in de windstille duisternis, ronddraaiend als in een wals die ik niet kon horen.

De nacht leek minder ijzig dan eerder. Misschien had ik het in John's Mew kouder gehad dan ik besefte en vergeleken met dat rijk leek de winternacht zacht.

Even later maakten de vlokken zo groot als ijsbloemen plaats voor kleinere. De lucht vulde zich met het fijne schaafsel van de onzichtbare wolken.

Dit was het moment waarop ik had zitten wachten voor het raam van mijn kleine suite in het gastenverblijf, voordat Boo en de bodach beneden in de tuin waren verschenen.

Voor mijn komst naar dit klooster had ik mijn leven doorgebracht in het stadje Pico Mundo in de Californische woestijn. Ik had het nog nooit zien sneeuwen tot de lucht eerder die nacht in een valse start een paar vlokken had uitgespuwd.

In de eerste minuut van de echte sneeuwbui bleef ik als aan de grond genageld staan, geboeid door het spektakel, voor waar aannemend wat ik had gehoord: dat geen twee sneeuwvlokken hetzelfde zijn.

De schoonheid benam me de adem, de manier waarop de sneeuw viel terwijl de nacht toch stil was, de ingewikkeldheid van de simpliciteit. Hoewel de nacht nog mooier zou zijn geweest als ik dit samen met haar had kunnen ervaren, was een ogenblik lang alles goed, echt alles, en toen hoorde ik natuurlijk iemand gillen.

7

De scherpe angstkreet was zo kort dat je makkelijk zou kunnen denken dat je je het had verbeeld of dat een nachtvogel, door de sneeuw naar de beschutting van het bos gedreven, vlak boven je hoofd langsvliegend een schrille kreet had geuit.

In de zomer van het voorgaande jaar, toen gewapende overvallers het winkelcentrum in Pico Mundo hadden bestormd, had ik zo veel gegil gehoord dat ik had gehoopt dat mijn gehoor me daarna in de steek zou laten. Eenenveertig onschuldige mensen werden door kogels getroffen. Negentien hadden het niet overleefd. Ik zou muziek en de stemmen van mijn vrienden graag hebben ingeruild voor een stilte die me tot aan mijn dood zou hebben gespaard voor elke menselijke kreet van pijn of doodsangst.

We hopen dikwijls op de verkeerde dingen en mijn egoïstische hoop was ijdel. Ik ben niet doof voor pijn of blind voor bloed – of dood, zoals ik een tijdlang misschien heb gewenst.

Onwillekeurig rende ik om de hoek van de abdij. Ik rende noordwaarts langs het refectorium, waar de monniken hun maaltijden genieten, en waar om één uur 's nachts geen licht brandde.

Met mijn ogen half dichtgeknepen tuurde ik door het scherm van sneeuwvlokken naar het westelijke bos. Als daar iemand was, onttrok de sneeuw hem aan het oog.

Het refectorium vormde een binnenhoek met de bibliotheekvleugel. Ik liep westwaarts, langs diepliggende ramen waarachter een duisternis van geordende boeken lag.

Toen ik de zuidwesthoek van de bibliotheek omrende, struikelde ik bijna over een man die op zijn buik op de grond lag. Hij droeg het zwarte habijt met kap van een monnik.

De schok bracht een vlaag koude lucht mijn longen binnen – een vluchtige pijn in de borst – en dreef die uit in een lange, bleke sliert.

Ik liet me naast de monnik op mijn knieën vallen, maar durfde hem niet aan te raken uit angst tot de ontdekking te komen dat hij niet zomaar was gevallen, maar was neergeslagen.

De wereld buiten dit toevluchtsoord in de bergen was in hoge mate barbaars, een toestand waarnaar die inmiddels om en nabij anderhalve eeuw had gestreefd. Een eens zo glorievolle beschaving was nu nog slechts schijn, een masker dat het barbaren mogelijk maakte steeds grotere wreedheden te begaan onder het mom van deugden die een werkelijk beschaafde wereld als kwaden zou hebben herkend.

Na het ontvluchten van die barbaarse ordeloosheid wilde ik liever niet toegeven dat het nergens veilig was, dat er geen toevluchtsoord bestond buiten het bereik van anarchie. De op de grond liggende gedaante zou misschien het bewijs kunnen zijn, tastbaarder dan bodachs, dat er nergens een haven bestond waarin ik me veilig kon terugtrekken.

Ik bereidde me voor op zijn in elkaar geslagen gezicht, zijn opengereten gezicht, en raakte hem aan terwijl sneeuw zijn sobere tunica tooide. Met een huivering van verwachting draaide ik hem op zijn rug.

De vallende sneeuw leek de nacht licht te brengen, maar het was een spookachtig licht dat niets verlichtte. Hoewel de kap naar achteren geschoven was en deze het gezicht van het slachtoffer niet verborg, kon ik hem niet duidelijk genoeg zien om hem te herkennen.

Toen ik mijn hand op zijn mond legde, voelde ik geen adem, ook geen baard. Sommige broeders dragen een baard, maar sommige ook niet.

Ik drukte mijn vingertoppen tegen zijn keel, die nog warm was, en zocht de halsslagader. Ik meende een hartslag te bespeuren.

Omdat mijn handen verkleumd waren van de kou en daardoor minder gevoelig voor warmte, was het mogelijk dat ik een zwakke ademhaling niet had gevoeld toen ik zijn lippen aanraakte.

Toen ik me over de gestalte heen boog om mijn oor tegen zijn mond te drukken in de hoop op zijn minst een zuchtje adem op te vangen, werd ik van achteren aangevallen.

De aanvaller had ongetwijfeld de bedoeling gehad mijn schedel te verbrijzelen. Hij haalde naar me uit op het moment dat ik me vooroverboog en de knuppel schampte mijn achterhoofd en kwam hard neer op mijn linkerschouder.

Ik viel voorover, rolde naar links, rolde nog iets verder, krabbelde overeind en zette het op een lopen. Ik had geen wapen. Hij had een knuppel en misschien zelfs iets ergers, een mes.

Moordenaars die graag met hun handen werken, het soort zonder vuurwapen, kunnen je met een knuppel je hersens inslaan of je met een sjaal wurgen, maar de meesten dragen ook een mes, voor in geval van nood of voor de pret die als voor- of naspel zou kunnen dienen.

Die gasten met de smalgerande platte hoeden die ik eerder heb genoemd, waren uitgerust met ploertendoders en vuurwapens en zelfs een hydraulische autopers, en evengoed hadden ze messen bij zich. Als doden je werk is, is één wapen niet genoeg – een loodgieter zou ook nooit naar een spoedklus gaan met alleen maar een moersleutel in zijn binnenzak.

Hoewel het leven me oud voor mijn leeftijd heeft gemaakt, heb ik nog altijd de snelheid van de jeugd. Hopend dat mijn aanvaller ouder en dus trager was, rende ik weg van de abdij en naar de open tuin, waar geen hoeken waren waarin ik in het nauw gedreven kon worden.

Ik stormde door de vallende sneeuw, waardoor het leek of er een wind was opgestoken die vlokken op mijn wimpers plakte.

In deze tweede minuut van vallende sneeuw was de grond nog steeds zwart, nog niet veranderd door het penseel van de sneeuwbui. Na slechts een paar meter rennen begon de grond schuin af te lopen naar het bos dat ik niet kon zien, open duisternis die afdaalde naar een besloten duisternis.

Mijn intuïtie fluisterde me in dat het bos mijn dood zou zijn. Door het bos in te rennen, rende ik mijn graf tegemoet.

De wildernis is niet mijn natuurlijke habitat. Ik ben een

stadsjongen die zich thuis voelt met plaveisel onder zijn voeten, die wonderen kan verrichten met een bibliotheekkaart en meester is achter de bakplaat.

Als mijn achtervolger een beest was van de nieuwe barbarencultuur, zou hij misschien niet in staat zijn vuur te maken met twee stokjes en een steen, zou hij misschien niet het ware noorden kunnen afleiden uit de groei van mos op bomen, maar door zijn tuchteloze aard zou hij zich in het bos meer thuis voelen dan ik me ooit zou voelen.

Ik had een wapen nodig, maar het enige wat ik had waren mijn loper, een papieren zakdoekje en onvoldoende kennis van oosterse vechtkunsten om die tot een dodelijk wapen te maken.

Gemaaid gras maakte plaats voor hoog gras en tien meter later legde de natuur wapens onder mijn voeten: losse stenen die mijn behendigheid en evenwicht op de proef stelden. Ik kwam slippend tot stilstand, bukte me, griste twee stenen ter grootte van pruimen van de grond, draaide me om, slingerde er een weg, heel hard, en toen de tweede.

De stenen verdwenen in sneeuw en duisternis. Of ik was mijn achtervolger kwijtgeraakt of hij had, aanvoelend wat ik van plan was, een omtrekkende beweging om me heen gemaakt toen ik was blijven staan en me had gebukt.

Ik griste meer projectielen van de grond, maakte een draai van driehonderdzestig graden en tuurde de nacht in, klaar om hem te bekogelen met een paar stenen van een half pond.

Niets bewoog behalve de sneeuw, die nu leek te vallen in strengen zo recht als de strengen van een kralengordijn, terwijl elk vlokje al vallend rondwentelde.

Ik had nog geen vijf meter zicht. Ik had niet geweten dat het zo hard kon sneeuwen dat het zicht zozeer belemmerd werd.

Een of twee keer meende ik aan de rand van mijn gezichtsveld een glimp van beweging op te vangen, maar dat moet gezichtsbedrog zijn geweest, want ik kon geen vorm onderscheiden. De patronen van sneeuw op nacht maakten me draaierig in het hoofd.

Ik hield mijn adem in en luisterde. De sneeuw fluisterde niet eens zijn weg naar de grond, maar leek de nacht te zouten met stilte.

Ik wachtte. Daar ben ik goed in. Ik had zestien jaar gewacht op het moment dat mijn gestoorde moeder me in mijn slaap zou vermoorden voor ik eindelijk het huis uitging en haar alleen achterliet met haar dierbare pistool.

Als ik, ondanks het regelmatig terugkerende levensgevaar dat mijn gave meebrengt, mag rekenen op een gemiddelde levensduur, heb ik nog zestig jaar te gaan voor ik Stormy Llewellyn weer zie, in het hiernamaals. Dat wordt lang wachten, maar ik ben geduldig.

Mijn linkerschouder deed pijn en mijn achterhoofd, geschampt met de knuppel, voelde niet echt prettig. Ik was verkleumd tot op het bot.

Om de een of andere reden werd ik niet achtervolgd.

Als het lang genoeg zou hebben gesneeuwd om de grond wit te maken, had ik me op mijn rug kunnen uitstrekken om sneeuwengelen te maken. Maar de omstandigheden waren nog niet geschikt voor spelletjes. Misschien later.

De abdij was niet te zien. Ik wist niet zeker van welke kant ik was gekomen, maar ik was niet bang dat ik zou verdwalen. Ik ben nog nooit verdwaald.

Mijn terugkeer aankondigend met onbeheerst geklappertand en met in elke hand een steen, zocht ik voorzichtig mijn weg over de weide en kwam weer uit op het korte gras van de tuin. Uit de stille sneeuwbui doemde de abdij op.

Toen ik de hoek van de bibliotheek bereikte waar ik bijna was gestruikeld over de op de grond liggende monnik, vond ik noch slachtoffer noch aanvaller. Omdat ik bang was dat de man misschien bij bewustzijn was gekomen en ernstig gewond en gedesoriënteerd was weggekropen om even later weer buiten westen te raken, zocht ik in een steeds wijdere boog, maar vond niemand.

De bibliotheek vormde een L met de achtermuur van de gastenvleugel, waar ik net iets meer dan een uur geleden de achtervolging van de bodach had ingezet. Ik liet de in mijn handen geklemde stenen vallen, ontsloot half bevroren de deur naar de achtertrap en klom naar de tweede verdieping.

In de gang stond de deur van mijn kleine suite open, zoals ik die had achtergelaten. Wachtend op sneeuw had ik bij kaarslicht voor het raam gezeten, maar nu viel een feller licht uit mijn voorkamer de gang in.

8

Het was onwaarschijnlijk dat de gastenverzorger, broeder Roland, even na enen 's nachts het beddengoed kwam verschonen of een portie van de 'twee okshoofden wijn' kwam brengen die Sint-Benedictus, toen hij de Regel schreef, de verzamelingen richtlijnen die het kloosterleven sinds de zesde eeuw hebben geleid, had omschreven als een noodzakelijke voorziening van elk gastenverblijf.

St. Bartholomew's voorziet niet in wijn. De kleine tafelmodel koelkast in mijn badkamer bevat blikjes cola en flesjes ijsthee.

Toen ik mijn voorkamer binnenliep, klaar om 'schurk' of 'bandiet' of een ander minder vleiende benaming te roepen die gepast zou klinken in de middeleeuwse sfeer, trof ik geen vijand aan, maar een vriend. Broeder Boksbeugel, soms bekend als broeder Salvatore, stond bij het raam en keek naar de vallende sneeuw.

Broeder Boksbeugel is zich sterk bewust van de hem omringende wereld, van de kleinste geluidjes en waarschuwende geurtjes, waaraan hij het dankte dat hij de wereld waarin hij verkeerde voor hij monnik werd, had overleefd. Toen ik stilletjes over de drempel stapte, zei hij: 'Je wordt nog doodziek met je gelanterfant in een nacht als deze, zo dun gekleed.'

'Ik was niet aan het lanterfanten,' zei ik, terwijl ik de deur zachtjes achter me dichtdeed. 'Ik was aan het sluipen.'

Hij draaide zich weg van het raam en met zijn gezicht naar me toe. 'Ik was in de keuken, waar ik me te goed deed aan een stukje rosbief en provolone toen ik je de trap op zag komen van John's Mew.'

'In de keuken brandde geen licht, broeder. Dat zou ik hebben gezien.'

'Het licht van de koelkast is genoeg om een snack klaar te maken en je kunt heel goed eten bij het licht van de klok op de magnetron.'

'U hebt zich dus in het donker schuldig gemaakt aan de zonde van gulzigheid, is het niet?'

'De keldermeester moet toch zeker regelmatig controleren of alles wel vers is?'

Als keldermeester van de abdij was broeder Boksbeugel inkoper en voorraadbewaker van het voedsel, de dranken en andere materiële goederen voor het klooster en de school.

'Hoe dan ook,' zei hij, 'een man die 's nachts gaat eten in een helder verlichte keuken zonder luiken, is een man die zijn laatste broodje proeft.'

'Zelfs als die man een monnik in een klooster is?'

Broeder Boksbeugel haalde zijn schouders op. 'Je kunt niet voorzichtig genoeg zijn.'

In trainingspak in plaats van zijn habijt, met zijn een meter zeventig lengte en negentig kilo botten en spieren, leek hij net een gietvormmachine die was afgedekt met een grijs flanellen theemuts.

De regenwaterogen, de harde hoeken en stompe randen van zijn voorhoofd en kaak hadden hem een hard of zelfs dreigend voorkomen moeten geven. In zijn voorgaande leven hadden mensen hem gevreesd, en terecht.

Twaalf jaar in een klooster, jaren van wroeging en boetvaardigheid, hadden warmte gebracht in die eens ijskoude ogen en hem bezield met een vriendelijkheid die zijn onheilspellende gezicht had getransformeerd. Nu, op zijn vijfenvijftigste, had hij kunnen doorgaan voor een beroepsbokser die de sport te lang had beoefend: bloemkooloren, portobelloneus, de deemoed van een in de grond zachtaardige dommekracht die door schade en schande had geleerd dat brute kracht nog geen kampioenschap oplevert.

Een kloddertje ijzige brij gleed van mijn voorhoofd en over mijn rechterwang.

'Je draagt sneeuw als een slappe witte hoed.' Boksbeugel liep naar de badkamer. 'Ik pak even een handdoek voor je.'

'Bij de wasbak staat een flesje aspirine. Ik heb aspirine nodig.'

Hij kwam terug met een handdoek en de aspirine. 'Wil je een beetje water om ze weg te spoelen, of liever een colaatje?'

'Geef mij maar een okshoofd wijn.'

'In Sint-Benny's tijd moeten ze een lever van ijzer hebben gehad. Een okshoofd was bijna tweehonderdveertig liter.'

'Dan hoef ik maar een half okshoofd.'

Tegen de tijd dat ik mijn haar bijna droog had gewreven, bracht hij me een cola. 'Je kwam de trap op bij John's Mew en stond naar de sneeuw te kijken zoals een kalkoen omhoogkijkt naar de regen, met zijn bek open, tot hij verdrinkt.'

'Ach, weet u wat het is, broeder, ik had nog nooit sneeuw gezien.'

'En dan vlieg je als een pijl uit een boog weg en verdwijn je om de hoek van het refectorium.'

Terwijl ik me op een leunstoel installeerde en twee aspirientjes uit het flesje schudde, zei ik: 'Ik hoorde iemand gillen.'

'Ik heb geen gil gehoord.'

'U was binnen,' bracht ik hem in herinnering, 'en u maakte een heleboel kauwgeluiden.'

Boksbeugel ging op de andere leunstoel zitten. 'Wie heeft er gegild?'

Ik spoelde twee aspirientjes weg met cola en zei: 'Bij de bibliotheek vond ik een van de broeders, languit op de grond, op zijn buik. Ik zag hem eerst niet in zijn zwarte habijt, ik ben bijna over hem gestruikeld.'

'Wie was het?'

'Dat weet ik niet. Een forse man. Ik heb hem omgedraaid, maar kon in het donker zijn gezicht niet zien – en toen heeft iemand geprobeerd me van achteren de hersens in te slaan.'

Zijn gemillimeterde haar leek verontwaardigd overeind te gaan staan. 'Dit klinkt niet als St. Bart's.'

'De knuppel of wat het ook was, schampte mijn achterhoofd, en mijn linkerschouder heeft de grootste klap opgevangen.'

'We zouden net zo goed in Jersey kunnen zijn, als er dit soort dingen gebeuren.'

'Ik ben nog nooit in New Jersey geweest.'

'Je zou het er best aardig vinden. Zelfs waar het slecht is, is Jersey altijd echt.'

'Ze hebben daar een van de grootste tweedehandsautobandendumps ter wereld. Die hebt u waarschijnlijk wel gezien.'

'Nee. Triest, hè? Dan woon je ergens bijna je hele leven en ziet de helft over het hoofd.'

'Wist u dan niet eens van het bestaan van die autobandendump, broeder?'

'Mensen kunnen hun hele leven in New York wonen en nooit naar de top van het Empire State Building gaan. Gaat het wel, jongen? Met je schouder?'

'Ik ben er wel eens slechter aan toe geweest.'

'Misschien kun je beter even naar de ziekenzaal gaan, broeder Gregory bellen, naar je schouder laten kijken.'

Broeder Gregory is de infirmarius. Hij is gediplomeerd verpleegkundige.

De kloostergemeenschap telt te weinig leden om een fulltime-infirmarius te rechtvaardigen – temeer daar de zusters er zelf een hebben voor hun klooster en voor de kinderen in de school – dus doet broeder Gregory ook de was, samen met broeder Norbert.

'Het gaat wel, broeder,' verzekerde ik hem.

'Wie heeft eigenlijk geprobeerd je de hersens in te slaan?'

'Ik heb hem niet gezien.'

Ik legde uit hoe ik was weggerold en weggerend met het idee dat mijn aanvaller me op de hielen zat, en hoe de monnik over wie ik bijna gestruikeld was, er niet meer had gelegen toen ik terugkwam.

'We weten dus niet,' zei Boksbeugel, 'of hij op eigen kracht is opgekrabbeld en weggelopen of dat hij werd weggedragen.'

'Wat we ook niet weten is of hij dood was of alleen maar bewusteloos.'

Boksbeugel fronste en zei: 'Ik heb het niet zo op dood. Hoe dan ook, het slaat nergens op. Wie slaat er nou een monnik dood?'

'Wat u zegt, broeder, maar wie slaat er nou een monnik bewusteloos?'

Boksbeugel staarde even peinzend voor zich uit. 'Ik heb een keer meegemaakt dat een vent een lutherse predikant om zeep heeft geholpen, per ongeluk.'

'Ik geloof niet dat het verstandig is dat u mij dit vertelt, broeder.'

Met een zwaai van zijn hand veegde hij mijn bezorgdheid van tafel. Zijn sterke handen lijken een en al knokkel, vandaar zijn bijnaam.

'Ik had het niet over mezelf. Ik heb je gezegd dat ik nooit iemand naar de andere wereld heb geholpen. Dat geloof je toch wel, jongen?'

'Ja, broeder. Maar u zei erbij dat het per ongeluk is gebeurd.'

'Ik heb ook niemand per ongeluk om zeep geholpen.'

'Ik geloof u.'

Broeder Boksbeugel, vroeger Salvatore Giancomo, was voordat God zijn leven een andere wending gaf, een goedbetaalde maffiagorilla geweest.

'Ik heb gezichten verbouwd, hier en daar een been gebroken, maar nooit iemand koud gemaakt.'

Op zijn veertigste begon Boksbeugel vraagtekens te zetten bij zijn beroepskeuze. Hij voelde zich 'leeg, op drift, als een roeiboot op zee waarin niemand zat'.

Tijdens deze zelfvertrouwenscrisis logeerden Boksbeugel en een paar collega-gorilla's vanwege doodsbedreigingen aan het adres van de baas – Tony 'de Eierklutser' Martinelli – bij hem thuis. Het was niet zo'n gezellig pyjamafeestlogeerpartijtje, maar meer een feestje waar iedereen zijn twee favoriete automatische wapens mee naartoe nam. Hoe dan ook, op een avond zat Boksbeugel een verhaaltje voor te lezen aan het zes jaar oude dochtertje van de Eierklutser.

Het verhaal ging over een porseleinen speelgoedkonijn dat erg tevreden was met zichzelf. Maar toen kreeg het konijn te maken met een reeks afschuwelijke tegenslagen die hem een toontje lager deden zingen, en met deemoed kwam empathie voor het lijden van anderen.

Het meisje viel midden in het verhaal in slaap. Boksbeugel wilde dolgraag weten wat er verder met het konijn gebeurde, maar wilde niet dat zijn collega-gezichtsverbouwers

zouden denken dat hij zozeer geboeid werd door een kinder-
boek.

Een paar dagen later, toen het gevaar voor de Eierklutser ge-
weken was, ging Boksbeugel naar een boekwinkel en kocht een
exemplaar van het verhaal van het konijn. Hij begon aan het
begin en tegen de tijd dat hij het boek uit had en het porseleinen konijn weer terug was bij het kleine meisje dat van hem
had gehouden, barstte Boksbeugel in tranen uit.

Hij had nooit eerder gehuild. Die middag, in de keuken van
zijn rijtjeshuis, waar hij in zijn eentje woonde, snikte hij als een
kind.

In die tijd zou niemand die Salvatore 'Boksbeugel' Giancomo
mo kende, zelfs niet zijn eigen moeder, hebben gezegd dat hij
veel aan zelfonderzoek deed, maar toch besefte hij dat hij niet
alleen maar huilde om de terugkeer naar huis van het porseleinen konijn. Hij huilde om het konijn, zeker, maar ook om
iets anders.

Hij kon zich niet meteen voorstellen wat dat 'iets anders' zou
kunnen zijn. Hij bleef aan de keukentafel zitten, dronk de ene
kop koffie na de andere, at stapels door zijn moeder voor hem
gebakken *pizzelles* en hervond keer op keer zijn zelfbeheersing
om even later weer in huilen uit te barsten.

Op een gegeven moment begreep hij dat hij huilde om zichzelf. Hij schaamde zich voor de man die hij was geworden en
treurde om de man die hij als kind verwacht had te zúllen worden.

Dit besef bracht hem in tweestrijd. Hij wilde nog steeds stoer
zijn, was fier op zijn kracht en stoïcisme. Maar toch leek hij
zwak en emotioneel te zijn geworden.

In de daaropvolgende maand las en herlas hij het verhaal van
het konijn. Hij begon te begrijpen dat toen Edward, het konijn, nederigheid ontdekte en begon mee te voelen met andermans verlies, hij niet zwak werd maar juist sterker.

Boksbeugel kocht nog een boek van dezelfde schrijfster. Dit
boek ging over een verstoten muis met veel te grote oren die
een prinses redde.

De muis raakte hem minder diep dan het konijn, maar ook
de muis werd hem dierbaar. De muis was hem dierbaar van-

wege diens moed en bereidheid zichzelf voor de liefde op te offeren.

Drie maanden nadat hij het verhaal van het porseleinen konijn voor het eerst had gelezen, regelde Boksbeugel een ontmoeting met de FBI. Hij bood aan te getuigen tegen zijn baas en een massa andere criminelen.

Zijn verraad kwam deels voort uit de behoefte zijn eigen fouten goed te maken en deels uit de behoefte het kleine meisje te redden waaraan hij een deel van het verhaal van het konijn had voorgelezen. Hij hoopte haar het koude, verlammende leven van de dochter van een maffialeider te besparen dat zich rondom haar zou optrekken en haar even onverbiddelijk zou insluiten als beton.

Nadien werd Boksbeugel opgenomen in het getuigenbeschermingsprogramma. Hij verhuisde naar Vermont en kreeg een nieuwe identiteit. Zijn nieuwe naam was Bob Loudermilk.

Vermont bleek een te grote cultuurschok te zijn. Birkenstocks, flanellen shirts en mannen van vijftig met een paardenstaart wekten zijn ergernis.

Hij probeerde de ergste wereldse verleidingen te weerstaan met een groeiende verzameling kinderboeken. Hij ontdekte dat sommige schrijvers op een subtiele manier het soort gedrag en de morele waarden die hij eens had gekoesterd leken goed te keuren, en die joegen hem angst aan. Hij kreeg maar geen genoeg van diepzinnige porseleinen konijnen en dappere muizen met te grote oren.

Tijdens het eten in een middelmatig Italiaans restaurant en verlangend naar Jersey, voelde hij zich opeens geroepen tot het kloosterleven. Het gebeurde kort nadat een kelner een portie slechte gnocchi voor hem had neergezet, zo taai als toffees, maar dat is een verhaal voor later.

Als novice, de weg volgend van spijt naar wroeging naar oprechte boetvaardigheid, ervoer Boksbeugel voor het eerst van zijn leven puur geluk. In St. Bartholomew's Abbey bloeide hij op.

Nu, jaren later in deze sneeuwachtige nacht, terwijl ik overwoog om nog twee aspirientjes in te nemen, zei hij: 'Die predikant, Hoobner heette die, had vreselijk te doen met Amerikaanse indianen, zoals ze hun land waren kwijtgeraakt en zo, en dus verloor hij altijd geld met blackjack in hun casino's. Een deel van dat geld kwam van een tegen hoge rente afgesloten lening bij Tony Martinelli.'

'Het verbaast me dat de Eierklutser een predikant geld zou lenen.'

'Tony ging ervan uit dat als Hoobner die acht procent niet meer uit zijn eigen zak kon betalen, hij het geld kon stelen uit de zondagse collecteschaal. Maar het geval wilde dat Hoobner weliswaar gokte en de serveersters in hun reet kneep, maar geen dief was. Dus als de betalingen uitblijven stuurt Tony een mannetje naar Hoobner toe om diens morele dilemma met hem te bespreken.'

'En dat mannetje was niet jij,' zei ik.

'Dat mannetje was niet ik, we noemden hem Naaldje.'

'Ik geloof niet dat ik wil weten waarom jullie hem Naaldje noemden.'

'Nee, dat wil je zeker niet,' beaamde Boksbeugel. 'Hoe dan ook, Naaldje geeft Hoobner een laatste kans om te dokken en in plaats van met christelijke inschikkelijkheid op dit verzoek te reageren, zegt de predikant: "Loop naar de hel." Dan trekt hij een pistool en probeert Naaldje een enkele reis hiernamaals te verkopen.'

'De predikant schiet Naaldje neer?'

'Misschien was hij methodist en geen lutheraan. Hij schiet op Naaldje, maar de kogel boort zich in diens schouder en dan trekt Naaldje zijn knaller en schiet Hoobner dood.'

'De predikant was wel bereid iemand neer te knallen, maar stelen ging hem te ver.'

'Ik beweer niet dat dit volgens de traditionele methodistenleer is.'

'Nee, broeder, ik begrijp het.'

'Eerlijk gezegd, nu ik erover nadenk, was die predikant misschien unitariër. Hoe dan ook, hij was predikant en hij werd doodgeschoten; kortom slechte dingen kunnen iedereen overkomen, zelfs een monnik.'

Hoewel de kou van de winternacht me nog niet geheel had verlaten, drukte ik het koude colablikje tegen mijn voorhoofd.

'Bij het probleem waarmee we hier te maken hebben zijn bodachs betrokken.'

Omdat hij in St. Bartholomew's een van mijn weinige vertrouwelingen was, vertelde ik hem over het drietal demonische schimmen dat rond Justines bed had gestaan.

'En heb je ze ook zien rondhangen bij de monnik over wie je bijna bent gestruikeld?'

'Nee, broeder. Ze zijn hier vanwege iets groters dan één monnik die buiten westen wordt geslagen.'

'Je hebt gelijk. Dat is niet bepaald iets wat waar dan ook een grote menigte trekt.'

Hij stond op van zijn stoel en liep naar het raam. Hij keek even de nacht in.

Toen zei hij: 'Ik vraag me af… Zou het misschien kunnen dat mijn verleden me inhaalt?'

'Dat was vijftien jaar geleden. De Eierklutser zit toch in de gevangenis?'

'Hij is in de lik gestorven. Maar sommigen van die andere criminelen hebben een goed geheugen.'

'Broeder, als een huurmoordenaar u had weten op te sporen, zou u dan niet allang dood zijn?'

'Zeker weten. Dan zou ik op een harde stoel in de wachtkamer van de hel oude tijdschriften zitten lezen.'

'Ik geloof niet dat dit iets te maken heeft met wie u was.'

Hij draaide zich om van het raam. 'Van jouw lippen naar Gods oor. Ik kan me niks verschrikkelijkers voorstellen dan dat iemand hier door mij iets overkomt.'

'Iedereen hier wordt beter van uw aanwezigheid.'

De vlakken en knobbels van zijn gezicht vertrokken zich tot een glimlach die iemand die hem niet kent schrikaanjagend zou hebben gevonden. 'Je bent een goeie knul. Het is een fijne gedachte dat mijn kind, als ik er ooit een zou hebben gehad, een beetje als jij zou zijn geweest.'

'Mij zijn is niet bepaald iets wat ik een ander zou toewensen, broeder.'

'Maar als ik je pa was,' ging broeder Boksbeugel verder, 'zou je waarschijnlijk kleiner en dikker zijn, met je hoofd dichter op je schouders.'

'Een nek heb ik helemaal niet nodig,' zei ik. 'Ik draag nooit een stropdas.'

'Nee, jongen, je hebt een nek nodig om die te kunnen uitsteken. Dat doe je. Zo ben je gewoon.'

'De laatste tijd heb ik erover nagedacht om mezelf de maat te laten nemen voor een habijt, om novice te worden.'

Hij liep terug naar zijn stoel, ging op de armleuning zitten en keek me peinzend aan. Even later zei hij: 'Misschien zul je op een dag de roeping horen, maar niet in de nabije toekomst. Jouw plaats is in de wereld en dat is goed.'

Ik schudde mijn hoofd. 'Ik geloof niet dat ik daar zo blij mee ben.'

'De wereld heeft je nodig. Je hebt dingen te doen, jongen.'

'Daar ben ik juist zo bang voor. Voor de dingen die ik zal moeten doen.'

'Het klooster is geen schuilplaats. Als een boef hiernaartoe wil om de gelofte af te leggen, moet hij dat doen omdat hij zich wil openstellen voor iets wat groter is dan de wereld en niet omdat hij zich als een pissebed tot een kleine balletje wil oprollen.'

'Er zijn dingen waarvoor je jezelf gewoon moet afsluiten, broeder.'

'Je doelt op twee zomers geleden, de schietpartij in het winkelcentrum. Je hebt niemands vergiffenis nodig, jongen.'

'Ik wist dat het zou gebeuren, dat ze eraan kwamen, die gewapende overvallers. Ik had in staat moeten zijn het tegen te houden. Negentien mensen dood.'

'Iedereen zegt dat er honderden dodelijke slachtoffers zouden zijn gevallen als jij er niet was geweest.'

'Ik ben geen held. Als mensen wisten van mijn gave en wisten dat ik het evengoed niet kon tegenhouden, zouden ze me geen held noemen.'

'Maar je bent ook niet God. Je hebt gedaan wat je kon en dat is meer dan wat ieder ander had kunnen doen.'

Toen ik de cola neerzette, het flesje aspirine oppakte en nog twee tabletjes op mijn handpalm schudde, veranderde ik van onderwerp. 'Gaat u de abt wakker maken om hem te vertellen dat ik over een bewusteloze monnik ben gestruikeld?'

Hij keek me aan alsof hij overwoog of hij zelfs maar zou toestaan dat ik van onderwerp veranderde. Toen zei hij: 'Misschien straks. Eerst ga ik proberen of ik wijzer word van een onofficiële inspectie van de bedden. Misschien vind ik iemand die een stuk ijs tegen een buil op zijn hoofd drukt.'

'De monnik over wie ik ben gestruikeld.'

'Precies. We zitten met twee vragen. Ten tweede: waarom zou iemand een monnik neerknuppelen? Maar ten eerste: waarom zou een monnik op dit uur van de nacht buiten lopen waardoor hij het mogelijk maakt dat iemand hem neerknuppelt?'

'Ik vermoed dat u liever niet een monnik in de problemen wilt brengen.'

'Als het om een zonde gaat, ga ik hem niet helpen wat hij heeft gedaan voor zijn biechtvader te verzwijgen. Daarmee bewijs ik zijn ziel geen dienst. Maar als het alleen maar gaat om iets onbenulligs zal het misschien niet nodig zijn dat de prior het te weten komt.'

Een prior is de tuchtmeester van een klooster.

De tuchtmeester van St. Bartholomew's was pater Reinhart, een oude monnik met dunne lippen en een smalle neus, minder dan de helft van de neus waarop broeder Boksbeugel prat ging. Zijn ogen, wenkbrauwen en haar hadden allemaal de kleur van een voorhoofdsvlek op Aswoensdag.

Als hij liep leek pater Reinhart over de grond te zweven als een geest, op het griezelige af geruisloos. Veel broeders noemden hem het Grijze Spook, zij het met genegenheid.

Pater Reinhart was streng in het handhaven van tucht, maar niet wreed of onrechtvaardig. Vroeger was hij hoofd van een katholieke school geweest, en hij waarschuwde dat hij een tuchtlat had, tot nog toe nooit gebruikt, waarin hij gaten had geboord om de luchtweerstand te verminderen. 'Het is maar dat je het weet,' had hij met een knipoog gezegd.

Broeder Boksbeugel liep naar de deur, aarzelde en keek achterom. 'Als er narigheid aan zit te komen, hoe lang hebben we nog?'

'Na het eerste verschijnen van de bodachs... duurt het soms nog geen dag, doorgaans twee.'

'Weet je zeker dat je geen hersenschudding of zo hebt?'

'Niets wat vier aspirientjes niet zullen verhelpen,' verzeker-de ik hem. Ik stak het tweede paar tabletjes in mijn mond en kauwde ze fijn.

Boksbeugel trok een scheef gezicht. 'Ga je nou een beetje stoer doen?'

'Ik heb ergens gelezen dat ze op deze manier sneller in je bloedstroom worden opgenomen, door het weefsel in je mond.'

'En als je een griepprik krijgt, laat je de dokter die zeker in je tong injecteren. Zorg dat je een paar uur slaap krijgt.'

'Ik zal het proberen.'

'Zoek me op na de lauden, voor de mis, en dan vertel ik je wie een knal voor zijn kop heeft gekregen – en misschien waar-om, als hij dat weet. Christus zij met je, jongen.'

'En met u.'

Hij vertrok en deed de deur achter zich dicht.

De deuren van de suites in het gastenverblijf hebben, net als de deuren van de kamers van de monniken in een andere vleu-gel, geen slot. Iedereen hier respecteert de privacy van ande-ren.

Ik droeg een stoel met een rechte rugleuning naar de deur en klemde hem onder de knop om te voorkomen dat iemand binnenkwam.

Misschien bespoedigt het fijnkauwen van aspirientjes en ze in je mond laten oplossen de opname in je bloed, maar die din-gen smaken walgelijk.

Toen ik een slok cola nam om de vieze smaak weg te spoe-len, reageerden de tabletjes op het koolzuur in de frisdrank en voor ik het wist stond ik te schuimbekken als een hondsdolle hond.

Als het aankomt op tragische figuren, heb ik een veel gro-ter talent voor slapstick dan Hamlet, en terwijl koning Lear voorzichtig over een bananenschil voor zijn voeten heen zou stappen, zal mijn voet die elke keer weer vinden.

9

De doucheruimte in de gerieflijke, maar eenvoudige gasten-
suite was zo klein dat ik het gevoel had in een doodskist te
staan.

Ik liet het warme water tien minuten lang inbeuken op mijn
linkerschouder, die was mals geslagen door de knuppel van
mijn geheimzinnige aanvaller. De spieren ontspanden maar de
pijn bleef.

De pijn was niet ondraaglijk. Ik maakte me er niet druk om.
In tegenstelling tot andere soorten gaat lichamelijke pijn op
een gegeven moment over.

Toen ik de kraan dichtdraaide, stond Boo door de beslagen
glazen deur naar me te kijken.

Nadat ik me had afgedroogd en een onderbroek had aangetrokken, knielde ik neer op de badkamervloer en kriebelde de
hond achter de oren, wat hem deed grijnzen van genot.

'Waar had jij je verstopt?' vroeg ik. 'Waar was je toen die
ploert probeerde mijn hersens uit mijn oren te laten spuiten?
Nou?'

Hij gaf geen antwoord. Hij grijnsde alleen maar. Ik ben dol
op die oude films van de Marx Brothers, en Boo is de Harpo
Marx onder de honden, in meer dan één opzicht.

Mijn tandenborstel leek vijf pond te wegen. Zelfs in uitge-
putte toestand ben ik een fervent tandenpoetser.

Een paar jaar eerder was ik aanwezig geweest bij een lijkschouwing, waarbij de patholoog-anatoom tijdens een eerste
onderzoek van het lijk in zijn bandrecorder had ingesproken
dat de overledene schuldig was aan slechte mondhygiëne. Ik
werd overspoeld door plaatsvervangende schaamte voor de dode man, die een vriend van me was geweest.

Ik hoop dat niemand bij míjn lijkschouwing reden zal hebben voor plaatsvervangende schaamte.

U zou dit kunnen zien als een dwaas soort trots en daar hebt u waarschijnlijk gelijk in.

De mensheid is een parade van dwazen en ik loop voorop, zwaaiend met een tamboerstok.

Ik heb mezelf er echter van overtuigd dat mijn tanden poetsen in afwachting van mijn mogelijk voortijdige dood een kwestie is van rekening houden met de gevoelens van om het even welke aanwezige bij mijn lijkschouwing die me misschien tijdens mijn leven had gekend. Plaatsvervangende schaamte voor een vriend die voortkomt uit diens tekortkomingen, is minder erg dan de vernederende confrontatie met je eigen onvolkomenheden, maar niettemin pijnlijk.

Toen ik de badkamer uitkwam, lag Boo op mijn bed, opgekruld tegen het voeteneind.

'Geen buikmassage, geen gekrabbel meer achter oren,' zei ik. 'Ik stort neer als een vliegtuig waarvan alle motoren zijn uitgevallen.'

Zijn geeuw was overbodig voor een hond als hij, hij was hier voor de gezelligheid, niet om te slapen.

Ik had geen fut meer om een pyjama aan te trekken, dus liet ik me in mijn onderbroek op het bed vallen. De lijkschouwer kleedt het lijk toch altijd uit.

Nadat ik de dekens tot aan mijn kin had opgetrokken, besefte ik dat ik het licht in de badkamer had laten branden.

Ondanks John Heinemans schenking van vier miljard dollar leven de broeders in de abdij zuinig, met inachtneming van hun gelofte van armoede. Verspilling is uit den boze.

Het licht leek heel ver weg, steeds verder weg, en de dekens veranderden in steen. Ach wat, ik was nog geen monnik, niet eens een novice.

Ik was ook geen kok van een snelbuffet meer – behalve wanneer ik op zondag pannenkoeken bakte – of een autobandenverkoper, eigenlijk was ik een vent van niets.

Wij vent-van-nietsfiguren maken ons niet druk om de energieverspilling als een licht onnodig blijft branden.

Toch maakte ik me druk. Maar ook al maakte ik me er druk om, ik viel toch in slaap.

Ik droomde, maar niet over ontploffende boilers. Ook niet over in brand staande nonnen die gillend door een sneeuwachtige nacht renden.

In de droom sliep ik, maar werd wakker en zag een bodach aan het voeteneind van mijn bed staan. In tegenstelling tot de bodachs in de wakende wereld had deze droombodach kwaadaardige ogen die glinsterden door de weerkaatsing van het licht uit de badkamer.

Zoals altijd deed ik net of ik het wezen niet zag. Ik sloeg het gade met tot spleetjes geknepen ogen.

Toen het bewoog, veranderde het van gedaante, zoals dingen in dromen doen, en was niet langer een bodach. Aan het voeteneind van mijn bed stond de Rus met de dreigende blik, Rodion Romanovich, de enige andere bezoeker die momenteel in het gastenverblijf verbleef.

Ook Boo was in de droom. Hij stond op het bed, ontblootte zijn tanden naar de indringer, maar zonder geluid.

Romanovich liep om het bed heen naar het nachtkastje.

Boo sprong vanaf het bed tegen de muur, alsof hij een kat was, en bleef daar hangen, de zwaartekracht tartend, zijn dreigende blik op de Rus gericht.

Interessant.

Romanovich pakte het fotolijstje op dat naast de wekker op het nachtkastje stond.

In het lijstje zit een kaartje uit een waarzegmachine op de kermis die Gypsy Mummy heet. Op het kaartje staat JULLIE ZIJN VOORBESTEMD EEUWIG BIJ ELKAAR TE BLIJVEN.

In mijn eerste manuscript heb ik het zonderlinge verhaal van dit voorwerp verteld. Het volstaat om te zeggen dat Stormy Llewellyn en ik het kregen in ruil voor het eerste muntje dat we in het apparaat stopten, nadat een vent en zijn verloofde vlak voor ons voor hun acht kwartjes alleen maar slecht nieuws hadden gekregen.

Omdat Gypsy Mummy geen nauwkeurige voorspelling deed van gebeurtenissen in deze wereld, omdat Stormy dood is en ik alleen, weet ik dat het kaartje betekent dat we voor altijd bij elkaar zullen zijn in de vólgende wereld. Deze belofte is belangrijker voor me dan voedsel, dan zuurstof.

Hoewel het licht uit de badkamer niet ver genoeg de slaapkamer in scheen om Romanovich in staat te stellen de woorden op het ingelijste kaartje te lezen, las hij ze toch, want aangezien hij een droom-Rus was, kon hij doen wat hij wilde, net zoals droompaarden kunnen vliegen en droomspinnen het hoofd van een mensenbaby kunnen hebben.

Mompelend en met een zwaar accent sprak hij de woorden hardop uit: *Jullie zijn voorbestemd eeuwig bij elkaar te blijven.'*

Zijn plechtige en tegelijk zoetvloeiende stem paste bij een dichter en die acht woorden klonken als een regel lyrische poëzie.

Ik zag Stormy zoals ze die avond op de kermis was geweest en toen ging de droom over haar, over ons, over een heerlijk verleden dat niet meer teruggehaald kon worden.

Na nog geen vier uur onrustige slaap werd ik voor het krieken van de dag wakker.

Het in lood gevatte raam toonde een zwarte lucht, en sneeuwelfjes dansten over het glas. In de onderste ruiten fonkelden ijsvarens in een zonderling licht, afwisselend rood en blauw.

De digitale wekker op het nachtkastje stond op dezelfde plek als toen ik me op het bed had laten vallen, maar het ingelijste kaartje uit de waarzegmachine leek verplaatst te zijn. Ik was ervan overtuigd dat het overeind had gestaan voor de lamp. Nu lag het plat.

Ik gooide de dekens van me af en stond op. Ik liep naar de woonkamer en knipte een lamp aan.

De stoel met de rechte rugleuning stond nog klem onder de knop van de deur naar de gang op de tweede verdieping. Ik probeerde het uit. Er zat geen beweging in.

Voordat het communisme de Russen zo veel van hun geloof had afgenomen, leefde bij het volk zowel christelijk als joods mysticisme. Ze stonden echter niet bekend om hun vermogen dwars door afgesloten deuren en massieve muren heen te wandelen.

Het raam van de woonkamer was twee verdiepingen boven de grond en niet bereikbaar via een richel. Voor alle zekerheid controleerde ik toch maar het slot en ontdekte dat dat erop zat.

Ondanks het ontbreken van brandende nonnen en spinnen met het hoofd van een mensenbaby, was de nachtelijke verstoring een droom geweest. Niets anders dan een droom.

Toen ik naar beneden keek ontdekte ik de bron van het pulserende licht dat klopte in het filigreinpatroon van ijs langs de randen van het glas. Terwijl ik lag te slapen was er een dikke deken van sneeuw over het land getrokken, en drie Ford Explorers, elk met het woord SHERIFF op het dak, stonden met stationair draaiende motor op de oprit, wolken uitlaatgas stegen op uit de uitlaatpijpen, de zwaailichten flitsten.

Hoewel het nog steeds windstil was, was de sneeuwbui niet afgenomen. Door het scherm van koude confetti heen kijkend zag ik verspreid over de weide zes lichtbundels van zaklantaarns, gehanteerd door onzichtbare mannen die op gecoördineerde wijze de weide minutieus afzochten naar iets.

10

Tegen de tijd dat ik een lange thermische onderbroek, een spij-kerbroek en een trui met ronde hals had aangetrokken, ski-schoenen aan mijn voeten had, mijn Gore-Tex/Thermolite-jack had meegegrist, de trap af was gevlogen, door de conversatiekamer was gerend en via de eiken deur de klooster-gang van het gastenverblijf had bereikt, was de dag aangebro-ken.

Somber licht legde een grijs vernis over de kalkstenen zui-len die rondom de binnenplaats stonden. Onder het plafond van de kloostergang bleef de duisternis hangen alsof de nacht zo weinig onder de indruk was van de treurige ochtend dat hij weigerde zich terug te trekken.

Op de binnenplaats, zonder skischoenen, stond Sint-Bar-tholomeus in verse poedersneeuw en hij bood een aan de win-ter aangepaste pompoen aan op zijn uitgestrekte hand.

Aan de oostkant van de kloostergang, recht tegenover het punt waar ik naar binnen stormde, was de bezoekersingang van de abdijkerk. In gebed verheven stemmen en klokgelui galm-den me tegemoet, niet vanuit de kerk maar via een gang voor en rechts van me.

Vier treden voerden naar die stenen gang met tongewelf, die zes meter de grote kloostergang inliep. Hier lag een binnen-plaats die viermaal groter was dan de eerste en omringd was door een nog indrukwekkender zuilenrij.

De zesenveertig broeders en vijf novicen stonden, in vol ha-bijt, bijeen op deze open binnenplaats, voor abt Bernard, die op een verhoging stond en met zijn ene hand ritmisch aan het klokkentouw trok.

De metten waren afgelopen en tegen het eind van de lauden

waren ze de kerk uitgekomen voor het laatste gebed en de toespraak van de abt.

Het gebed was het angelus. Het klonk prachtig in het Latijn wanneer het werd verheven met veel stemmen.

Toen ik kwam aanlopen steeg uit de verzamelde broeders een gezongen antwoord op: *'Fiat mihi secundum verbum tuum.'* Toen zeiden de abt en alle aanwezigen: *'Ave Maria.'*

Twee hulpsheriffs wachtten in de beschutting van de kloostergang terwijl de broeders op de binnenplaats het gebed afmaakten. De agenten waren grote mannen en plechtstatiger dan de monniken.

Ze staarden naar me. Ik was duidelijk geen politieagent en zo te zien geen monnik. Mijn onbestemde status maakte me tot een belangwekkend persoon.

Ze keken me zo gespannen aan dat het me niet zou hebben verbaasd als hun ogen in de bitterkoude lucht opeens waren gaan dampen, net als hun adem.

Uit al mijn ervaring met de politie wist ik wel beter dan ze te benaderen met de suggestie dat ze hun achterdocht beter konden richten op de Rus met de dreigende blik, waar die zich op dit moment ook mocht ophouden. Daarmee zou ik alleen maar bereiken dat hun belangstelling voor mij zou toenemen.

Hoewel ik brandde van nieuwsgierigheid om te weten waarom de sheriff was gebeld, weerstond ik de drang hun dat te vragen. Ze zouden geneigd zijn mijn onwetendheid te beschouwen als louter het vóórwenden van onwetendheid, waarna ze me met nog meer achterdocht zouden bezien dan nu al het geval was.

Als je eenmaal in de belangstelling hebt gestaan van een politieagent, hoe vluchtig ook, in verband met een misdrijf, kun je niets doen om te zorgen dat je van zijn lijst van potentiële verdachten geschrapt wordt. Alleen gebeurtenissen die buiten je macht liggen kunnen je van verdenking zuiveren. Zoals neergestoken worden, neergeschoten of gewurgd door de échte dader.

'Ut digni efficiamur promissionibus Christi,' zeiden de broeders, en de abt zei: *'Oremus,'* wat betekent 'laat ons bidden'.

Nog geen halve minuut later was het angelus afgelopen.

Doorgaans bestaat de toespraak van de abt na het angelus uit een korte verhandeling over een heilige tekst en het toepassen daarvan op het kloosterleven. Vervolgens geeft hij een nummertje tapdansen weg terwijl hij 'Tea for Two' zingt.

Oké, dat tapdansen en 'Tea for Two' heb ik verzonnen. Abt Bernard lijkt zo sterk op Fred Astaire dat ik dit oneerbiedige beeld maar niet uit mijn hoofd kan zetten.

In plaats van zijn gebruikelijke toespraak te houden, verkondigde de abt een vrijstelling van het bijwonen van de ochtendmis aan iedereen die nodig was om de hulpsheriffs te helpen met het grondig doorzoeken van de gebouwen.

Het was 6:28 uur. De mis zou aanvangen om zeven uur.

Degenen die een rol speelden bij de viering van de mis, moesten die bijwonen en zich na de dienst beschikbaar stellen aan het wettig gezag om vragen te beantwoorden en waar nodig assistentie te verlenen.

De mis zou om ongeveer 7:50 uur afgelopen zijn. Het ontbijt, dat in stilte wordt genuttigd, begint altijd om acht uur.

De abt stelde degenen die de politie assisteerden tevens vrij van de terts, het derde van zeven getijden van dagelijks gebed. De terts begint om 8:40 uur en duurt ongeveer een kwartier. Het vierde getijde in het Heilig Officie is de sext, om halftwaalf, vóór het middageten.

De meeste leken trekken als ze ontdekken dat het leven van een monnik zo geordend is en dat elke dag volgens dezelfde regels verloopt, een scheef gezicht. Ze denken dat dit leven ongelooflijk vervelend moet zijn, eentonig zelfs.

Van mijn maanden onder de monniken had ik geleerd dat het tegendeel waar is. Deze mannen worden gestimuleerd door het vereren van God en meditatie. Tijdens de ontspanningsperiode, tussen het avondeten en de completen – het avondgebed – vormen ze een levendige groep, intellectueel onderhoudend en gezellig.

Nu ja, dat geldt voor de meesten, maar een gering aantal is verlegen. En een paar zijn zo zelfingenomen met de onzelfzuchtige offergave van hun leven dat hun offer helemaal niet zo onzelfzuchtig lijkt.

Een van hen, broeder Matthias, beschikt over zo'n encyclopedische kennis van – en heeft zo'n uitgesproken mening over – de operettes van Gilbert en Sullivan, dat hij er eindeloos over kan doorzagen.

Monniken zijn niet per se heilig louter omdat ze monnik zijn. En ze zijn altijd en geheel en al menselijk.

Aan het eind van de opmerkingen van de abt repten veel broeders zich naar de hulpsheriffs die in de beschutting van de kloostergang stonden te wachten, popelend om te helpen.

Mijn aandacht werd getrokken door een novice die bleef talmen op de binnenplaats, in de vallende sneeuw. Hoewel zijn gezicht in de schaduw lag van zijn kap, kon ik zien dat hij naar mij keek.

Dit was broeder Leopold, die pas in oktober zijn postulaat had voltooid en nog geen twee maanden het habijt van een novice droeg. Hij had de gezonde gelaatskleur van een jongeman uit de Midwest, sproeten en een innemende lach.

Van de vijf novicen was hij de enige die ik wantrouwde. De reden voor mijn wantrouwen was me niet duidelijk. Het was gewoon een gevoel, meer niet.

Broeder Boksbeugel kwam naar me toe, bleef staan, en schudde zich uit als een hond om de aan zijn habijt klevende sneeuw te verwijderen. Hij schoof zijn kap naar achteren en zei zacht: 'Broeder Timothy wordt vermist.'

Het was niets voor broeder Timothy, de man die verantwoordelijk was voor de mechanische systemen die zorgden dat de abdij en school bewoonbaar bleven, om te laat voor de metten te verschijnen en hij was zeker geen man die ervandoor zou gaan voor een wereldlijk avontuur, in schending van zijn geloften. Zijn grootste zwak waren KitKatrepen.

'Dan is hij waarschijnlijk de man over wie ik vannacht bijna ben gestruikeld, bij de hoek van de bibliotheek. Ik moet met de politie praten.'

'Nog niet. Loop een stukje met me mee,' zei broeder Boksbeugel. 'We zoeken een plek die geen honderd oren heeft.'

Ik liet mijn blik over de binnenplaats gaan. Broeder Leopold was verdwenen.

Met zijn frisse gezicht en openhartigheid van de Midwest, komt Leopold totaal niet over als berekenend of sluw, stiekem of onbetrouwbaar.

Toch heeft hij de storende gewoonte om zo plotseling op te duiken en te vertrekken dat hij me soms doet denken aan een geest die tevoorschijn komt en in het niets oplost. Hij is er en dan weer niet. Is er niet en dan weer wel.

Samen met Boksbeugel verliet ik de grote kloostergang en volgde de stenen gang naar de kloostergang bij het gastenverblijf, vervolgens gingen we door de eiken deur naar de conversatiekamer op de benedenverdieping van het gastenverblijf.

We liepen naar de open haard, waarin geen vuur brandde, aan de noordkant van de kamer en namen allebei plaats op het puntje van een leunstoel, tegenover elkaar.

'Na ons gesprek vannacht,' zei Boksbeugel, 'heb ik de bedden gecontroleerd. Zonder toestemming. Ik voelde me knap achterbaks. Maar het leek me het enige juiste.'

'U hebt zelf uw beleid bepaald.'

'Zelfs in de tijd dat ik nog een dommekracht was en God nog niet had gevonden, nam ik soms beleidsmatige beslissingen. Zoals toen de boss me erop uitstuurde om een vent z'n benen te breken, maar toen ik er eentje had gebroken, had die vent de boodschap begrepen, dus heb ik de tweede maar laten zitten. Dergelijke dingen.'

'Broeder, puur uit nieuwsgierigheid... Toen u zich bij de broeders van St. Bartholomew's aanmeldde als postulant, hoe lang heeft toen uw eerste biecht geduurd?'

'Volgens pater Reinhart twee uur en tien minuten, maar het voelde aan als anderhalve maand.'

'Dat kan ik me voorstellen.'

'Hoe dan ook, sommige broeders laten hun deur op een kier staan, andere niet, maar geen enkele kamer is ooit op slot. Vanuit de deuropening heb ik met een zaklantaarn de bedden gecontroleerd. Er ontbrak niemand.'

'Sliep iedereen?'

'Broeder Jeremiah lijdt aan slapeloosheid. Broeder John Anthony had last van maagzuur van het avondeten van gisteren.'

'Van de gevulde pepers.'

'Ik heb ze gezegd dat ik dacht dat ik een brandlucht rook en dat ik overal even een kijkje nam om me ervan te overtuigen dat er niks aan de hand was.'

'U hebt gelogen, broeder,' zei ik plagerig.

'Het is geen leugen die me met Al Capone in de hel zal doen belanden, maar wel een stap op een glibberige helling die ik eerder ben afgedaald.'

Zijn bruut ogende hand maakte het kruisteken op een manier die me aangreep en me deed denken aan de hymne 'Amazing Grace'.

De broeders staan om vijf uur op, wassen zich, kleden zich aan en stellen zich om tien over halfzes op in een rij op de binnenplaats van de grote kloostergang om met elkaar de kerk binnen te gaan voor de metten en de lauden. Dus om twee uur 's ochtends slapen ze en zitten ze niet te lezen of een spelletje op een Game Boy te doen.

'Bent u ook in de vleugel van de novicen geweest?'

'Nee. Je zei dat de broeder die op de grond lag en over wie je bijna bent gestruikeld een zwart habijt droeg.'

In sommige orden dragen de novicen een habijt dat lijkt op – of hetzelfde is als – het habijt dat wordt gedragen door de broeders die de kloostergeloften al hebben afgelegd, maar de novicen van St. Bartholomew's dragen grijs, geen zwart.

Boksbeugel zei: 'Ik dacht dat de bewusteloze man in de tuin misschien was bijgekomen, opgekrabbeld en terug naar bed gegaan – of anders was het de abt.'

'Hebt u bij de abt gekeken?'

'Jongen, ik ga echt niet die smoes van ik-rook-een-brandlucht uitproberen op de abt in zijn privévertrekken. Hij is drie keer slimmer dan ik. Bovendien was die man in de tuin zwaar, toch? Je zei zwaar. En abt Bernard moet je als het een beetje waait, verankeren in de grond.'

'Fred Astaire.'

Boksbeugel huiverde. Hij kneep in de bultige brug van zijn portobelloneus. 'Had je me maar nooit dat "Tea for Two"-geintje verteld. Ik kan mijn gedachten niet meer bij de ochtendwoorden van de abt houden omdat ik sta te wachten op zijn tapdansnummer.'

'Wanneer zijn ze erachter gekomen dat broeder Timothy vermist werd?'

'Het viel me op dat hij niet in de rij stond voor de metten. Bij de lauden laat hij nog steeds zijn neus niet zien, dus glip ik de kerk uit om een kijkje te nemen in zijn kamer. Alleen maar kussens.'

'Kussens?'

'Wat ik vannacht vanuit de deuropening in het licht van de zaklantaarn onder de dekens heb zien liggen, waren alleen extra kussens.'

'Waarom zou hij dat doen? Er is geen regel over bedtijd. De bedden worden normaal gesproken niet gecontroleerd.'

'Misschien heeft Tim het niet zelf gedaan, maar iemand anders om tijd te winnen, om te zorgen dat we niet zouden merken dat Tim weg was.'

'Om tijd te winnen? Waarvoor?'

'Dat weet ik niet. Maar als ik vannacht had gezien dat hij niet in zijn bed lag, zou ik hebben geweten dat hij het was die jij in de tuin had gevonden, en dan zou ik de abt wakker hebben gemaakt.'

'Hij is wel een zwaargewicht,' zei ik.

'KitKatbuik. Als er een broeder had ontbroken toen ik de bedden controleerde, zou de politie hier uren geleden al hebben rondgelopen, voordat de sneeuwbui in volle hevigheid was losgebarsten.'

'En nu is het moeilijker zoeken,' zei ik. 'Hij is… dood, hè?'

Boksbeugel staarde naar de haard, waarin geen vuur brandde. 'Als je mijn mening als deskundige vraagt, moet ik zeggen: ja, ik denk van wel.'

Ik had mijn buik vol van de Dood. Ik was naar dit toevluchtsoord gevlucht om aan de Dood te ontkomen, maar door voor hem weg te rennen was ik hem natuurlijk recht in de armen gelopen.

Het leven kun je uit de weg gaan, de dood niet.

11

Het lam van de dageraad werd een ochtendleeuw met een plotseling opstekende brullende wind die de ramen van de conversatiekamer te lijf ging met klikkende tanden van sneeuw. De sneeuwbui zwol aan tot een bijtende storm.

'Ik mocht broeder Timothy graag,' zei ik.

'Het was een innemende vent,' zei Boksbeugel. 'Die wonderbaarlijke blos.'

Ik dacht aan de uitwendige straling die de inwendige gloed van de onschuld van de monnik zichtbaar had gemaakt. 'Iemand heeft kussens onder Tims dekens gelegd zodat men hem niet zou missen voordat de sneeuw de zaak zou compliceren. De moordenaar heeft tijd gewonnen om af te maken waarvoor hij gekomen was.'

'Wie is hij?' vroeg Boksbeugel.

'Zoals ik al zei, broeder: ik ben niet helderziend.'

'Ik vraag niet om helderziendheid. Ik dacht dat je misschien aanwijzingen had.'

'Ik ben ook geen Sherlock Holmes. Ik moest maar eens met de politie gaan praten.'

'Misschien moet je bedenken of dat wel zo slim is.'

'Maar ik moet ze vertellen wat er is gebeurd.'

'Ga je ze vertellen over bodachs?'

Wyatt Porter, politiecommissaris van Pico Mundo, was als een vader voor me. Hij is al op de hoogte van mijn gave vanaf dat ik vijftien was.

Het idee gezellig met de *county* sheriff om de tafel te gaan zitten en hem te vertellen dat ik niet alleen dode mensen zag, maar ook demonen, wolfachtig en snel, trok me niet aan.

'Commissaris Porter kan de sheriff bellen en voor me instaan.'

Boksbeugel keek bedenkelijk. 'En hoe lang zal dat duren?'

'Misschien niet zo lang als ik Wyatt snel te pakken krijg.'

'Ik bedoel niet hoe lang voordat commissaris Porter de plaatselijke politie vertelt dat je te vertrouwen bent. Ik bedoel hoe lang voordat de plaatselijke politie dat gelooft.'

Daar zat iets in. Zelfs Wyatt Porter, een intelligente man die mijn grootmoeder goed had gekend en die mij kende, had zich niet makkelijk laten overtuigen toen ik voor het eerst bij hem kwam met informatie die de oplossing aanreikte voor een vastgelopen moordonderzoek.

'Jongen, behalve jij ziet niemand bodachs. Als de kinderen of wij allemaal het risico lopen door iemand of iets om zeep geholpen te worden, maak jij de beste kans om het wat-hoe-wanneer uit te puzzelen, de beste kans om het te voorkomen.'

Op de mahoniehouten vloer lag een soort Perzisch tapijt. In de wereld van wol tussen mijn voeten kronkelde een draak met een woeste blik.

'Ik wil zo veel verantwoording niet. Dat kan ik niet aan.'

'God schijnt te denken van wel.'

'Negentien doden,' bracht ik hem in herinnering.

'Terwijl het er tweehonderd hadden kunnen zijn. Luister, jongen, je moet niet denken dat politielui allemaal als Wyatt Porter zijn.'

'Dat denk ik helemaal niet.'

'Tegenwoordig denkt de politie dat het om niks anders dan rechtsregels gaat. De politie vergeet dat die regels vroeger van ergens vandaan overgeleverd zijn, dat die vroeger niet alleen maar *nee* betekenden, maar een manier van leven inhielden en een reden om op die manier te leven. De politie denkt tegenwoordig dat niemand anders dan politici die regels heeft gemaakt of die bijstelt, dus misschien komt het niet als een verrassing dat sommige mensen de wet aan hun laars lappen en zelfs sommige politielui de werkelijke reden voor de regels niet begrijpen. Als je je verhaal aan het verkeerde soort politieman vertelt, zal die nooit inzien dat jij aan zijn kant staat. Zal die nooit geloven dat je een gave hebt. Zo'n soort politieman gelooft dat jij bent wat er mis was met de wereld zoals die vroeger was, terwijl hij blij is dat die niet meer zo is. Die vindt jou rijp voor het gekkenhuis. Die kan jou niet vertrouwen. Die zal jou niet vertrouwen. Stel dat ze je laten opnemen ter observatie of je inrekenen als verdachte als ze een lichaam vinden. Wat moeten we dan?'

De arrogante uitdrukking van de draak in de geweven wol en de manier waarop felgekleurde draden zijn ogen een gewelddadig aanzien schonken, stond me niet aan. Ik verschoof mijn voet om zijn gezicht te bedekken.

'Broeder, als ik nu eens niets zeg over mijn gave of bodachs. Ik zou gewoon kunnen zeggen dat ik een monnik op de grond heb gevonden en dat ik toen door iemand met een knuppel ben aangevallen.'

'Wat deed je 's nachts buiten? Waar kwam je vandaan, waar ging je naartoe, wat voerde je in je schild? Hoe kom je aan die rare naam? Bedoel je dat jij die held was van Green Moon Mall twee zomers geleden? Hoe komt het dat rottigheid jou achtervolgt of is het misschien zo dat jijzelf die rottigheid veroorzaakt?'

Hij speelde voor advocaat van de duivel.

Ik had bijna het idee dat ik de vloerkleeddraak onder mijn voet voelde kronkelen.

'Eigenlijk kan ik ze niet veel vertellen waar ze iets aan hebben,' gaf ik toe. 'Ik denk dat we net zo goed kunnen wachten tot ze het lichaam hebben gevonden.'

'Dat vinden ze niet,' zei broeder Boksbeugel. 'Ze zijn niet op zoek naar een broeder Tim die werd vermoord en wiens lichaam is verstopt. Ze zoeken naar een broeder Tim die zijn eigen polsen heeft doorgesneden of zichzelf heeft opgehangen aan een dakbalk.'

Ik staarde hem niet-begrijpend aan.

'Het is pas twee jaar geleden dat broeder Constantine zelfmoord heeft gepleegd,' bracht hij me in herinnering.

Constantine is de dode monnik die in deze wereld blijft talmen en zich soms op onverwachte manieren manifesteert als een energieke poltergeist.

Om redenen die niemand begrijpt is hij op een nacht toen

zijn broeders sliepen in de kerktoren naar boven geklommen, waar hij het ene uiteinde van een touw heeft vastgebonden aan het mechanisme dat het uit drie klokken bestaande carillon in werking zet en het andere om zijn hals, op de borstwering van de toren is geklommen en naar beneden is gesprongen, waarbij hij de hele gemeenschap van St. Bartholomew's met klokgelui wakker heeft gemaakt.

Onder mannen van het geloof is zelfvernietiging waarschijnlijk de ergste van alle zonden. Het gebeuren had op de broeders een diepe indruk achtergelaten en de tijd had die niet afgevlakt.

Boksbeugel zei: 'De sheriff vindt ons maar een stelletje ruwe klanten, onbetrouwbaar. Hij is zo iemand die gelooft dat er hier geheime catacomben zijn waarin moordende albinomonniken wonen die er 's nachts op uit trekken om te moorden, al die antikatholieke onzin die de Ku-Klux-Klan vroeger spuide, al beseft hij misschien niet eens dat die van de KKK kwam. Gek eigenlijk hoe mensen die nergens in geloven zo snel geloof hechten aan elk idioot verhaal over mensen als wij.'

'Ze gaan er dus van uit dat broeder Timothy zelfmoord heeft gepleegd.'

'De sheriff denkt waarschijnlijk dat we onszelf allemaal van kant gaan maken. Net als die limonadedrinkers van Jim Jones.'

Ik dacht weemoedig aan Bing Crosby en Barry Fitzgerald. 'Ik heb van de week een oude film gekeken – *Going My Way.*'

'Dat was niet alleen maar een andere tijd, jongen. Dat was een andere planeet.'

De buitendeur van de conversatiekamer ging open. Een hulpsheriff en vier monniken kwamen binnen. Ze kwamen het gastenverblijf doorzoeken, al was het niet waarschijnlijk dat een broeder met zelfmoordneigingen zijn toevlucht had gezocht in deze vleugel om een glas chloor achterover te slaan.

Broeder Boksbeugel zegde de laatste paar regels van een gebed op en maakte een kruisteken en ik volgde zijn voorbeeld, alsof we ons hier hadden teruggetrokken om met elkaar te bidden voor broeder Timothy's behouden terugkeer.

Ik weet niet of deze misleiding gold als een halve pas naar beneden op de glibberige helling. Ik had niet het gevoel dat ik afgleed. Maar we merken natuurlijk nooit dat we afglijden tot we met een noodvaart naar beneden suizen.

Boksbeugel had me ervan overtuigd dat ik onder deze wetshandhavers geen vrienden zou vinden en dat ik op eigen houtje de aard van het dreigende geweld dat de bodachs aantrok moest zien te ontdekken. Bijgevolg leek het me beter uit de buurt te blijven van de hulpsheriffs zonder de indruk te wekken dat ik hen bewust ontweek.

Broeder Fletcher, de cantor en dirigent van het mannenklooster, een van de vier monniken die de hulpsheriff begeleidden, vroeg om permissie mijn vertrekken te doorzoeken. Die gaf ik zonder aarzelen.

Ten behoeve van de hulpsheriff, wiens ogen tot spleetjes waren samengeperst door het gewicht van zijn achterdocht, vroeg Boksbeugel, die immers de keldermeester was, of ik wilde helpen de provisiekasten en voorraadkamers te doorzoeken die zijn domein vormden.

Toen we vanuit de conversatiekamer de kloostergang van het gastenverblijf betraden, waar de wind huilend tussen de zuilen door joeg, stond Elvis me op te wachten.

In mijn voorgaande twee manuscripten heb ik verteld over mijn belevenissen met de talmende geest van Elvis Presley in Pico Mundo. Toen ik dat woestijnstadje verliet om naar een klooster in de bergen te gaan, was hij met me meegegaan.

In plaats van op één plek rond te spoken, en dan vooral op een toepasselijke plek, zoals Graceland, draait hij altijd om mij heen. Hij gelooft dat hij via mij mettertijd de moed zal kunnen vinden verder te trekken naar een hoger plan.

Ik denk dat ik eigenlijk blij zou moeten zijn dat ik door Elvis Presley word achtervolgd en niet bijvoorbeeld door, ik noem maar wat, een punker zoals Sid Vicious. De King is een gemoedelijke geest met gevoel voor humor en egards voor mij, al kan het voorkomen dat hij onbeheerst begint te huilen. Geluidloos, natuurlijk, maar tranen met tuiten.

Aangezien de doden niet praten en zelfs geen sms-apparaatjes bij zich dragen, heb ik er heel lang over gedaan om erachter te komen waarom Elvis blijft rondhangen in onze wereld vol kommer en kwel. Eerst dacht ik dat hij hier niet wilde weggaan omdat deze wereld zo goed voor hem was geweest.

De ware reden is dat hij wanhopig graag naar zijn moeder, Gladys, in het hiernamaals wil, maar dat hij de oversteek niet durft te maken omdat hij zich zenuwachtig maakt voor de hereniging.

Er zijn maar weinig mannen die meer van hun moeder hebben gehouden dan Elvis van Gladys. Ze stierf op jonge leeftijd en hij treurde om haar tot op de dag van zijn dood.

Hij vreest echter dat zijn drugsgebruik en zijn andere persoonlijke tekortkomingen in de jaren die op haar overlijden volgden haar in verlegenheid moeten hebben gebracht. Hij schaamt zich voor zijn oneervolle dood – een overdosis van door een arts voorgeschreven medicijnen, zijn gezicht in braaksel – al is deze exitscène kennelijk voor een aanzienlijk percentage rock-'n-rollgrootheden nogal in de mode.

Ik heb hem dikwijls verzekerd dat waar Gladys wacht geen plaats is voor schaamte of boosheid of teleurstelling, alleen voor liefde en begrip. Ik vertel hem dat ze hem aan gene zijde met open armen zal ontvangen.

Tot dusver hebben mijn beloften hem niet overtuigd. Waarom zouden ze ook? Vergeet niet: in hoofdstuk zes heb ik toegegeven dat ik helemaal niets weet.

Toen we dus de doorgang betraden tussen de gastenverblijven en de grote kloostergang, zei ik tegen broeder Boksbeugel: 'Elvis is bij ons.'

'O ja? In welke film?'

Dit was Boksbeugels manier om te vragen hoe de King was gekleed.

Andere talmende geesten manifesteren zich louter in de kleren die ze droegen op het tijdstip van hun dood. Donny Mosquith, een voormalige burgemeester van Pico Mundo, kreeg een hartaanval terwijl hij zich energiek wijdde aan kinky intieme handelingen met een jonge vrouw. Hij raakte opgewonden van het dragen van dameslingerie en naaldhakken. Harig in kant, waggelend door de straten van een stadje dat toen hij nog leefde een park naar hem heeft vernoemd, maar dat later hernoemde naar de presentator van een spelshow op

tv, vormt burgemeester Mosquith geen bevallige spookver-
schijning.

De dode Elvis is net als bij leven het summum van cool. Hij
verschijnt in kleding uit zijn films en optredens, al naargelang
zijn bui. Op dit moment droeg hij zwarte schoenen, een strak-
ke zwarte smokingbroek, een nauwsluitend, open zwart jasje
dat tot zijn middel reikte, een rode cummerbund, een wit shirt
met ruches en een fraaie zwarte foulard.

'De flamencodanseroutfit uit *Fun in Acapulco*,' zei ik tegen
Boksbeugel.

'In een winterse Sierra?'

'Hij voelt geen kou.'

'Ook niet echt geschikt voor een klooster.'

'Hij heeft geen monnikfilms gemaakt.'

Elvis kwam naast me lopen en toen we het eind van de doorgang bereikten, sloeg hij een arm om mijn schouders, alsof hij
me wilde troosten. De arm voelde niet minder substantieel aan
dan de arm van een levende.

Ik weet niet waarom spoken voor mij zo vast aanvoelen,
waarom hun aanraking warm is in plaats van koud, terwijl ze
toch door muren heen lopen of in het niets oplossen zoals het
hun belieft. Het is een mysterie dat ik waarschijnlijk nooit zal
oplossen – net als de populariteit van kaas in een spuitbus of
William Shatners kortstondige zangcarrière na *Star Trek*.

Op de ruime binnenplaats van de grote kloostergang joeg de
wind langs de drie verdiepingen hoge muren naar beneden,
striemend met knisperende sneeuw, wolken van de zachtere
eerder gevallen sneeuw opstuivend vanaf de keistenen vloer,
zwiepend tussen de zuilen door, terwijl we ons door de zuilengang naar de keukendeur in de zuidvleugel repten.

Als een afbrokkelend plafond waarvan de pleisterkalk loslaat,
daalde de hemel neer op St. Bart's en de dag leek op ons in te
storten, grote witte muren, ontzagwekkender dan de stenen abdij, albasten ruïnen die alles bedolven, zacht en toch onont-
koombaar.

12

Boksbeugel en ik hebben daadwerkelijk de provisiekasten en voorraadkamers doorzocht, maar we vonden geen spoor van broeder Timothy.

Elvis bewonderde de potten pindakaas waarmee een van de planken vol stond, misschien terugdenkend aan de gebakken-banaan-met-pindakaassandwich die toen hij nog leefde een hoofdbestanddeel van zijn dieet vormde.

Een tijdlang waren monniken en hulpsheriffs druk in de weer in de gangen, het refectorium, de keuken en andere nabijgelegen kamers. De stilte daalde weer neer, op het geluid na van de wind tegen de ramen, toen de speurtocht zich naar elders verplaatste.

Nadat de bibliotheek was doorzocht, trok ik me daar terug om te piekeren en me schuil te houden tot de hulpsheriffs weer vertrokken.

Elvis ging met me mee, maar Boksbeugel wilde voor de mis een paar minuten aan zijn bureau in een van de voorraadkamers doorbrengen om facturen te controleren. Hoe verontrustend de verdwijning van broeder Tim ook was, het werk ging door.

Het is een grondregel van het geloof van de broeders dat als de dag des oordeels aanbreekt en daarmee het eind der tijden, het bezig zijn met eerlijk werk net zo hoog wordt aangeslagen als verzonken zijn in gebed.

In de bibliotheek dwaalde Elvis tussen de schappen door, soms liep hij er dwars doorheen, en las de boekruggen.

Hij had bij vlagen veel gelezen. Na de begintijd van zijn roem had hij bij een boekwinkel in Memphis gebonden boeken met twintig tegelijk besteld.

De abdijbibliotheek huisvest een verzameling van zestigduizend boeken. Monniken, met name benedictijnen, hebben zich altijd ten doel gesteld kennis te behouden.

Veel kloosters in de Oude Wereld waren gebouwd als een vesting, boven op een bergtop, benaderbaar via slechts één zijde, die versperd kon worden. De kennis van bijna twee millennia, inclusief de grootse werken van de oude Grieken en Romeinen, was dankzij de inspanningen van monniken behouden gebleven toen invasies van barbaren – de Goten, de Hunnen, de Vandalen – keer op keer de westerse beschaving verwoestten, en tweemaal toen islamitische legers bijna Europa veroverden in veldtochten die tot de bloedigste in de geschiedenis behoren.

Beschaving – zegt mijn vriend Ozzie Boone – bestaat louter omdat de wereld over net genoeg van twee soorten mensen beschikt: degenen die in staat zijn te bouwen met in de ene hand een troffel en in de andere een zwaard, en degenen die geloven in 'in het begin was het Woord' en die hun leven op het spel zetten om alle boeken te behouden voor de waarheid die ze zouden kunnen bevatten.

Ik vind dat een paar snelbuffetkoks ook onontbeerlijk zijn. Bouwen, vechten, je leven op het spel zetten voor een goede zaak, vereist een hoog moreel. Niets pept het moreel beter op dan een volmaakt klaargemaakte portie spiegeleieren met een berg knapperige gebakken aardappelen.

Terwijl ik rusteloos tussen de boekenschappen door dwaalde, liep ik een hoek om en stond ik opeens oog in oog met de Rus, Rodion Romanovich, die ik onlangs nog in een droom had gezien.

Ik heb nooit beweerd het aplomb van James Bond te bezitten en durf dus rustig toe te geven dat ik geschrokken achteruitdeinsde en zei: 'God zal me krakepitten!'

Nors, zo dreigend kijkend dat zijn borstelige wenkbrauwen een doorlopende lijn vormden, zei hij met een licht accent: 'Wat is er met u?'

'U deed me schrikken.'

'Geen sprake van.'

'Nou, zo voelde het wel aan.'

'U deed zichzelf schrikken.'

'Neem me niet kwalijk, meneer.'

'Wat moet ik u niet kwalijk nemen?'

'Mijn taalgebruik,' zei ik.

'Ik spreek Engels.'

'Dat doet u inderdaad, meneer, en erg goed. Beter dan ik Russisch, dat is een ding wat zeker is.'

'Spreekt u dan Russisch?'

'Nee, meneer. Geen woord.'

'U bent een eigenaardige jongeman.'

'Ja, meneer, dat weet ik.'

Romanovich, die waarschijnlijk een jaar of vijftig was, leek niet oud, maar de tijd had zijn gezicht toegetakeld met veel ervaring. Over zijn brede voorhoofd lag een patroon van kleine witte littekens. Zijn lachlijnen wekten niet de indruk dat hij lachend door het leven was gegaan, ze waren diep en strak, als oude, in een zwaardgevecht opgelopen wonden.

Toelichtend zei ik: 'Ik bedoelde dat ik me verontschuldigde voor mijn grove taal.'

'Waarom schrok u van me?'

Ik haalde mijn schouders op. 'Ik besefte niet dat u hier was.'

'Ik besefte evenmin dat u hier was,' zei hij, 'maar toch schrok ik niet van u.'

'Daarvoor ontbreekt me de uitrusting.'

'Wat voor uitrusting?'

'Ik bedoel, ik ben niet schrikaanjagend. Ik ben niet martiaal.'

'En ik ben wél schrikaanjagend?' vroeg hij.

'Nee, meneer. Niet echt. Nee. Ontzagwekkend.'

'Ben ik ontzagwekkend?'

'Ja, meneer. Bijzonder ontzagwekkend.'

'Bent u een van die mensen die woorden gebruikt meer om hoe ze klinken dan om de logica ervan? Of weet u wat martiaal betekent?'

'Dat betekent "strijdvaardig", meneer.'

'Ja. En u bent beslist wél martiaal.'

'Dat komt door de zwarte skischoenen, meneer. Die zorgen algauw dat je iemand lijkt die links en rechts om zich heen loopt te trappen.'

'U lijkt ondubbelzinnig, direct, zelfs simpel.'

'Dank u, meneer.'

'Maar u bent complex, ingewikkeld, in hoge mate zelfs, vermoed ik.'

'Ik ben niet anders dan ik lijk,' verzekerde ik hem. 'Ik ben maar een eenvoudige snelbuffetkok.'

'Ja, dat maakt u zeer geloofwaardig met uw uitzonderlijk luchtige pannenkoeken. En ik ben een bibliothecaris uit Indianapolis.'

Ik wees naar het boek in zijn hand, dat hij zo vasthield dat ik de titel niet kon zien. 'Wat leest u graag?'

'Dit gaat over vergif en de grote gifmengers in de geschiedenis.'

'Niet bepaald het soort verheffende lectuur dat je in een abdijbibliotheek verwacht aan te treffen.'

'Het is een belangrijk aspect van de geschiedenis van de Kerk,' zei Romanovich. 'Door de eeuwen heen zijn geestelijken door vorsten en politici vergiftigd. Catharina de' Medici vermoordde de kardinaal van Lorraine met geld dat met vergif was doordrenkt. De giftige stof drong door zijn huid en binnen vijf minuten was hij dood.'

'Dan denk ik dat het maar goed is dat we op weg zijn naar een plasticgeldeconomie.'

'Waarom,' vroeg Romanovich, 'zou een eenvoudige snelbuffetkok maanden in het gastenverblijf van een klooster verblijven?'

'Geen huur. Bakplaatuitputting. Carpaletunnelsyndroom door slechte spateltechniek. Een behoefte om nieuwe spirituele kracht op te doen.'

'Is dat normaal voor snelbuffetkoks – een periodieke queeste naar nieuwe spirituele kracht?'

'Dat zou wel eens inherent kunnen zijn aan het beroep, weet u. Poke Barnett moet zich tweemaal per jaar terugtrekken in een hutje in de woestijn om te mediteren.'

Romanovich legde een frons boven op zijn dreigende blik en zei: 'Wat is Poke Barnett?'

'Hij is de andere kok in het snelbuffet waar ik vroeger heb gewerkt. Hij koopt zo'n tweehonderd dozen munitie voor zijn pistool, rijdt de Mojave in naar een plek zo'n tachtig kilometer verwijderd van de bewoonde wereld en brengt een paar dagen door met het aan flarden schieten van cactussen.'

'Schiet hij op cactussen?'

'Poke heeft een hoop goede eigenschappen, meneer, maar hij is niet echt wat je noemt een milieubeschermer.'

'U zei dat hij de woestijn intrekt om te mediteren.'

'Poke zegt dat hij terwijl hij op cactussen schiet nadenkt over de zin van het leven.'

De Rus staarde me aan. Hij had de minst leesbare ogen van iedereen die ik ooit heb ontmoet. Uit zijn ogen kwam ik niets meer van hem te weten dan een pantoffeldiertje op een glaasje, omhoogstarend naar de lens van een microscoop, te weten zou kunnen komen over wat de onderzoekende wetenschapper van hem denkt.

Na een stilte veranderde Rodion Romanovich van onderwerp: 'Welk boek zoekt u, meneer Thomas?'

'Om het even welk waarin een porseleinen konijn voorkomt dat een magische reis onderneemt of muizen die prinsessen redden.'

'Ik betwijfel of u in deze schappen zoiets zult vinden.'

'Daar zou u wel eens gelijk in kunnen hebben. Konijntjes en muizen hebben in de regel niet de gewoonte mensen te vergiftigen.'

Die opmerking leverde weer een korte stilte op. Ik geloof niet dat hij zich een eigen mening probeerde te vormen over de moordneigingen van konijnen en muizen. Eerlijk gezegd vermoed ik dat hij probeerde te besluiten of mijn woorden erop duidden dat ik wantrouwig tegenover hem stond.

'U bent een eigenaardige jongeman, meneer Thomas.'

'Dat gaat vanzelf, meneer.'

'En curieus.'

'Maar niet grotesk,' zei ik hoopvol.

'Nee. Niet grotesk. Maar curieus.'

Hij draaide zich om en liep weg met zijn boek, dat mogelijk handelde over vergif en grote gifmengers in de geschiedenis. Maar misschien ook niet.

Aan het eind van het pad verscheen Elvis, nog steeds uitgedost als flamencodanser. Hij liep Romanovich tegemoet en imiteerde met hangende schouders de logge, trolachtige schuifelgang van de Rus, en schonk de man in het voorbijgaan een dreigende blik.

Toen Rodion Romanovich het eind van het pad had bereikt, voor hij om de hoek uit het zicht zou verdwijnen, bleef hij staan, keek achterom en zei: 'Ik beoordeel u niet op grond van uw naam, Odd Thomas. Dat zou u omgekeerd evenmin moeten doen.'

Hij vertrok, mij achterlatend met de vraag wat hij daarmee bedoelde. Hij was per slot van rekening niet vernoemd naar de massamoordenaar Josif Stalin.

Tegen de tijd dat Elvis me had bereikt, had hij zijn gezicht vertrokken in een herkenbare, komische imitatie van de Rus.

Kijkend naar de bekken trekkende King, drong het opeens tot me door hoe vreemd het was dat noch ik noch Romanovich iets had gezegd over het feit dat broeder Timothy vermist werd of over de hulpsheriffs die op zoek naar hem het terrein uitkamden. In de besloten wereld van een klooster, waar zo zelden van de dagelijkse gang van zaken werd afgeweken, hadden de verontrustende gebeurtenissen van die ochtend het eerste onderwerp van gesprek moeten zijn geweest.

Ons wederzijds verzuim de verdwijning van broeder Timothy ter sprake te brengen, hoe terloops ook, leek te wijzen op een gedeelde inschatting van de gebeurtenissen of op zijn minst een gedeelde zienswijze, waardoor we op een wezenlijke manier op elkaar leken. Ik had geen flauw idee wat ik daarmee bedoelde, maar intuïtief voelde ik aan dat dit waar was.

Toen Elvis me met zijn imitatie van de norse Rus geen glimlach wist te ontlokken, stak hij een vinger in zijn linkerneusgat, helemaal tot aan de derde knokkel, en deed net of hij op zoek was naar een vette buit.

De dood had hem zijn aandrang om te entertainen niet ontnomen. Als stemloze geest kon hij niet langer zingen of moppen vertellen. Soms danste hij, een paar simpele danspasjes uit een van zijn films of zijn optredens in Las Vegas, maar net als abt Bernard was hij geen Fred Astaire. Triest genoeg nam hij in zijn vertwijfeling zo nu en dan zijn toevlucht tot kinderlijke humor die hem onwaardig was.

Hij haalde zijn vinger uit zijn neus, trok er een denkbeeldige sliert snot uit en deed toen net of die uitzonderlijk lang was, en al snel trok hij met beide handen de ene meter na de andere uit zijn neus.

Ik ging op zoek naar de verzameling naslagwerken en bleef een poosje staan lezen over Indianapolis.

Elvis ging voor me staan en vervolgde zijn opvoering, maar ik negeerde hem.

Indianapolis heeft acht universiteiten en colleges en een groot openbarebibliotheeksysteem.

Toen de King me zachtjes op het hoofd tikte, keek ik zuchtend op van het boek.

Hij had zijn wijsvinger in zijn rechterneusgat gestoken, helemaal tot aan de derde knokkel, net als eerder, maar dit keer stak zijn vingertop uit zijn linkeroor. Hij wriemelde ermee.

Onwillekeurig moest ik lachen. Hij doet altijd vreselijk zijn best anderen te vermaken.

Voldaan dat hij me toch aan het lachen had gekregen, haalde hij de vinger uit zijn neus en veegde zijn handen, die zogenaamd onder het snot zaten, aan mijn jas af.

'Het is bijna niet te geloven dat jij dezelfde man bent die "Love Me Tender" zong,' zei ik.

Hij deed net of hij het resterende snot gebruikte om zijn haar glad naar achteren te strijken.

'Je bent niet grappig,' zei ik. 'Je bent grotesk.'

Dit oordeel bracht hem in verrukking. Grijnzend voerde hij een reeks diepe buigingen uit voor een denkbeeldig publiek, terwijl hij met zijn mond geluidloos de woorden *dank u, dank u, hartelijk dank* vormde.

Ik ging aan een bibliotheektafel zitten en las over Indianapolis, waar meer snelwegen samenkomen dan in om het even welke stad in de Verenigde Staten. Vroeger hadden ze daar een bloeiende autobandenindustrie gehad, maar nu niet meer.

Elvis ging bij een raam zitten en keek naar de vallende sneeuw. Met zijn handen tikte hij ritmisch op de vensterbank, alleen zonder geluid.

Later gingen we naar de ontvangstruimte van het gasten-verblijf aan de voorzijde van de abdij om te zien hoe de speur-tocht van de politie vorderde.

De ontvangstruimte, die was ingericht als een kleine verlo-pen chique hotellobby, was verlaten.

Toen ik naar de voordeur liep, ging die open. Broeder Ra-fael kwam binnen in een carrousel van glinsterende sneeuw en een werveling van wind die loeide als een orgelpijp die in de hel was gestemd. Met enige moeite slaagde hij erin de deur dicht te duwen, en de warrelende sneeuw dwarrelde stilletjes naar de vloer, maar buiten hield het gedempte gekreun van de wind aan.

'Het is afschuwelijk,' zei hij, met een van ontzetting trillen-de stem.

Een koud veelpotig iets kroop onder de huid van mijn sche-del en langs mijn nek naar beneden. 'Heeft de politie broeder Timothy gevonden?'

'Ze hebben hem níét gevonden, maar zijn tóch vertrokken.' Zijn grote bruine ogen waren zo wijd opengesperd van onge-loof dat hij broeder Uil had kunnen heten. 'Ze zijn wég!'

'Wat zeiden ze?'

'Dat ze door de storm een tekort aan manschappen hebben. Ongelukken op de snelweg, ongewoon groot beroep op hun mankracht.'

Elvis, die stond mee te luisteren, knikte begrijpend, kenne-lijk meevoelend met de wetshandhavers.

Bij leven had hij de hand weten te leggen op echte – en met echt bedoel ik niet alleen honoraire – speciale-hulpsheriffpen-ningen van diverse korpsen, waaronder van het sheriffsbureau in Shelby County, Tennessee. De penningen maakten het hem mogelijk een verborgen wapen te dragen. Hij was altijd trots geweest op zijn relatie met ordehandhaving.

Op een avond in maart 1976 bij een botsing van twee voer-tuigen op Interstate 240, toonde hij zijn penning en hielp de slachtoffers tot de politie ter plekke was. Gelukkig heeft hij nooit per ongeluk iemand neergeschoten.

'Hebben ze alle gebouwen doorzocht?' vroeg ik.

'Ja,' zei broeder Rafael. 'En het terrein. Maar stel dat hij een wandeling ging maken in het bos en dat hem iets is overkomen, dat hij is gevallen, bijvoorbeeld, en dat hij nu ergens daar buiten ligt?'

'Sommige broeders wandelen graag in het bos,' zei ik, 'maar niet 's nachts en niet broeder Timothy.'

De monnik dacht daar even over na en knikte toen. 'Broeder Timothy is bijzonder weinig beweeglijk.'

In de onderhavige situatie zou het gebruik van de woorden 'weinig beweeglijk' met betrekking tot broeder Timothy een verruiming van de definitie kunnen zijn zodat de ultieme onbeweeglijke toestand, de dood, daar ook onder viel.

'Als hij niet ergens in het bos is, waar is hij dan wel?' vroeg broeder Rafael zich af. Op zijn gezicht verscheen een wanhopige uitdrukking. 'De politie begrijpt ons niet. Ze begrijpen helemaal niets van ons. Ze zeiden dat het hier misschien ging om iemand die afwezig is zonder verlof.'

'Afwezig zonder verlof? Dat is belachelijk.'

'Meer dan belachelijk, veel erger. Het is een belediging,' zei broeder Rafael verontwaardigd. 'Een van hen zei dat Tim misschien naar Reno was gegaan voor "een beetje R en R – rum en roulette".'

Als een van Wyatt Porters mannen in Pico Mundo zoiets had gezegd, zou de commissaris hem met verplicht onbetaald verlof hebben gestuurd en de agent, afhankelijk van diens reactie op deze strafmaatregel, misschien zelfs hebben ontslagen.

Broeder Boksbeugels voorstel om uit de buurt te blijven van deze wetshandhavers bleek een wijze raad te zijn geweest.

'Wat moeten we doen?' vroeg broeder Rafael bezorgd.

Ik schudde mijn hoofd. Ik wist het ook niet.

Hij repte zich de kamer uit en meer binnensmonds dan tegen mij zei hij nog eens: 'Wat moeten we doen?'

Ik keek op mijn horloge en liep naar een raam aan de voorkant.

Elvis liep dwars door de dichte deur heen en ging buiten in de dicht vallende sneeuw staan, een opvallende verschijning in zijn zwarte flamenco-outfit met de rode cummerbund.

Het was 8:40 uur 's ochtends.

Alleen de bandensporen van de recentelijk vertrokken politievoertuigen markeerden het pad van de oprit. Voor het overige had de storm de oneffenheden in het terrein dichtgepleisterd en gladgestreken tot een wit-op-wit geometrisch patroon van zachte vlakken en lichte golvingen.

Zo te zien was er in de afgelopen zeveneneenhalf uur tussen de twintig en vijfentwintig centimeter sneeuw gevallen. Het sneeuwde nu veel harder dan eerder die nacht.

Buiten stond Elvis met zijn hoofd achterover en zijn tong uit zijn mond in een vruchteloze poging vlokken op te vangen. Hij was natuurlijk maar een geest en niet in staat de kou te voelen of de sneeuw te proeven. Maar iets aan zijn poging raakte me... en bedroefde me.

Wat houden we toch hartstochtelijk veel van alles wat niet kan voortduren: de schitterende kristalliniteit van de winter, de lente in bloei, de fragiele vlucht van vlinders, karmozijnrode zonsondergangen, een kus, het leven.

De avond tevoren had het weerbericht op tv een minimum van zestig centimeter sneeuw voorspeld. Sneeuwstormen in de High Sierra konden lang aanhouden en het was heel goed mogelijk dat er nog veel meer sneeuw zou vallen dan was voorspeld.

Tegen de middag, zeker voor de vroege winterschemering, zou St. Bartholomew's Abbey ingesneeuwd zijn. Van de buitenwereld afgesloten.

13

Ik probeerde de Sherlock Holmes te zijn die ik, naar broeder Boksbeugel hoopte, in me had, maar mijn deductieve redenering leidde me door een doolhof van feiten en vermoedens die me terugvoerden naar het punt waarop ik was begonnen, geen millimeter dichter bij de oplossing.

Aangezien er aan mij weinig lol te beleven is als ik de denker uithang, liet Elvis me alleen in de bibliotheek. Misschien was hij naar de kerk in de hoop dat broeder Fletcher van plan was op het orgel te oefenen.

Zelfs in de dood is hij graag in de buurt van muziek en bij leven had hij zes elpees met gospel- en inspirationele songs opgenomen, plus drie kerstelpees. Hij had misschien liever gedanst op iets met een drumritme op de achtergrond, maar in een klooster vind je nu eenmaal niet veel rock-'n-roll.

Een poltergeist had natuurlijk dreunend op het orgel 'All Shook Up' ten beste kunnen geven, en rammend op de toetsen van de piano in de ontvangstruimte van het gastenverblijf 'Hound Dog' aan het instrument kunnen ontlokken, zoals wijlen broeder Constantine de kerkklokken luidt als hij daarvoor in de stemming is. Maar poltergeisten zijn boos, hun woede is de bron van hun kracht.

Elvis zou nooit een poltergeist kunnen zijn. Hij is een zachtaardige geest.

De winterse ochtend tikte voort naar om het even welk onheil dat misschien op ons afkwam. Recentelijk had ik gehoord dat echt knappe koppen de dag onderverdelen in eenheden die gelijkstaan aan een miljardste van een miljardste van een seconde, waardoor elke hele seconde waarin ik aarzelde een schandalige tijdverspilling leek.

Ik liep door de ontvangstruimte naar buiten, van de kloostergang naar de grote kloostergang en vervolgens andere vleugels van de abdij in, erop vertrouwend dat mijn intuïtie me zou leiden naar een aanwijzing voor de bron van het ophanden zijnde geweld dat de bodachs had aangetrokken.

Ik wil u niet beledigen, maar mijn intuïtie is beter dan die van u. Misschien hebt u op een zonnige dag een paraplu naar uw werk meegenomen en had u die 's middags inderdaad nodig. Misschien bent u om redenen die u niet begreep niet ingegaan op de avances van een op het oog ideale man en zag u maanden later op het achtuurjournaal dat hij was gearresteerd wegens geslachtsverkeer met zijn tamme lama. Misschien hebt u een lot gekocht en de datum van uw laatste endeldarmonderzoek gebruikt bij het kiezen van de cijfers en hebt u tien miljoen dollar gewonnen. Toch is mijn intuïtie nog altijd stukken beter dan die van u.

Het griezeligste aspect van mijn intuïtie is dat wat ik paranormaal magnetisme noem. Als ik in Pico Mundo iemand moest vinden die niet was waar ik hem had verwacht, hield ik zijn naam of gezicht in gedachten terwijl ik op goed geluk door de straten reed. Doorgaans had ik hem binnen luttele minuten gevonden.

Paranormaal magnetisme is niet altijd betrouwbaar. Aan deze zijde van het paradijs is niets voor honderd procent betrouwbaar, behalve dat je gsm-provider nooit de servicebeloften zal nakomen waarin je in je naïviteit had geloofd.

Het inwonertal van St. Bartholomew's is maar een fractie van dat van Pico Mundo. Als ik me hier aan paranormaal magnetisme overgeef, doe ik dat te voet, niet in een auto.

In eerste instantie hield ik broeder Timothy in gedachten: zijn vriendelijke ogen, zijn legendarische blos. Nu de hulpsheriffs weg waren liep ik, als ik het lichaam van de monnik zou vinden, niet het risico voor ondervraging meegenomen te worden naar het dichtstbijzijnde politiebureau.

Zoeken naar de plek waar een moordenaar zijn slachtoffer heeft verborgen is minder leuk dan paaseieren zoeken, al kan de stank, als je een ei over het hoofd ziet en het een maand later toevallig vindt, vergelijkbaar zijn. Omdat de toestand van het lijk een aanwijzing zou kunnen leveren voor de identiteit van de moordenaar, misschien zelfs voor zijn uiteindelijke doel, was de speurtocht van essentieel belang.

Gelukkig had ik het ontbijt overgeslagen.

Toen mijn intuïtie me driemaal naar drie verschillende buitendeuren had geleid, hield ik op me te verzetten tegen de dwang mijn zoektocht in de storm voort te zetten. Ik ritste mijn jack dicht, zette de capuchon op, trok hem strak om mijn hoofd met een klittenbandsluiting onder mijn kin en deed de handschoenen aan die in een zak van mijn jack zaten.

De sneeuwval die ik de nacht tevoren had verwelkomd met mijn gezicht geheven naar de lucht en mijn mond open alsof ik een kalkoen was, was achteraf gezien maar een zielige vertoning vergeleken met de spectaculaire aanblik die de berg nu bood: een breedbeeldsneeuwstorm die geregisseerd had kunnen zijn door Peter Jackson onder invloed van anabole steroïden.

De wind sprak zichzelf tegen, leek op me in te beuken vanuit het westen, toen vanuit het noorden en vervolgens vanuit beide richtingen tegelijk, alsof hij raasde tegen zichzelf met het gevaar zich door zijn eigen razernij af te matten.

Deze schizofrene wind joeg wervelende striemende vlokken in bijtende gordijnen, in kolkende maalstromen, in ijzige zweepslagen, voor zich uit, een spektakel dat een dichter een keer 'de dartele architectuur van sneeuw' had genoemd, maar in dit geval ging het niet zozeer om dartelheid als om een spervuur; de wind bulderde even hard als mortierschoten en de sneeuw voelde aan als granaatscherven.

Mijn bijzondere intuïtie leidde me eerst noordwaarts naar de voorkant van de abdij, toen oostwaarts, toen zuidwaarts... Na een tijdje besefte ik dat ik al een paar keer in een kringetje was rondgelopen.

Misschien werkte paranormaal magnetisme niet zo goed in zo'n verwarrende omgeving: het witte tumult van de sneeuwstorm, het krolse gejank van de wind, de kou die in mijn gezicht kneep, die tranen uit mijn ogen perste en op mijn wangen deed bevriezen.

Ik was opgegroeid in een woestijnstadje, in extreem droge

hitte die niet verwart, maar doorgaans de geest óf ontkracht óf sterker maakt en het denken verscherpt. Ik voelde me in deze koude, wervelende chaos ontheemd en niet geheel mezelf.

Het zou best kunnen dat ik ook werd belemmerd door de angstige gedachte in broeder Timothy's dode gezicht te moeten kijken. Wat ik moest vinden was in dit geval niet wat ik wilde vinden.

Ik verlegde het doel van mijn speurtocht, zette broeder Timothy uit mijn hoofd en dacht in plaats daarvan aan bodachs. Ik vroeg me af welke verschrikking ons boven het hoofd zou kunnen hangen en richtte me op de ondefinieerbare dreiging in de hoop dat ik naar een persoon of een plek zou worden geleid die op de een of andere nog onbekende manier verband zou blijken te houden met het ophanden zijnde geweld.

In het gamma van het werk van een speurder lag dit plan verschrikkelijk ver van het Sherlock Holmes-uiteinde van de schaal en dichter bij het koffiedik-kijkenuiteinde dan ik eigenlijk wilde toegeven.

Toch merkte ik dat ik zo ontsnapte uit de doelloze dwaaltocht waarmee ik me had beziggehouden. Doelgerichter ploeterde ik oostwaarts door de vijfentwintig centimeter diepe deken van sneeuw in de richting van het nonnenklooster en de school.

Halverwege de weide begon opeens in mijn binnenste een alarmbel te rinkelen. Ik dook in elkaar, draaide me om en zette me schrap, ervan overtuigd dat ik op het punt stond een klap te incasseren.

Ik stond daar helemaal alleen.

Ondanks het bewijs van mijn ogen had ik niet het gevoel dat ik alleen was. Ik had het gevoel dat ik werd gadegeslagen. Sterker nog, dat ik werd beslopen.

Een geluid in de storm maar niet ván de storm, een klaaglijk gehuil dat verschilde van de schrille klaagzang van de wind kwam dichterbij, ebde weg, kwam dichterbij en ebde weer weg.

In het westen stond de abdij, nauwelijks te zien door een duizendtal steeds verschuivende sluiers, witte opeenhopingen die de fundering aan het oog onttrokken, door de wind opgeplakte sneeuw die delen van haar machtige stenen muren uitwiste. De klokkentoren werd steeds vager naarmate hij hoger verrees en leek hoe dichter je bij de bovenkant kwam, op te lossen, en de torenspits – en het kruis – waren helemaal niet te zien.

Lager op de helling en meer naar het oosten was de school zo wazig als een spookschip overvallen door mist, niet zozeer een beeld als een vage aanduiding, een bleke vlek in de mindere bleekheid van de sneeuwstorm.

Van achter een raam in onverschillig welke van de twee gebouwen zou niemand me op deze afstand, in deze omstandigheden, kunnen zien. Mijn noodkreet zou boven de wind uit niet te horen zijn.

Het klaaglijke gehuil werd weer luider, hunkerend en rusteloos.

Ik draaide me in een volle cirkel om, op zoek naar de bron. Er werd veel verborgen door de vallende sneeuw en door wolken van al gevallen sneeuw die van de grond opstoven, en het sombere licht was misleidend.

Hoewel ik terwijl ik me omdraaide op dezelfde plek was blijven staan, was de school nu geheel verdwenen, net als het lagergelegen deel van de weide. Hoger op de helling flakkerde de abdij als een luchtspiegeling, ze golfde als een geschilderd beeld op een doorschijnend gordijn.

Omdat ik met de doden leef is mijn tolerantie voor het macabere zo hoog dat ik niet snel bang ben. Het deels-gil-deels-jammerklacht-deels-gezoemgeluid was echter zo bovenaards dat mijn fantasie niet in staat was een wezen op te roepen dat dit geluid had kunnen maken, en het merg in mijn botten leek te slinken zoals kwik zich 's winters onder in een thermometer samentrekt.

Ik deed één stap in de richting van waar de school zou moeten staan, bleef staan en deed weer een stap terug. Ik draaide me om maar durfde niet de helling op te lopen naar de abdij. Iets onzichtbaars in de verhullende sneeuwstorm, iets met een bovenaardse stem vervuld van hunkering en razernij, leek me op te wachten, welke kant ik ook op zou gaan.

14

Ik trok het klittenband van elkaar, schoof de capuchon van mijn jack naar achteren, hief mijn hoofd, draaide mijn hoofd, hield mijn hoofd schuin in een poging vast te stellen uit welke richting de roep kwam.

IJzige wind blies mijn haar alle kanten op en bedekte het met sneeuw, geselde mijn oren en deed ze branden.

Alle magie was aan de storm onttrokken. De bevalligheid van vallende sneeuw was nu een onbevallige razernij, een turbulente maalstroom, even primitief en striemend als menselijke woede.

Ik had het vreemde gevoel, onmogelijk te verklaren, dat de werkelijkheid was verschoven, dat op die plek onder de twintig machten van tien onder het niveau van het proton niets meer was zoals het was geweest, niets meer was zoals het zou moeten zijn.

Zelfs zonder capuchon kon ik de bron van het ijzingwekkende geweeklaag niet lokaliseren. Het was mogelijk dat de wind het geluid vervormde en verplaatste, maar misschien leek de jammerklacht van alle kanten te komen omdat er meer dan één wezen in de sneeuwblinde ochtend rondsloop.

Mijn gezond verstand fluisterde me in dat wat het ook was dat me besloop een bewoner van de Sierra moest zijn, maar dit klonk niet als wolven of poema's. En beren hielden nu winterslaap, verloren in dromen van vruchten en honing.

Ik ben niet iemand die graag met een pistool op zak rondloopt. Mijn moeders liefde voor haar pistool – en haar dreigen met zelfmoord waarmee ze me toen ik nog klein was in het gareel hield – had mij een sterke voorkeur bezorgd voor andere vormen van zelfverdediging.

Door de jaren heen heb ik me uit hachelijke situaties weten te redden – dikwijls ternauwernood – door het effectief aanwenden van wapens als vuisten, voeten, knieën, ellebogen, een honkbalknuppel, een schep, een mes, een rubberen slang, een echte slang, drie kostbare antieke porseleinen vazen, een kleine vierhonderd liter gesmolten teer, een emmer, een moersleutel, een nijdige, schele fret, een bezem, een koekenpan, een broodrooster, boter, een brandslang en een grote bratwurst.

Hoe roekeloos deze strategie in mijn geval ook mag zijn, ik vertrouw liever op mijn verstand dan op een privéverzameling wapentuig. Helaas was mijn verstand op dat moment in de weide zo droog dat ik er niets anders uit kon wringen dan het idee dat ik misschien sneeuwballen kon maken.

Omdat ik betwijfelde of mijn griezelig weeklagende, onbekende belagers ondeugende jongetjes van tien waren, verwierp ik het sneeuwbaldefensief. Ik trok de capuchon over mijn half bevroren hoofd en sloot de klittenbandsluiting onder mijn kin.

De kreten klonken doelbewust, maar hoezeer ze ook verschilden van ander chaotisch getier van de sneeuwstorm, het was niet onmogelijk dat het toch gewoon geluiden van de wind waren.

Als mijn verstand me in de steek laat, neem ik mijn toevlucht tot zelfbedrog.

Ik deed weer een stap in de richting van de school en op hetzelfde moment bespeurde ik links van mij, aan de rand van mijn gezichtsveld, beweging.

Ik draaide me om teneinde de dreiging het hoofd te bieden en zag iets wits en snels, alleen zichtbaar omdat het hoekig was en recht overeind stond en daardoor afstak tegen de golvende deining en werveling van vallende en opwaaiende sneeuw. Als een kobold in een droom verdween het weer even snel als het was verschenen, opgaand in de sneeuwbui, met achterlating van een vage indruk van scherpe punten, harde randen, glans en doorschijnendheid.

Het weeklagen hield op. Het gekreun en gesis en gefluit van de wind klonk bijna verwelkomend zonder dat andere hunkerende gejammer.

Films reiken geen wijsheid aan en hebben weinig te maken

met het echte leven, maar ik herinnerde me oude avonturenfilms waarin het niet-aflatende gedreun van jungletrommels de zwetende, met tropenhelm getooide ontdekkingsreizigers danig op de zenuwen werkte. Het abrupte stilvallen van het getrommel bracht echter nooit de opluchting die je zou hebben verwacht, aangezien de stilte dikwijls het teken was van een ophanden zijnde aanval.

Ik vermoedde dat Hollywood daarmee de plank niet had misgeslagen.

Met het gevoel dat mij op korte termijn iets ergers en vreemders te wachten stond dan een gifpijltje in de keel of een pijl door een oog, wierp ik mijn besluiteloosheid van me af en snelde in de richting van de school.

Voor me uit, iets naar rechts, doemde er iets op in de storm, gesluierd door sneeuw, iets wat deed denken aan de kale, met rijp bedekte takken van een boom, die zwiepten in de wind. Het was geen boom. In de weide tussen de abdij en de school stonden geen bomen.

Ik had een glimp opgevangen van een smal aspect van een geheimzinnige aanwezigheid met meer bewustzijn dan hout, die niet bewoog op gezag van de wind, maar met een eigen felle doelbewustheid.

Na net genoeg van zichzelf te hebben onthuld om een nog groter mysterie te worden, hulde het wezen zich in mantels van sneeuw en verdween. Het was niet weggegaan, maar liep nog steeds parallel met me op, uit het zicht, als een leeuw die op een gazelle jaagt die van de kudde gescheiden is geraakt.

Achter mij verscheen een tweede belager, die ik intuïtief bespeurde maar niet zag. Ik raakte ervan overtuigd dat ik van achteren zou worden aangevallen en dat mijn hoofd van mijn romp zou worden gerukt als het lipje van een blikje cola.

Ik wil geen extravagante begrafenis. Ik zou in verlegenheid gebracht worden door bloemrijke huldeblijken op mijn doodskist. Daarentegen wil ik ook niet dat het enige wat mijn dood markeert een oprisping is van een of ander gedrocht dat zijn dorst heeft gelest met mijn kostbare lichaamssappen.

Terwijl ik met bonzend hart voortploeterde over de hellende weide, mij een weg schoppend door hopen sneeuw, deed de allesomhullende witheid van de sneeuwstorm mijn zicht vervagen. De fluorescentie van de sneeuw deed pijn aan mijn ogen en de voortgejaagde vlokken leken te knipperen.

In dit nog verder beperkte zicht kruiste iets mijn pad, een meter of drie voor me uit, van rechts naar links, zijn grootte, vorm en aard onduidelijk, niet alleen onduidelijk, maar vervormd, beslist vervormd, want het snel bewegende iets, te oordelen naar het deel waarvan ik in de verblindende omstandigheden een glimp had opgevangen, leek te zijn gevormd door botten omhuld met ijs. Met die biologisch onmogelijke bouw had zijn voortbewegen, zo het daar al toe in staat was, van een houterige wankelheid moeten zijn, maar in plaats daarvan legde het een kwaadaardig soort gratie aan de dag, een visueel glissando van golvende beweging, voorbijglijdend, weg.

Ik had vaart en de school was vlakbij, dus bleef ik niet staan en draaide me niet om, maar kruiste het spoor van wat het ook was dat voor me langs was gegleden. Ik bleef niet staan om de afdrukken die het had achtergelaten te bekijken. Het feit dat er inderdaad sporen waren, bewees dat ik het me niet had verbeeld.

Er steeg geen geweeklaag op – alleen de stilte van een ophanden zijnde aanval, het gevoel dat achter me zich iets verhief om toe te slaan – en door mijn hoofd schoten woorden als *meute, schare, legioen, zwerm.*

De sneeuw had zich opgehoopt op de treden voor de ingang van de school. De voetafdrukken van de speurders die hier hadden gezocht naar die arme broeder Timothy, waren al door de wind uitgewist.

Ik klauterde de treden op en rukte de deur open, verwachtend dat ik van de drempel zou worden weggegrist, één stap verwijderd van veiligheid. Ik schoot de ontvangstruimte binnen, duwde de deur dicht en leunde ertegenaan.

Zodra ik uit de wind was, uit die het oog schroeiende schittering, ondergedompeld in warme lucht, kwam de achtervolging me voor als een droom waaruit ik wakker was geworden, de wezens in de sneeuwstorm niet meer dan hersenspinsels in een buitengewoon levendige nachtmerrie. Toen schraapte er iets over de andere kant van de deur.

15

Als de bezoeker een mens was, zou hij hebben aangeklopt. Als het alleen maar de wind was geweest, zou die tegen de deur hebben geblazen tot de planken gingen kraken.

Dit geschraap was het geluid van bot, of iets als bot, op hout. Voor mijn geestesoog zag ik een tot leven gewekt skelet dat met geesteloze vasthoudendheid aan de buitenkant van de deur krabde.

In al mijn bizarre ervaringen was ik nooit een tot leven gewekt skelet tegen het lijf gelopen. Maar in een wereld waar McDonald's salades met magere dressing verkoopt, is alles mogelijk.

De ontvangstruimte was verlaten. Als die bezet was geweest, zouden er hoe dan ook maar een non of twee hebben rondgelopen.

Als iets als dat waarvan ik in de sneeuwstorm een glimp had opgevangen in staat was de deur uit zijn scharnieren te lichten, zou ik de voorkeur hebben gegeven aan een betere ondersteuning dan de gemiddelde non me zou kunnen geven. Ik had iemand nodig die nog taaier was dan zuster Angela met haar doordringende, maagdenpalm-blauwe blik.

De deurknop rammelde, rammelde, draaide.

Omdat ik bang was dat mijn weerstand alleen niet genoeg was om deze ongewenste bezoeker buiten te houden, deed ik de deur op het nachtslot.

Een scène uit een oude film speelde door mijn hoofd: een man stond met zijn rug tegen een dikke eiken deur gedrukt in de overtuiging dat hij veilig was voor bovennatuurlijke krachten aan de andere kant.

De film ging over het gevaar van kernenergie, over hoe minimale blootstelling aan straling normale schepsels van de ene op de andere dag kan veranderen in monsters en ook nog tot reuzen kan laten uitgroeien. Zoals we weten heeft dit in de echte wereld een fnuikende invloed gehad op de waarde van onroerend goed in de door gedrochten bedreigde woongebieden in de nabijheid van onze kerncentrales.

Hoe dan ook, die man staat met zijn rug tegen de deur en waant zich veilig, als een reusachtige angel, gekromd als de hoorn van een rinoceros, zich door het eikenhout boort, vervolgens dwars door zijn borst, waardoor zijn hart uiteenbarst.

De monsters in deze film waren maar een fractie overtuigender dan de acteurs, op één lijn met sokpoppen, maar de scène met die angel was me bijgebleven.

Ik deed toch maar een stap bij de deur vandaan. Ik keek naar de knop die rammelend heen en weer draaide. Ik trok me verder terug.

Ik had films gezien waarin mensen stom genoeg waren hun gezicht tegen een raam te drukken om de omgeving te verkennen, om vervolgens door het hoofd geschoten te worden of ten prooi te vallen aan een schepsel dat geen geweer nodig heeft en het raam verbrijzelt en ze gillend de nacht insleurt. Toch liep ik naar het raam naast de deur.

Als ik heel mijn leven had geleefd volgens uit films opgedane wijsheid, zou ik het risico lopen te verworden tot een krankzinnige met rollende ogen zoals zo veel succesvolle acteurs in ons land.

Bovendien was dit geen nachtscène. Dit was een ochtendscène en het sneeuwde, dus waarschijnlijk was het ergste wat zou kunnen gebeuren, als het leven films imiteerde, dat iemand opeens 'White Christmas' begon te zingen of iets van dien aard.

Aan de buitenkant van de ruiten had zich een dun laagje ijs gekristalliseerd. Ik zag buiten iets bewegen, maar het was niet meer dan een witte vlek, een vormloze gedaante, een kleurloos iets dat sidderde van kracht.

Ik kneep mijn ogen tot spleetjes en drukte mijn neus tegen het koude glas.

Links van mij hield de deurknop op met rammelen.

Ik hield mijn adem in om te voorkomen dat het raam nog meer zou beslaan.

De bezoeker voor de deur dook naar voren en stootte tegen het glas, alsof hij naar binnen gluurde, naar mij.

Ik kromp in elkaar maar deinsde niet achteruit. Nieuwsgierigheid nagelde me aan de grond.

Door het matte glas was de bezoeker nog steeds niet duidelijk te zien, zelfs toen hij zich dichter tegen het raam drukte. Ondanks het ijs dat me het zicht belemmerde had ik, als wat ik voor me zag een gezicht was geweest, op zijn minst de oogholten moeten zien en iets wat een mond had kunnen zijn, maar dat was niet zo.

Wat ik wél zag, begreep ik niet. Opnieuw kreeg ik een indruk van botten, maar niet de botten van enig dier dat ik kende. Ze waren langer en breder dan vingers en lagen naast elkaar als pianotoetsen, niet als een recht klavier, maar kronkelig en slingerend tussen andere golvende rijen botten door. Ze leken met elkaar verbonden te zijn met een verscheidenheid van knokkelgewrichten en gewrichtsholten met, zoals ik ondanks de sluier van ijs kon zien, een opmerkelijke constructie.

De macabere collage, die het raam volledig vulde, veranderde opeens van vorm. Met een zacht geklik en geratel als van duizend rollende dobbelstenen op een met vilt beklede *craps*-tafel, verschoven de elementen als fragmenten in een caleidoscoop en vormden een nieuw patroon, nog verbazingwekkender dan het vorige.

Ik leunde net genoeg achteruit van het raam om het volledige ingewikkelde mozaïek, waarvan zowel een koude schoonheid uitging als iets afschrikwekkends, te kunnen bewonderen.

De gewrichten die de rijen botten met elkaar verbonden – als het inderdaad botten waren en niet insectile ledematen met een omhulsel van chitine – maakten klaarblijkelijk draaiingen van driehonderdzestig graden op meerdere bewegingsniveaus mogelijk.

Met het geluid van dobbelstenen op vilt verschoof de caleidoscoop en kwam een volgend ingewikkeld patroon tot stand, van eenzelfde angstwekkende schoonheid als het voorgaande, zij het een tikje dreigender.

Ik kreeg het stellige gevoel dat de gewrichten tussen de botten rotatie mogelijk maakten op ontelbare zo niet alle niveaus, wat niet alleen biologisch maar ook mechanisch gezien onmogelijk was.

Misschien om me te tergen, maakte het spektakel nog eens een nieuwe versie van zichzelf.

Ja, ik heb de doden gezien, de tragische doden en de dwaze doden, de doden die blijven talmen uit wrok en de doden die door liefde aan deze wereld zijn geketend, en allemaal verschillen ze van elkaar terwijl ze toch allemaal hetzelfde zijn: ze kunnen de waarheid niet accepteren van hun plaats op de verticale as van de heilige ordening, kunnen zich vanaf deze plek in geen enkele richting bewegen, noch naar glorie, noch naar een eeuwige leegte.

En ik heb bodachs gezien, wat die ook mogen zijn. Ik heb meerdere theorieën over hen, maar geen enkel feit om een theorie te onderbouwen.

Daarmee houdt het op: spoken en bodachs. Ik zie geen feeën of elfjes, geen kwelgeesten of kobolds, geen dryaden of bosnimfen, geen kabouters, vampiers of weerwolven. Heel lang geleden ben ik al opgehouden op kerstavond uit te kijken naar de Kerstman omdat mijn moeder me toen ik vijf was vertelde dat de Kerstman een gemene viezerik was die met een schaar mijn piemeltje zou afknippen en dat hij, als ik niet ophield met over hem te kletsen, me vast en zeker op zijn lijst zou zetten en me zou komen opzoeken.

Daarna was Kerstmis nooit meer wat het was geweest, maar mijn piemel heb ik gelukkig nog.

Hoewel mijn ervaring met bovennatuurlijke aanwezigheden beperkt was geweest tot de doden en bodachs, leek het wezen dat zich tegen het raam drukte meer bovennatuurlijk dan echt. Ik had geen idee wat het zou kunnen zijn, maar ik was tamelijk zeker dat de woorden *duivel* en *demon* eerder op hem van toepassing waren dan het woord *engel*.

Wat het ook was, een wezen van bot of ectoplasma, het had iets te maken met de dreiging van geweld die de nonnen en de kinderen in hun zorg boven het hoofd hing. Ik hoefde geen Sherlock Holmes te zijn om dat uit te dokteren.

Elke keer dat de botten verschoven, schuurden ze blijkbaar over het ijs en schaafden ze een beetje van het glas, want dit mozaïek was duidelijker dan de voorafgaande, de randen van de botten scherper, de details van de gewrichten iets meer gedefinieerd.

Omdat ik een beter inzicht in de verschijning wilde krijgen, bracht ik mijn gezicht weer dichter bij het glas en bestudeerde de verbijsterende details van deze bovenaardse bottenverzameling.

Geen enkel bovenaards wezen heeft me ooit kwaad gedaan. Mijn wonden en verliezen zijn me allemaal toegebracht door menselijke wezens, van wie sommige een smal gerande, platte hoed droegen, al waren de meeste anders gekleed.

Van de vele elementen in het bottenmozaïek trilde er niet één, maar toch had ik de indruk dat het wezen gespannen was.

Hoewel mijn adem tegen het raam sloeg, raakte het oppervlak niet bewasemd, waarschijnlijk omdat ik oppervlakkig en met weinig kracht uitademde.

Maar toen kwam het verontrustende idee in me op dat er geen warmte in mijn adem zat, dat die te koud was om het glas te bewasemen, en dat ik met de lucht ook duisternis inademde, maar geen duisternis uitademde, wat zelfs voor mij een raar idee was.

Ik trok mijn handschoenen uit, propte ze in de zakken van mijn jack en legde een hand op het koude glas.

Weer klikten de botten, waaierden uit, leken zich bijna te schudden zoals je een spel kaarten schudt, om zich vervolgens te herschikken.

IJsschilfers kwamen los van de buitenkant van het raam.

Dit nieuwe patroon van botten moet mijn onderbewustzijn als een oerbeeld van het kwaad zijn voorgekomen, want ik zag geen schoonheid meer en kreeg het gevoel dat iets met een dunne, trillende staart over de lengte van mijn ruggengraat was gerend.

Mijn nieuwsgierigheid was overgegaan in een minder gezonde fascinatie, en fascinatie was iets duisterders geworden. Ik vroeg me af of ik misschien gehypnotiseerd was, maar toen bedacht ik dat dat niet het geval kon zijn aangezien ik nog in staat was die mogelijkheid in overweging te nemen, maar al was ik misschien niet gehypnotiseerd, er was wel íéts met me, want ik betrapte mezelf erop dat ik overwoog weer naar buiten te gaan om de bezoeker zonder het belemmerende vlak van ijs en glas te bekijken.

Een versplinterend geluid kwam van enkele van de houten stijlen die het raam in kleinere vlakken verdeelden. Ik zag een haarscheurtje verschijnen in de witte verf die het hout afdichtte. De barst trok een kronkelig pad langs een verticale raamstijl, over een horizontale.

Onder de hand die ik nog steeds tegen het raam drukte, barstte het glas.

Het scherpe geluid van brekend glas deed me schrikken en verbrak de betovering. Ik trok snel mijn hand terug en deed drie stappen bij het raam vandaan.

Er viel geen glas. De gebarsten ruit bleef in de omlijsting zitten.

Het wezen van botten of ectoplasma trok zich weer samen en vormde een nieuw, zij het niet minder dreigend patroon, alsof het zocht naar een schikking van zijn elementen die een grotere druk op het weerbarstige raam zou uitoefenen.

Hoewel het wezen het ene boosaardige mozaïek na het andere uitprobeerde, was het effect toch elegant, net zo economisch als de bewegingen van een efficiënte machine.

Het woord *machine* galmde door mijn hoofd, leek belangrijk, leek onthullend, al wist ik dat dit geen machine kon zijn. Als deze wereld niet in staat was een biologische structuur voort te brengen als die welke ik nu met verbijstering bezag – en dat stond wel vast – dan was het net zo zeker dat mensen niet over de kennis beschikten om een machine te bedenken en te bouwen met dergelijke fenomenale vermogens.

Het in de sneeuwstorm geboren wezen trok zich weer samen. Dit nieuwe, caleidoscopische wonder van botten wekte de indruk dat, net zoals er in de geschiedenis nooit twee dezelfde sneeuwvlokken zijn geweest, geen twee manifestaties van het wezen hetzelfde patroon zouden produceren.

Ik vreesde niet alleen dat het glas zou verbrijzelen, alle acht ruiten tegelijk, maar ook dat alle tussenstijlen zouden versplinteren en dat de raamlijst los zou komen uit de muur en brokken kalk mee zou trekken, en dat het wezen door een cascade van puin de school in zou klauteren.

Ik wenste dat ik een paar honderd liter gesmolten teer had, een nijdige, schele fret of op zijn minst een broodrooster.

Opeens bewoog de verschijning zich bij het raam vandaan en staakte het de vertoning van zijn boosaardige botpatronen. Ik dacht dat het achteruitging om een aanloop te nemen en zich door de barrière te storten, maar de aanval bleef uit. Dit voortbrengsel van de storm werd weer een lichte vlek, een sidderende kracht gezien door met rijp bedekt glas.

Even later leek het terug te keren naar de storm. Er viel geen schaduw van beweging over het raam en de acht ruitjes waren even levenloos als acht tv-schermen die stonden afgestemd op een dood kanaal.

In een van de ruitjes zat nog een barst.

Ik denk dat ik op dat moment wist hoe het hart van een konijn aanvoelt voor het konijn zelf – als een levend, springend wezen in zijn binnenste – wanneer hij oog in oog staat met de coyote, die zijn lippen terugtrekt van tanden bevlekt met jaren van bloed.

Er steeg geen geweeklaag op uit de storm. Alleen de wind blies tegen het raam en floot door het sleutelgat in de deur.

Zelfs voor iemand die gewend is aan confrontaties met het bovennatuurlijke, brengt de nasleep van zo'n onwaarschijnlijke gebeurtenis soms evenveel verwondering als twijfel met zich mee. Een angst die je doet terugdeinzen van het vooruitzicht op verdere ervaringen van dien aard is even sterk als een dwanggedachte om meer te willen zien en te *begrijpen*.

Ik kreeg een bijna onbedwingbare neiging de deur van het slot te doen en open te maken. Ik onderdrukte de neiging, verzette geen voet, hief geen hand, maar bleef staan met mijn armen om me heen geslagen, alsof ik mezelf bijeenhield, en haalde diep en bibberig adem tot zuster Clare Marie arriveerde en me beleefd maar dringend verzocht mijn skischoenen uit te trekken.

16

Starend uit het raam, terwijl ik probeerde te begrijpen wat ik had gezien en mezelf in gedachten feliciteerde met het feit dat mijn ondergoed nog schoon was, had ik niet gemerkt dat zuster Clare Marie de ontvangstruimte was binnengekomen. Ze stapte opeens tussen mij en het raam, zo wit en stilletjes als een maan die zijn baan beschrijft.

In haar habijt, met haar zachtroze gezicht, kleine ronde neus en lichte overbeet, had ze alleen nog een paar lange, donzige oren nodig om zich een konijn te noemen en naar een gekostumeerd feest te gaan.

'Kind, toch,' zei ze, 'je ziet eruit alsof je een spook hebt gezien.'

'Ja, zuster.'

'Gaat het wel goed met je?'

'Nee, zuster.'

Haar neus trilde alsof ze een geur opving die haar verontrustte. Ze zei: 'Kind?'

Ik weet niet waarom ze me *kind* noemt. Ik heb haar nooit iemand anders zo horen aanspreken, zelfs de kinderen in de school niet.

Omdat zuster Clare Marie een lieve, zachtaardige vrouw was, wilde ik haar niet nog verder verontrusten, in aanmerking nemend dat de dreiging was weggevallen, voorlopig althans, en ook omdat ze, aangezien ze een non was, niet de handgranaten bij zich had die ik nodig zou hebben voor ik me weer de storm in waagde.

'Het is alleen maar de sneeuw,' zei ik.

'De sneeuw?'

'De wind en kou en sneeuw. Ik ben een woestijnjongen, zuster. Ik ben niet gewend aan dit soort weersomstandigheden. Het is buiten bar en boos.'

'Het weer is niet bar en boos,' verzekerde ze met een glimlach. 'Het weer is glorieus. De wereld is prachtig en glorieus. De mensheid kan bar en boos zijn en zich afwenden van wat goed is. Maar het weer is een geschenk.'

'Goed dan,' zei ik.

Aanvoelend dat ze me niet had overtuigd, vervolgde ze: 'Sneeuwstormen kleden het land in een schoon habijt, donder en bliksem maken feestmuziek, de wind verdrijft alles wat muf is, zelfs overstromingen doen nieuw groen uit de grond schieten.

Tegenover kou staat warmte. Tegenover droog staat nat. Tegenover wind staat kalmte. Tegenover nacht staat dag, wat op jou misschien niet overkomt als weer, maar dat is het wel. Omarm het weer, kind, en dan zul je het evenwicht van de wereld begrijpen.'

Ik ben eenentwintig, heb de ellende ervaren van een onverschillige vader en een vijandige moeder, heb meegemaakt dat een deel van mijn hart uit mijn borst is gesneden door een scherp mes van verlies, heb mannen gedood uit zelfverdediging en om het leven van onschuldigen te redden en heb in Pico Mundo alle vrienden achtergelaten die mij dierbaar waren. Ik geloof dat dit bewijs genoeg is dat ik een bladzij ben waarop het verleden genoeg heeft geschreven, duidelijk leesbaar voor iedereen. Toch ziet zuster Clare Marie reden mij – en alleen mij – *kind* te noemen, en soms hoop ik dat dit betekent dat zij een bepaald inzicht heeft dat ik niet heb, maar meestal geloof ik dat ze net zo naïef is als dat ze lief is en dat ze me in het geheel niet kent.

'Omarm het weer,' zei ze, 'maar maak alsjeblieft de vloer niet vies.'

Dit leek me een waarschuwing die eerder voor Boo zou zijn bedoeld dan voor mij. Toen besefte ik dat mijn skischoenen onder de sneeuw zaten en dat die smolt en op de kalkstenen vloer een plasje vormde.

'O, neem me niet kwalijk, zuster.'

Toen ik mijn jack uittrok, hing zij het aan een kapstok en

toen ik mijn schoenen uitschopte, pakte zij ze op om ze op een rubberen mat onder de kapstok te zetten.

Toen ze wegliep met de schoenen trok ik de onderkant van mijn trui over mijn hoofd en gebruikte die als handdoek om mijn doorweekte haar en vochtige gezicht droog te wrijven.

Ik hoorde de deur opengaan en de wind gieren.

In paniek trok ik mijn trui naar beneden en zag zuster Clare Marie op de drempel staan, waar ze minder leek op een konijn dan op een reeks zeilen op een schip dat op de Noordelijke IJszee voer, terwijl ze mijn schoenen krachtig tegen elkaar sloeg zodat de aangekoekte sneeuw buiten zou blijven.

Achter haar wekte de sneeuwstorm niet de indruk dat die omarmd wilde worden, niet deze storm der stormen. Het leek er eerder op dat hij de school en de abdij en het bos daarachter omver wilde blazen, alles op het aardoppervlak wat het waagde rechtop te staan, en alles wilde begraven en korte metten maken met de beschaving en de mensheid, voor eens en altijd.

Tegen de tijd dat ik haar bereikte, voor ik haar boven de wind uit een waarschuwing kon toeschreeuwen, kwam zuster Clare Marie weer naar binnen.

Noch een demon noch een huis-aan-huisverkoper doemde op uit de ijskoude storm voor ik de deur dichtduwde en weer op het nachtslot deed.

Toen ze de schoenen op de rubberen mat zette, zei ik: 'Wacht, ik haal wel even een stokdweil, niet de deur opendoen, ik haal een stokdweil en maak de vloer schoon.'

Ik klonk beverig, alsof ik vroeger een ernstig trauma had opgelopen van een stokdweil en al mijn moed moest verzamelen om er een te durven gebruiken.

De non leek het trillen van mijn stem niet op te merken. Met een zonnige lach zei ze: 'Geen sprake van. Jij bent hier te gast. Als ik jou mijn werk laat doen, zou dat me in het aanzicht van de Heer in verlegenheid brengen.'

Wijzend naar de plas smeltende sneeuwbrij op de vloer, zei ik: 'Maar ik ben degene die verantwoordelijk is voor die smeerboel.'

'Dat is geen smeerboel, kind.'

'Daar ziet het anders wel naar uit.'

'Dat is het weer! En het is mijn werk. Trouwens, moeder-overste wil je spreken. Ze heeft naar de abdij gebeld en daar zeiden ze dat ze hadden gezien dat je naar buiten ging en dat je misschien hierheen was gegaan, en hier ben je. Ze is in haar kantoor.'

Ik volgde haar met mijn blik terwijl ze een stokdweil uit een kast bij de voordeur pakte.

Toen ze zich omdraaide en zag dat ik er nog stond, zei ze: 'Ga nu maar, vooruit, ga zien wat moeder-overste van je wil.'

'U gaat toch niet de deur opendoen om de dweil buiten uit te wringen, hè, zuster?'

'Welnee, er is niet genoeg om uit te wringen. Het is maar een klein plasje weer dat naar binnen is gekomen.'

'U gaat niet de deur opendoen om u te verheugen in de sneeuwstorm, toch?' vroeg ik.

'Het is wel een fantastische dag, vind je niet?'

'Fantastisch,' zei ik, zonder enthousiasme.

'Als ik voor de none en de rozenkrans mijn werk afkrijg, neem ik misschien wel even de tijd voor het weer.'

De none was het middaggebed, om twintig minuten over vier, ruim zeseneenhalf uur vanaf nu.

'Goed. Vlak voor de none – dat is een prima tijdstip om van een storm te genieten. Veel fijner dan nu.'

Ze zei: 'Misschien ga ik in een knus hoekje van de keuken met een beker warme chocolademelk voor het raam zitten om me te verheugen in de sneeuwstorm.'

'Niet te dicht bij het raam,' zei ik.

Haar roze voorhoofd rimpelde in een frons. 'Waarom niet, kind?'

'Tocht. U wilt niet op de tocht zitten.'

'Er is niets mis met een goede tocht!' verzekerde ze me hart-grondig. 'Soms is tocht koud, soms warm, maar tocht is alleen maar lucht in beweging, lucht die circuleert zodat die gezond is om in te ademen.'

Ik liet haar achter terwijl ze het plasje weer opdweilde.

Als er iets afzichtelijks door het raam met het gebarsten ruit-

je naar binnen kwam, zou zuster Clare Marie, met de stokdweil als knuppel, waarschijnlijk heel goed in staat zijn het
beest het hoofd te bieden.

17

Op weg naar het kantoor van de moeder-overste kwam ik langs de grote recreatiezaal, waar een tiental nonnen toezicht hield op de spelende kinderen.

Sommige kinderen zijn niet alleen ernstig lichamelijk maar ook licht geestelijk gehandicapt. Ze zijn dol op bordspelen, kaartspelletjes, poppen en speelgoedsoldaatjes. Ze versieren cakejes en helpen met het maken van zachte toffees en genieten van knutselen. Ze vinden het heerlijk als iemand ze verhalen voorleest en willen leren lezen, en de meeste kinderen leren dat ook.

De anderen hebben of lichte of ernstige lichamelijke handicaps, maar een grotere geestelijke achterstand dan de eerste groep. Sommigen van deze kinderen, zoals Justine in kamer 32, lijken zich van ons niet echt bewust te zijn, al hebben de meesten een innerlijk leven dat zich openbaart op momenten dat je dit het minst verwacht.

De tussenliggende groep – minder ver van ons verwijderd dan Justine, minder betrokken dan degenen die willen leren lezen – werkt graag met klei, rijgt kralen om hun eigen sieraden te maken, speelt met pluchen dieren en doet kleine karweitjes om de zusters te helpen. Ook zij vinden het leuk om voorgelezen te worden; de verhalen mogen dan simpeler zijn, maar de magie van verhalen behoudt ook voor hen zijn kracht.

Waar ze allemaal dol op zijn, ongeacht hun beperkingen, is genegenheid. Elke aanraking of omhelzing, een kus op de wang, elk teken dat je hen waardeert, respecteert, in hen gelooft, brengt ze aan het stralen. Later op de dag krijgen ze in een van de twee revalidatieruimten fysiotherapie om hun kracht op te bouwen, hun beweeglijkheid te verbeteren. Zij die moeite hebben met communiceren, krijgen spraaktherapie. Voor sommige kinderen is de therapie in wezen taakinstructie waarbij ze zich leren aankleden, leren klokkijken, geld wisselen en omgaan met een kleine toelage.

Bijzondere gevallen verlaten St. Bart's op een leeftijd van achttien jaar of ouder en stappen over op een ondersteunde onafhankelijkheid met een hulphond of verzorger. Maar veel van deze kinderen zijn zo ernstig gehandicapt dat de wereld hen nooit zal verwelkomen, en voor hen blijft dit oord hun leven lang hun thuis.

Onder de bewoners zijn minder volwassenen dan u misschien zou denken. Deze kinderen hebben verschrikkelijke klappen geïncasseerd, de meesten terwijl ze nog in de moederschoot zaten, anderen door geweld voor ze drie waren. Ze zijn fragiel. Twintig jaar is voor hen een hoge leeftijd.

U zou kunnen denken dat toezien hoe ze zich door de diverse soorten revalidatie heen worstelen hartverscheurend moet zijn, gezien het feit dat ze dikwijls voorbestemd zijn op jonge leeftijd te sterven. Maar daarvan is geen sprake. Hun kleine triomfen maken hen even gelukkig als een marathon winnen u misschien gelukkig zou maken. Ze kennen momenten van onvervalst plezier, ze kennen verwondering en ze hebben hoop. Hun geest laat zich niet vastketenen. Tijdens de maanden die ik onder hen doorbracht, heb ik nooit ook maar één kind horen klagen.

Door de vooruitgang in de medische wetenschap hebben instellingen als St. Bart's steeds minder te maken met kinderen die lijden aan ernstige spastische verlamming, aan toxoplasmose, aan vroegtijdig ontdekte chromosoomafwijkingen. Hun bedden worden tegenwoordig ingenomen door de kinderen van vrouwen die cocaïne of ecstasy of hallucinogenen liever niet wilden opgeven, negen saaie maanden lang, vrouwen die dobbelen met de duivel. Andere kinderen hier waren ernstig mishandeld – schedelbreuken, hersenbeschadigingen – door hun dronken vader, door de aan methadon verslaafde vriendjes van hun moeder.

Met zo'n grote behoefte aan nieuwe cellen en aardedonkere hellepoelen, moest de hel dezer dagen wel een bouwhausse doormaken.

Sommige mensen zullen me er misschien van beschuldigen dat ik me een oordeel aanmatig. Dank u. Daar ben ik trots op. Ik heb geen medelijden met mensen die het leven van een kind verwoesten.

Er zijn artsen die ervoor pleiten deze kinderen met een dodelijke injectie bij de geboorte te vermoorden of die ze later laten doodgaan door te weigeren hun infecties te behandelen, waardoor simpele aandoeningen fataal worden.

Nog meer cellen. Nog meer aardedonkere hellepoelen.

Misschien betekent mijn gebrek aan compassie voor deze kindermishandelaars – en andere tekortkomingen van mij – dat ik aan gene zijde Stormy niet zal zien, dat het vuur waarvoor ik kom te staan verterend, niet louterend zal zijn. Maar mocht ik in die tastbare duisternis belanden waar het niet hebben van kabel-tv het minste van de ongemakken is, dan zal ik er tenminste genoegen in kunnen scheppen u op te sporen, als u een kind hebt mishandeld. Ik zal precies weten wat ik met u moet doen en een eeuwigheid hebben om me daarmee bezig te houden.

In de recreatiezaal op die sneeuwachtige ochtend, terwijl we misschien in de uren die voor ons lagen voor de hel zouden komen te staan, lachten en praatten de kinderen en gingen ze op in hun spel.

Achter de piano in de hoek zat een jongetje van tien dat Walter heette. Hij was een crackbaby en een methadonbaby en een whiskybaby en een God-mag-weten-wat-voorbaby. Hij kon niet praten en maakte zelden oogcontact. Hij kon niet leren zichzelf aan te kleden. Na een melodie één keer gehoord te hebben, speelde hij die noot voor noot na, met gevoel en nuance. Hij had immens veel verloren, maar deze gave was bewaard gebleven.

Hij speelde zacht, mooi, helemaal opgaand in de muziek. Ik geloof dat het iets van Mozart was. Ik weet er te weinig van om dat zeker te weten.

Terwijl Walter muziek maakte, terwijl de kinderen speelden

en lachten, kropen er bodachs door de kamer. Terwijl het er de afgelopen nacht nog drie waren geweest, waren het er nu zeven.

18

Zuster Angela, de moeder-overste, bestierde het klooster en de school vanuit een klein kantoor dat grensde aan de ziekenzaal. Het bureau, de twee bezoekersstoelen en de dossierkasten waren eenvoudig, maar uitnodigend.

Aan de muur achter haar bureau hing een kruisbeeld en aan de andere muren hingen drie posters: George Washington, Harper Lee, de schrijfster van *Spaar de spotvogels,* en Flannery O'Connor, de schrijfster van 'A Good Man Is Hard to Find' en veel andere korte verhalen.

Ze bewondert deze mensen om velerlei redenen, maar vooral om een eigenschap die ze alle drie delen. Ze wil niet zeggen wat die eigenschap is. Ze wil dat je daarover nadenkt en zelf de oplossing van het raadsel vindt.

Vanuit de deuropening van haar kantoor zei ik: 'Sorry voor mijn voeten, zuster.'

Ze keek op van een dossier waarin ze zat te lezen. 'Als daar een luchtje aan zit, is dat niet zo sterk dat ik kon ruiken dat je in aantocht was.'

'Nee, zuster. Sorry voor mijn kousenvoeten. Zuster Clare Marie heeft mijn schoenen meegenomen.'

'Ik weet zeker dat ze die zal teruggeven, Oddie. We hebben geen problemen gehad met zuster Clare Marie voor wat betreft het stelen van schoeisel. Kom binnen, ga zitten.'

Ik nam plaats op een van de stoelen voor haar bureau, gebaarde naar de posters en zei: 'Ze zijn alle drie zuiderling.'

'Zuiderlingen hebben veel goede eigenschappen, waaronder charme en hoffelijkheid en een gevoel voor tragiek, maar dat is niet de reden waarom nu net deze gezichten me inspireren.'

Ik zei: 'Roem.'

'Nu doe je opzettelijk dom,' zei ze.

'Nee, zuster, niet opzettelijk.'

'Als ik dit drietal bewonderde om hun roem, had ik net zo goed posters van Al Capone, Bart Simpson en Tupac Shakur kunnen ophangen.'

'Dat zou wat zijn, zeg,' zei ik.

Ze leunde naar voren, dempte haar stem en vroeg: 'Wat is er met die beste broeder Timothy gebeurd?'

'Niets goeds. Dat is het enige wat ik zeker weet. Niets goeds.'

'We kunnen zeker zijn van één ding – hij heeft het niet opeens in zijn hoofd gekregen om naar Reno te gaan voor een beetje R en R. Zijn verdwijning moet in verband staan met datgene waarover we gisteravond hebben gesproken. De gebeurtenis die de bodachs hierheen heeft gelokt.'

'Ja, zuster, wat dat ook mag zijn. Ik heb er zojuist zeven in de recreatiezaal gezien.'

'Zeven.' Haar zachte, grootmoederlijke gelaatstrekken verstrakten in ijzeren vastberadenheid. 'Is de crisis nabij?'

'Niet met zeven. Als ik er dertig of veertig zie, dan zal ik weten dat die echt nabij is. Er is nog tijd, maar de klok tikt door.'

'Ik heb met abt Bernard gesproken over de discussie die jij en ik vannacht hebben gevoerd. En nu broeder Timothy is verdwenen, vragen we ons af of het misschien beter zou zijn de kinderen elders onder te brengen.'

'Elders? Waar dan?'

'We zouden ze naar de stad kunnen brengen.'

'Vijftien kilometer in dit weer?'

'In de garage hebben we twee krachtige verlengde SUV's met vierwielaandrijving en rolstoelliften. Ze zijn voorzien van extra grote banden voor een betere grip op de weg plus sneeuwkettingen. Elk voertuig is uitgerust met een sneeuwploeg. We kunnen ons eigen pad vrijmaken.'

De kinderen verplaatsen was geen goed idee, maar het denkbeeld om nonnen zich in monstertrucks een weg te zien ploegen door een sneeuwstorm, trok me wel aan.

'In elk voertuig kunnen we acht tot tien kinderen meenemen,' vervolgde ze. 'Er zouden misschien vier ritten nodig zijn om de helft van de zusters en alle kinderen weg te brengen, maar als we nu meteen beginnen, zijn we met een paar uur klaar, voor de avond valt.'

Zuster Angela is een vrouw van de daad. Ze is graag zowel lichamelijk als intellectueel in de weer, altijd bezig met het bedenken en uitvoeren van projecten, dingen tot stand brengen.

Haar ondernemingsgeest is ontwapenend. Op dat moment leek ze sprekend op welke aartsnuchtere grootmoeder het ook mocht zijn geweest die aan George S. Patton de genen had doorgegeven die hem tot een groot generaal hadden gemaakt.

Ik vond het jammer dat ik haar illusie moest doorprikken nu zij er kennelijk al aardig wat tijd in had gestoken om het plan uit te werken.

'Zuster, we weten niet zeker dat het geweld, als het losbarst, hier in de school zal losbarsten.'

Ze keek me niet-begrijpend aan. 'Maar het is al begonnen. Broeder Timothy, God hebbe zijn ziel.'

'We dénken dat het is begonnen met broeder Tim, maar we hebben geen lijk.'

Ze kromp ineen bij het woord *lijk*.

'We hebben geen lichaam,' verbeterde ik, 'dus weten we niet zeker wat er is gebeurd. Het enige wat we weten is dat de bodachs op de kinderen afkomen.'

'En de kinderen zijn hier.'

'Maar stel dat u de kinderen overbrengt naar een ziekenhuis, een school, een kerk in de stad en dat de bodachs dan daar opduiken omdat dat de plek is waar het geweld zal toeslaan, niet hier in St. Bart's.'

Ze was net zo bedreven in het analyseren van strategie en tactiek als Pattons oma wellicht was geweest. 'Dan zouden we de duistere krachten een dienst hebben bewezen in onze overtuiging dat we hen tegenwerkten.'

'Ja, zuster. Dat zou kunnen.'

Ze keek me zo doordringend aan dat ik bijna kon voelen hoe haar maagdenpalmblauwe blik de inhoud van mijn hersenen doorbladerde, alsof ik een dossierla tussen mijn oren had zitten.

'Ik heb vreselijk met je te doen, Oddie,' mompelde ze.

Ik haalde mijn schouders op.

Ze zei: 'Je weet net genoeg om, in morele zin, te weten dat je iets moet doen... maar niet genoeg om precies te weten wát je moet doen.'

'Als het erop aankomt, wordt dat duidelijk,' zei ik.

'Maar pas op het voorlaatste moment, hè, dan pas?'

'Ja, zuster. Dan pas.'

'Dus als het moment daar is, de confrontatie – is het altijd een sprong in de chaos.'

'Nou, zuster, wat het ook is, het is nooit niét gedenkwaardig.'

Haar rechterhand raakte het kruis op haar borst aan en haar blik gleed over de posters aan haar muren.

Even later zei ik: 'Ik ben hiernaartoe gekomen om bij de kinderen te zijn, om door de gangen en de kamers te lopen om te zien of ik een beter inzicht kan krijgen in wat ons misschien boven het hoofd hangt. Als u dat goed vindt.'

'Ja. Natuurlijk.'

Ik stond op van mijn stoel. 'Zuster Angela, ik wil u vragen iets te doen, maar ik heb liever niet dat u me vraagt waarom.'

'Wat dan?'

'Zorg er alstublieft voor dat de deuren op het nachtslot worden gedaan en dat alle ramen vergrendeld worden. En druk de nonnen op het hart dat ze niet naar buiten mogen gaan.'

Ik vertelde haar liever niet over het wezen dat ik in de storm had gezien. In de eerste plaats had ik op die dag dat ik in haar kantoor stond nog geen woorden gevonden om de verschijning te beschrijven. Bovendien, wanneer de zenuwen te veel opspelen, gaat dat ten koste van helder denken, en ze moest bedacht zijn op gevaar zonder in paniek te raken.

Belangrijker nog: ik wilde niet dat ze het idee zou krijgen dat ze een verbond had gesloten met iemand die misschien niet alleen maar een snelbuffetkok was en niet alleen maar een snelbuffetkok met een zesde zintuig, maar een *volslagen krankzinnige* snelbuffetkok met een zesde zintuig.

'Goed dan,' zei ze. 'We zorgen dat alles op slot gaat en met die storm is er hoe dan ook geen reden om naar buiten te gaan.'

'Wilt u alstublieft abt Bernard bellen en hem vragen hetzelfde te doen? De resterende uren van het Heilig Officie kun-

nen de broeders beter niet naar buiten gaan om de kerk via de
grote kloostergang binnen te gaan. Zeg dat ze de binnendeur
tussen de abdij en de kerk moeten gebruiken.'

In deze ernstige omstandigheden was zuster Angela haar ef-
fectiefste ondervragingsinstrument ontnomen: die prachtige
glimlach, die ze volhield in een geduldig en intimiderend stilzwijgen.

De storm trok haar aandacht. Onheilspellend als as trokken
wolken van sneeuw langs het raam.

Ze keek weer naar me op: 'Wie is daar buiten, Oddie?'

'Dat weet ik nog niet,' antwoordde ik, wat waar was in die
zin dat ik geen woorden had voor wat ik had gezien. 'Maar
diegene heeft kwaad in de zin.'

19

Ik reikte intuïtie de riem van mijn denkbeeldige halsband aan en werd via een omslachtige route door de kamers en gangen van de benedenverdieping van de school geleid, naar een trap, naar de eerste verdieping, waar de kerstversieringen me niet opmonterden.

Toen ik bij de open deur van kamer 32 bleef staan, vermoedde ik dat ik mezelf voor de gek had gehouden. Ik had me niet door mijn intuïtie laten leiden, maar door een onbewust verlangen de ervaring van de voorgaande nacht nog eens te beleven, toen het had geleken of Stormy tegen me had gesproken door de slapende Annamarie via de stomme Justine.

Op dat moment, hoe intens ik ook naar dat contact had verlangd, had ik me ervan afgewend. Daar had ik goed aan gedaan.

Stormy is mijn verleden en zal pas mijn toekomst zijn als mijn leven in deze wereld voorbij is, als er een eind komt aan tijd en de eeuwigheid begint. Wat ik nu nodig heb is geduld en doorzettingsvermogen. De enige weg terug is de weg vooruit.

Ik zei tegen mezelf dat ik door moest lopen en de rest van de eerste verdieping moest verkennen. In plaats daarvan liep ik de drempel over en bleef net binnen de kamer staan.

Het beeldschone meisje dat op haar vierde door haar vader verdronken en voor dood achtergelaten was, maar acht jaar later nog steeds leefde, zat rechtop in bed, gestut door dikke kussens, de ogen dicht.

Haar handen lagen op haar schoot, beide palmen omhooggedraaid alsof ze een geschenk verwachtte.

De stemmen van de wind waren gedempt, maar legio: monotoon zingend, snauwend, sissend achter het raam.

De pluchen speelgoedkatjes sloegen me gade vanaf de planken bij haar bed.

Annamarie en haar rolstoel waren weg. Ik had haar in de recreatiezaal gezien, waar achter het gelach van de kinderen stille Walter, die zich zonder hulp niet kon aankleden, op de piano klassieke muziek speelde.

De lucht leek zwaar, als de atmosfeer tussen de eerste bliksemflits en de eerste donderslag wanneer de regen zich op kilometers hoogte heeft gevormd, maar de aarde nog niet heeft bereikt, wanneer miljoenen dikke druppels afdalen en de lucht onder hen opeenpersen als een laatste waarschuwing voor hun plenzende komst.

Ik voelde me licht in het hoofd van verwachting.

Achter het raam joegen wervelende sneeuwvlagen de dag na, en terwijl de wind nog steeds de ochtend geselde, stierven zijn stemmen weg, en langzaam daalde een stilte op de kamer neer.

Justine opende haar ogen. Hoewel ze doorgaans dwars door alles in deze wereld heen kijkt, ontmoette ze nu mijn blik.

Ik werd me bewust van een vertrouwde geur. Perziken.

Toen ik in Pico Mundo als snelbuffetkok werkte, voordat de wereld zo somber werd als die nu is, waste ik mijn haar altijd met een naar perzik geurende shampoo die Stormy me had gegeven. De shampoo verdrong zeer effectief de geuren van spek en hamburgers en gebakken uien die na een lange dienst achter de bakplaat in mijn lokken bleven hangen.

In het begin had ik zo mijn twijfels over perzikshampoo en had ik geopperd dat een spek-hamburger-gebakken-uiengeur aantrekkelijk zou moeten zijn, watertandend lekker, en dat de meeste mensen een bijna erotische reactie beleefden bij de aroma's van gebakken etenswaren.

Stormy had gezegd: 'Luister, patatbakkertje van me, je bent natuurlijk lang niet zo aantrekkelijk als Ronald McDonald, maar je bent leuk genoeg om mijn tanden in te zetten zonder dat je naar een broodje bal ruikt.'

Daarna had ik elke dag naar perzik geurende shampoo gebruikt, zoals iedere jongen zou hebben gedaan die het van een meisje te pakken heeft.

De geur die nu in kamer 32 opsteeg was niet zomaar een perzikaroma, maar de geur van die specifieke perzikshampoo, en die had ik niet meegenomen naar St. Bart's.

Dit was een veeg teken. Ik wist dat ik onmiddellijk zou moeten weggaan, maar de geur van perzikshampoo verlamde me.

Het verleden kan niet worden teruggehaald. Wat is geweest en wat had kunnen zijn brengen ons allebei naar wat is.

Om verdriet te kennen moeten we ons laten meevoeren in de rivier van tijd, want verdriet gedijt in het heden en belooft in de toekomst, tot het eindpunt, bij ons te blijven. Alleen de tijd overwint de tijd en al zijn lasten. Er is geen verdriet voor of na de tijd en dat zou troost genoeg moeten zijn.

Toch bleef ik daar staan, wachtend, vol hoop, maar die hoop was verkeerd.

Stormy is dood en hoort niet meer in deze wereld thuis, en Justine heeft ernstig hersenletsel opgelopen door langdurig gebrek aan zuurstof en kan niet praten. Toch probeerde het meisje te communiceren, niet namens zichzelf maar namens een ander die aan deze zijde van het graf helemaal geen stem had.

De geluiden die Justine voortbracht waren geen woorden, maar lallende, ongearticuleerde klanken die de ontwrichte staat van haar hersenen bevestigden, die je deden denken aan een vertwijfelde drenkeling die onder water naar adem snakt, erbarmelijke geluiden die doordrenkt en opgezwollen waren en ondraaglijk triest.

Een gekweld *néé!* ontsnapte me en het meisje staakte onmiddellijk haar poging tot spreken.

Justines doorgaans expressieloze gelaatstrekken vertrokken in een uitdrukking van frustratie. Haar blik gleed van mij naar links, toen naar rechts en vervolgens naar het raam.

Ze was gedeeltelijk verlamd, in wezen over heel haar lichaam, hoewel haar linkerkant ernstiger was aangetast dan haar rechterkant. Met enige moeite tilde ze haar rechterarm van het bed. Haar slanke hand strekte zich naar me uit alsof ze me smeekte dichterbij te komen, maar toen wees ze naar het raam.

Het enige wat ik zag was het sombere versluierde daglicht en de vallende sneeuw.

Haar ogen keken in de mijne, meer gefocust dan ik ze ooit had gezien, even helder als anders, maar met een hunkering in de blauwe diepten die ik daar nog nooit in had ontwaard, zelfs niet toen ik de voorgaande nacht in deze kamer was geweest en Annamarie in haar slaap *praat me bij* had horen zeggen.

Haar intense blik gleed van mij naar het raam, terug naar mij, opnieuw naar het raam, waarnaar ze nog steeds wees. Haar hand trilde van de inspanning hem omhoog te houden.

Ik liep verder kamer 32 in.

Het raam bood uitzicht over de kloostergang waar de broeders zich elke dag hadden verzameld toen dit nog hun abdij was. De open binnenplaats was verlaten. Er hield zich niemand schuil tussen de zuilen in het deel van de zuilenrij dat ik kon overzien.

Aan de overkant van de binnenplaats verrees een andere vleugel van de abdij, de stenen gevel verzacht door sluiers van sneeuw. Op de eerste verdieping was in het witte halfduister van de storm achter een paar ramen zacht lamplicht te zien, maar de meeste kinderen waren op dit tijdstip beneden.

Het raam recht tegenover het venster waar ik voor stond was helderder verlicht dan de andere. Hoe langer ik ernaar keek, hoe meer het licht me leek aan te trekken, alsof het een lamp was die als signaal was neergezet door iemand die in nood verkeerde.

Achter dat raam verscheen een gedaante, een donker silhouet tegen het licht, evenals een bodach zonder duidelijke kenmerken, maar het was geen bodach.

Justine had haar arm laten zakken.

Haar blik was nog steeds gebiedend.

'Goed dan,' fluisterde ik, terwijl ik me van het raam afwendde, 'goed dan,' maar meer zei ik niet.

Ik durfde niet meer te zeggen, want op het puntje van mijn tong lag een naam die ik verlangde uit te spreken.

Het meisje deed haar ogen dicht. Haar lippen weken uiteen en haar ademhaling klonk alsof ze uitgeput in slaap was gevallen.

Ik liep naar de open deur, maar ging niet weg.

De vreemde stilte trok langzaam op en de wind blies weer tegen het raam en mopperde alsof hij vloekte in een harde taal.

Als ik goed had begrepen wat er was gebeurd, was mij een

richting gewezen in mijn speurtocht naar de betekenis van de zich verzamelende bodachs. Het uur van geweld kwam naderbij, het was misschien nog niet aangebroken, maar het kwam eraan, en mijn plicht riep me naar elders.

Toch bleef ik in kamer 32 staan tot de geur van perzikshampoo wegtrok, tot ik geen vleugje meer bespeurde, tot bepaalde herinneringen hun greep op mij zouden verliezen.

20

Kamer 14 lag in de noordgang aan de overkant van de binnenplaats, recht tegenover kamer 32. Op de deur zat maar één
naambordje met maar één naam: JACOB.

Een staande schemerlamp naast een leunstoel, een klein
lampje op het nachtkastje en een tl-buis aan het plafond com-
penseerden het daglicht dat zo somber was dat het zich niet
verder naar binnen kon dringen dan tot op de vensterbank.

Omdat kamer 14 maar één bed bevatte, was er plaats voor
een eiken tafel van ruim een meter in het vierkant, en daaraan
zat Jacob.

Ik had hem een paar keer gezien, maar kende hem niet. 'Mag
ik even binnenkomen?'

Hij zei niet ja, maar ook niet nee. Ik besloot zijn zwijgen als
een uitnodiging te zien en ging tegenover hem aan de tafel zitten.

Jacob is een van de weinige volwassenen die in de school wonen. Hij is midden twintig.

Ik kende de naam niet van de aandoening waarmee hij was
geboren, maar zo te zien betrof het een chromosoomafwijking.

Hij was ongeveer een meter vijfenvijftig lang, zijn hoofd was
iets te klein voor zijn lichaam. Met zijn achteroverhellende
voorhoofd, laag geplaatste oren en zachte, brede gelaatstrekken vertoonde hij sommige kenmerken van het downsyndroom.

Maar de brug van zijn neus was niet plat, ook een kenmerk
van Down, en zijn ogen hadden niet de mongolenplooi die
mensen die lijden aan de ziekte van Down een Aziatische uitdrukking verleent.

Veelzeggender was dat hij niet de snelle glimlach of het zonnige, zachtaardige karakter vertoonde die kenmerkend zijn voor mensen met het downsyndroom. Hij keek me niet aan en zijn houding bleef afwerend.

Zijn hoofd was misvormd, iets wat je bij iemand met Down nooit zag. De beenderen aan de linkerkant van zijn schedel waren zwaarder dan die aan de rechterkant. Zijn gelaatstrekken waren niet symmetrisch, maar subtiel uit balans, zijn ene oog zat iets lager dan het andere, zijn linkerkaak stak meer uit dan zijn rechterkaak, zijn linkerslaap stond bol en zijn rechterslaap was holler dan normaal.

Zijn gedrongen gestalte, met de zware schouders en een dikke nek, was over de tafel gebogen, en hij ging geheel op in de taak die voor hem lag. Zijn tong, die dikker leek te zijn dan een normale tong, maar die doorgaans niet uitstak, was op dit moment zachtjes tussen zijn tanden geklemd.

Op de tafel lagen twee grote blokken tekenpapier. Het ene lag iets naar rechts, dichtgeslagen. Het tweede stond tegen een schuin tekenbord.

Jacob was op het tweede blok aan het tekenen. In een open tekendoos lag een verzameling tekenpotloden in verschillende dikten en hardheidsgraden.

Het project waaraan hij werkte, het portret van een buitengewoon mooie vrouw, was bijna klaar. Ze was afgebeeld in driekwartprofiel en keek over de linkerschouder van de tekenaar.

Ik moest onwillekeurig denken aan de gebochelde klokkenluider van de Notre Dame, Quasimodo, zijn tragische hoop, zijn onbeantwoorde liefde.

'Je hebt veel talent,' zei ik, en dat meende ik.

Hij antwoordde niet.

Hoewel zijn handen kort en breed waren, hanteerden zijn plompe vingers het potlood met behendigheid en uitzonderlijk grote precisie.

'Ik heet Odd Thomas.'

Hij trok zijn tong naar binnen, stopte hem in zijn wang en perste zijn lippen op elkaar.

'Ik logeer in het gastenverblijf van de abdij.'

Toen ik om me heen keek, zag ik dat het tiental ingelijste potloodtekeningen aan de muren allemaal portretten van dezelfde vrouw waren. Hier glimlachte ze, daar lachte ze, maar op de meeste leek ze bespiegelend, sereen.

Op een bijzonder fascinerend werk was ze en face afgebeeld, met tranen in de ogen en als parels op haar wangen. Haar gelaatstrekken waren niet melodramatisch verwrongen. Je kon zien dat haar verdriet enorm was, maar ook dat ze haar best deed, en met enig succes, de diepte van haar leed te verhullen.

Zo'n complexe emotionele staat, zo subtiel weergegeven, maakte me duidelijk dat mijn lof voor Jacobs talent ontoereikend was geweest. De emotie van de vrouw was tastbaar.

De toestand van het hart van de kunstenaar terwijl hij aan dit portret had gewerkt, was ook overduidelijk op de een of andere manier in het werk ingeprent. Het tekenen was een marteling voor hem geweest.

'Wie is ze?' vroeg ik.

'Drijf je weg als het donker komt?' Hij had maar een licht spraakgebrek. Zijn dikke tong was kennelijk niet gespleten.

'Ik weet niet wat je bedoelt, Jacob.'

Hij was te verlegen om me aan te kijken en ging door met tekenen en na een korte stilte zei hij: 'Op sommige dagen heb ik de oceaan gezien, maar die dag niet.'

'Welke dag, Jacob?'

'De dag dat zij gingen en de klok luidde.'

Hoewel ik al een ritme bespeurde in zijn praten en wist dat ritme een teken van betekenis was, kreeg ik de maatslag maar niet te pakken.

Hij was bereid in zijn eentje de maat te tellen. 'Jacob is bang dat hij de verkeerde kant op drijft als het donker komt.'

Hij koos een nieuw instrument uit de potlodendoos.

'Jacob moet drijven naar waar de klok luidde.'

Terwijl hij het onvoltooide portret bestudeerde, verleende een uitdrukking van diepe genegenheid zijn misvormde gelaatstrekken schoonheid.

'Nooit gezien waar de klok luidde en de oceaan beweegt en beweegt, dus waar de klok luidde is naar een nieuwe plek.'

Bedroefdheid nam bezit van zijn gezicht, maar de uitdrukking van genegenheid trok niet geheel weg.

Hij kauwde een poosje zorgelijk op zijn onderlip.

Toen hij met het nieuwe potlood aan het werk ging, zei hij: 'En het donker komt met het donker.'

'Wat bedoel je, Jacob – het donker komt met het donker?'

Hij wierp een vluchtige blik op het door de sneeuw geschrobde raam. 'Als er weer geen licht is, komt het donker ook. Misschien. Misschien komt het donker ook.'

'Als er weer geen licht is – bedoel je vanavond?'

Jacob knikte. 'Misschien vanavond.'

'En dat andere donker dat met de avond komt... bedoel je de dood, Jacob?'

Hij duwde zijn tong weer tussen zijn tanden. Hij rolde het potlood heen en weer om de juiste grip te vinden en begon weer aan het portret te werken.

Ik vroeg me af of ik te direct was geweest toen ik het woord *dood* gebruikte. Zijn dubbelzinnige manier van spreken kwam misschien niet doordat zijn geest nu eenmaal zo werkte, maar doordat te direct over sommige onderwerpen praten hem verontrustte.

Even later zei hij: 'Hij wil me dood hebben.'

21

Met lood arceerde hij liefde in de ogen van de vrouw.

Als iemand zonder talenten, behalve misschien voor goochelen achter de bakplaat, keek ik vol ontzag toe terwijl Jacob haar uit zijn herinnering schiep, tot leven wekkend op papier wat hij voor zijn geestesoog zag en wat kennelijk behalve bij de gratie van zijn kunst buiten zijn bereik lag.

Toen ik hem de tijd had gegeven om door te werken zonder dat hij nog iets zei, vroeg ik: 'Wie wil jou dood hebben, Jacob?'

'De Nooitwas.'

'Help me begrijpen.'

'De Nooitwas kwam een keer kijken en Jacob was vol van het donker en de Nooitwas zei: *"Laat hem doodgaan."*'

'Is hij hier geweest, in deze kamer?'

Jacob schudde zijn hoofd. 'Het is heel lang geleden dat de Nooitwas kwam, voor de oceaan en de klok en het wegdrijven.'

'Waarom noem je hem de Nooitwas?'

'Zo heet hij.'

'Hij heeft vast nog een andere naam.'

'Nee. Hij is de Nooitwas en dat kan ons niet schelen.'

'Ik heb nog nooit gehoord van iemand die de Nooitwas heet.'

Jacob zei: 'Ik heb nog nooit gehoord van iemand die de Odd Thomas heet.'

'Oké. Een punt voor jou.'

Met een X-Acto-mes scherpte Jacob de punt van zijn potlood. Terwijl ik hem gadesloeg wenste ik dat ik een scherpere punt aan mijn botte hersenen kon snijden. Als ik maar iets zou begrijpen van het stelsel van simpele metaforen waarin hij sprak, zou ik misschien de code van zijn conversatie kunnen kraken.

Het enige wat ik had kunnen ontcijferen was dat toen hij zei 'het donker komt met het donker', hij bedoelde dat de dood vanavond of op een avond in de nabije toekomst zou komen.

Hoewel zijn tekentalent hem tot een savant maakte, had hij verder geen bijzondere gaven. Jacob was niet helderziend. Zijn waarschuwing voor de naderende dood kwam niet voort uit een angstig voorgevoel.

Hij had iets gezien, iets gehoord, hij wíst iets wat ik niet had gezien of gehoord of wist. Zijn innerlijke overtuiging dat de dood op de loer lag was gebaseerd op harde feiten, niet op bovennatuurlijke waarneming.

Nu hij het hout had weggesneden legde hij het X-Acto-mes neer en gebruikte een schuurblokje om de loden punt te scherpen.

Peinzend over het raadsel dat Jacob was, staarde ik naar de sneeuw, die dichter en sneller dan ooit langs het raam viel, zo dicht dat je er misschien in zou kunnen verdrinken, dat met elke ademhaling je longen zich zouden vullen met sneeuw.

'Jacob is dom maar niet gek.'

Toen ik mijn aandacht losmaakte van het raam, zag ik dat hij me voor het eerst aankeek.

'Dat is vast een andere Jacob,' zei ik. 'Ik zie hier geen dom.'

Zijn blik gleed meteen naar het potlood en hij legde het schuurblokje terzijde. Op een andere, zangerige toon, zei hij: 'Zo dom als het achtereind van een koe.'

'Dom tekent niet als Michelangelo.'

'Te dom om voor de duivel te dansen.'

'Je herhaalt iets wat je hebt gehoord, nietwaar?'

'Zo dom als ik groot ben.'

'Genoeg,' zei ik zacht. 'Oké? Genoeg.'

'Ik weet er nog veel meer.'

'Ik wil ze niet horen. Het doet me pijn om dit te horen.'

Daar keek hij van op. 'Pijn? Waarom dan?'

'Omdat ik je mag, Jacob. Ik vind je bijzonder.'

Hij zei niets. Zijn handen trilden en het potlood tikte tegen de tafel. Hij keek me vluchtig aan, hartverscheurende kwetsbaarheid in zijn ogen. Verlegen wendde hij meteen zijn blik weer af.

'Wie zegt die dingen tegen je?' vroeg ik.

'Je weet wel. Kinderen.'

'Kinderen hier in St. Bart's?'

'Nee. Kinderen voor de oceaan en de klok en het wegdrijven.'

In deze wereld waar te veel mensen alleen maar het licht dat zichtbaar is willen zien, niet het Onzichtbare Licht, hebben we een dagelijkse duisternis die nacht is en worden we nu en dan geconfronteerd met een andere duisternis die de dood is, de dood van hen die ons lief zijn, maar de derde en constantste duisternis die altijd bij ons is, elk uur van elke dag, is de duisternis van de geest, de enggeestigheid en wreedheid en haat die we zelf binnen hebben gehaald en die we met royale rente uitgeven.

'Voor de oceaan en de klok en het wegdrijven,' zei Jacob nog eens.

'Die kinderen waren gewoon jaloers, Jacob. Want jij was veel beter in iets, beter dan zij in alles wat zij konden.'

'Niet Jacob.'

'Jawel, jij.'

Hij klonk onzeker. 'Waar was ik dan beter in?'

'Tekenen. Onder alle dingen die zij konden en jij niet, was er niets waarin zij beter waren dan jij in tekenen. Dus waren ze jaloers en scholden ze je uit en staken ze de draak met je – om zich zelf beter te voelen.'

Hij staarde naar zijn handen tot het beven ophield, tot het potlood rustig was, en toen ging hij weer verder met het portret.

Zijn veerkracht was niet de veerkracht van de dommen, maar van een lam dat pijn kan onthouden maar niet de woede of bitterheid kan vasthouden die het hart broos maakt.

'Niet gek,' zei hij. 'Jacob weet wat hij heeft gezien.'

Ik wachtte even en vroeg toen: 'Wat heb je gezien, Jacob?'

'Hen.'

'Wie?'

'Niet bang van hen.'

'Van wie?'

'Hen en de Nooitwas. Niet bang van hen. Jacob is alleen

bang dat hij de verkeerde kant op zal drijven als het donker komt. Nooit gezien waar de klok luidde, was niet daar toen de klok luidde, en de oceaan beweegt, die beweegt altijd, dus waar de klok luidde is naar een nieuwe plek.'

We waren weer terug bij het begin. Ik had zelfs het gevoel dat ik te lang rondjes had gedraaid in een draaimolen.

Ik keek op mijn horloge: 10:16 uur.

Ik was bereid om nog een paar rondjes te draaien in de hoop dat de betekenis van zijn cryptische uitspraken me opeens duidelijk zou worden in plaats van dat alles me alleen maar duizelde.

Inzicht kan opeens op je neerdalen op de momenten waarop je dat het minst verwacht: zoals die keer dat ik en een glimlachende Japanse chiropractor, die tevens kruidendokter was, naast elkaar hingen aan een rek in een vleeskoelcel, vastgebonden met touw.

Een stel zware jongens zonder respect voor de alternatieve geneeskunst of voor mensenlevens hadden de bedoeling naar de vleeskoelcel terug te komen en ons te martelen om zo de informatie waarnaar zij zochten in handen te krijgen. Ze waren niet op zoek naar de meest effectieve kruidenformule tegen voetschimmel of iets dergelijks. Ze wilden met geweld informatie uit ons trekken met betrekking tot de locatie van een grote som geld.

Onze situatie was des te grimmiger door het feit dat de zware jongens zich vergisten: wij beschikten niet over de informatie die zij zochten. Ze konden ons urenlang martelen en het enige wat die inspanning hun zou opleveren was de lol ons te horen gillen, wat ze waarschijnlijk prima hadden gevonden als ze ook een kratje bier en een paar zakken chips hadden gehad.

De chiropractor-kruidendokter sprak misschien zevenenveertig woorden Engels en ik maar twee woorden Japans die ik me onder druk zou kunnen herinneren. Hoewel we zeer gemotiveerd waren om te ontsnappen voor onze overweldigers terugkwamen met een verzameling tangen, een soldeerbrander, stroomstokken, een cd van de Village People die Wagner zongen en andere duivelse instrumenten, geloofde ik niet dat we samen een ontsnappingsplan zouden kunnen beramen omdat mijn twee woorden Japans *sushi* en *sake* waren.

Een halfuur lang werd onze relatie gekenmerkt door mijn sputterende frustratie en zijn onwankelbare geduld. Tot mijn verbazing wist hij me met een reeks ingenieuze gezichtsuitdrukkingen en acht woorden, waaronder *spaghetti*, *linguini*, *Houdini* en *trucs*, duidelijk te maken dat hij behalve chiropractor en kruidendokter ook een slangenmens was die vroeger, toen hij nog jonger was, een nachtclubact had gehad.

Hij was minder lenig dan in zijn jeugd, maar met mijn medewerking lukte het hem, met gebruikmaking van diverse delen van mijn lichaam als opstapje, zich achterover en omhoog te werken naar het rek waaraan we hingen, waar hij een knoop doorknaagde en zichzelf en vervolgens mij bevrijdde.

We houden nog steeds contact. Van tijd tot tijd stuurt hij me foto's uit Tokyo, meestal van zijn kinderen. En ik stuur hem doosjes gedroogde, met chocola omhulde Californische dadels, waar hij dol op is.

Nu, tegenover Jacob aan de tafel zittend, bedacht ik dat als ik maar de helft van het geduld van de glimlachende chiropractor-kruidendokter-slangenmens zou kunnen opbrengen en in gedachten hield dat ik voor mijn Japanse vriend net zo ondoorgrondelijk moet hebben geleken als Jacob voor mij, ik misschien op den duur niet alleen de betekenis van Jacobs dubbelzinnige conversatie zou kunnen uitdokteren, maar ook datgene wat hij leek te weten, het cruciale detail, aan hem zou weten te ontlokken, waardoor ik een idee zou krijgen van het wat en hoe van de verschrikking die op St. Bartholomew's afstormde.

Helaas deed Jacob er het zwijgen toe. Toen ik net binnen was en aan de tafel was gaan zitten, had hij stommetje gespeeld. Dat deed hij nu weer, alleen was zijn stilzwijgen nu tien tot de twintigste macht keer dieper. Het enige wat voor hem bestond was de tekening waaraan hij werkte.

Ik probeerde meer openingszetten om het gesprek weer op gang te brengen dan een eenzame logomaniak in een vrijgezellenbar. Sommige mensen horen zichzelf graag praten, maar ik hoor mezelf het liefst zwijgen. Na vijf minuten was mijn tolerantie voor mijn stemgeluid uitgeput.

Hoewel Jacob daar zat in het wegtikken van tijd dat een brug vormt tussen verleden en toekomst, had hij zijn geest teruggebracht naar een andere dag, voor de oceaan en de klok en het wegdrijven, wat dat ook mocht betekenen.

In plaats van mijn tijd te verdoen met naar hem pikken tot ik mijn snavel tot een stompje had afgesleten, stond ik op en zei: 'Ik kom vanmiddag nog een keer bij je langs, Jacob.'

Als hij zich verheugde op mijn bezoek, wist hij dat voortreffelijk te verhullen.

Ik keek nog eens naar de ingelijste portretten aan de muren en zei: 'Ze was je moeder, nietwaar?'

Zelfs die vraag ontlokte hem geen reactie. Uiterst nauwgezet bracht hij haar weer tot leven met de macht van het potlood.

22

In de noordwesthoek van de eerste verdieping bemande zuster Miriam de nonnenpost.

Als zuster Miriam met twee vingers haar onderlip vastpakt en naar beneden trekt om de roze binnenkant te onthullen, ziet u daar een tatoeage in blauwe inkt, *Deo gratias*, wat Latijn is voor 'God zij dank'.

Dit is geen bewijs van toewijding dat van nonnen wordt geëist. Als dat zo was zouden er op de wereld waarschijnlijk nog minder nonnen rondlopen dan nu het geval is.

Lang voor zuster Miriam zelfs maar had overwogen het klooster in te gaan, was ze in Los Angeles welzijnswerker geweest, werkneemster van de federale overheid. Ze had gewerkt met tienermeisjes uit minder bevoorrechte gezinnen en zich ingespannen om die te redden van het bendeleven en andere verschrikkingen.

Het meeste hiervan heb ik gehoord van zuster Angela, de moeder-overste, want zuster Miriam steekt niet alleen niet haar eigen loftrompet, ze heeft niet eens een loftrompet.

Als uitdaging aan een meisje dat Jalissa heette, een intelligent meisje van veertien dat veel in haar mars had maar in het bendewereldje verzeild was geraakt en op het punt stond een bendetatoeage te nemen, had Miriam gezegd: *Meisje, wat moet ik doen om je te laten inzien dat je een bloeiend leven inruilt voor een verwelkt leven? Met praten bereik ik niets. Als ik om je huil, vind je dat vermakelijk. Moet ik voor je* bloeden *om je aandacht te krijgen?*

Toen had ze het meisje een deal aangeboden: als Jalissa zou beloven dertig dagen lang bij haar vrienden uit de buurt te blijven die lid waren van een bende of die omgingen met een bende en als ze niet de volgende dag een bendetatoeage zou laten zetten zoals ze van plan was, zou Miriam haar op haar woord geloven en op de binnenkant van haar eigen lip een tatoeage laten zetten van wat ze noemde 'een symbool van míjn bende'.

Een publiek van twaalf risicomeisjes, onder wie Jalissa, keek huiverend toe terwijl de tatoeëerder zijn naaldwerk uitvoerde.

Miriam weigerde plaatselijke verdoving. Ze had het gevoelige weefsel van de binnenkant van haar lip gekozen omdat de griezelfactor de meisjes zou imponeren. Ze bloedde. Tranen vloeiden, maar ze gaf geen kik.

Die mate van toewijding en de inventieve manier waarop ze daaraan uiting gaf, maakten Miriam tot een effectieve counselor. Jalissa heeft nu twee academische titels en een leidinggevende positie in de hotelindustrie.

Miriam heeft nog veel meer meisjes gered van een leven van misdaad, ellende en verdorvenheid. U zult misschien verwachten dat er op een dag een film over haar wordt gemaakt, met Halle Berry in de titelrol.

In plaats daarvan klaagde een ouder over het godsdienstige element dat deel uitmaakte van Miriams counselingstrategie. Als overheidswerknemer werd ze voor de rechter gedaagd door een vereniging van activistische advocaten die zich beriepen op de scheiding van kerk en staat. Ze eisten dat ze godsdienstige toespelingen uit haar counseling wegliet en dat ze *Deo gratias* of door een andere tatoeage liet bedekken of liet verwijderen. Ze geloofden dat ze in de privacy van counselingsessies haar lip omlaag zou trekken en daarmee onnoemelijk veel jonge meisjes zou verlokken.

U zult misschien denken dat deze zaak de rechtszaal uit werd gelachen, maar dat is net zo verkeerd gedacht als het idee van die film met Halle Berry. De rechter stelde de activisten in het gelijk.

Normaal gesproken worden werknemers bij de overheid niet makkelijk ontslagen. Hun vakbonden werpen zich verwoed in de strijd om de baan te redden van een alcoholverslaafde kantoorbeambte die maar drie dagen per week op het werk verschijnt en dan een derde van zijn werkdag in een wc-hokje doorbrengt, pimpelend of kotsend.

Miriam bracht haar vakbond in verlegenheid en kreeg slechts symbolische steun. Uiteindelijk ging ze akkoord met een bescheiden afvloeiingspremie.

De daaropvolgende jaren werkte ze in minder bevredigende banen tot ze de roeping hoorde tot het leven dat ze nu leidt.

Ze stond achter de balie van de nonnenpost voorraadlijsten te controleren, maar keek op toen ik aan kwam lopen, en zei: 'Kijk aan, daar hebben we de jonge heer Thomas, zoals altijd gehuld in geheimzinnigheid.'

In tegenstelling tot zuster Angela, abt Bernard en broeder Boksbeugel was ze niet op de hoogte gebracht van mijn bijzondere gave. Maar mijn loper en privileges intrigeerden haar en ze leek intuïtief iets van mijn ware aard aan te voelen.

'Ik vrees dat u mijn permanente staat van verbijstering aanziet voor een zweem van geheimzinnigheid, zuster Miriam.'

Als ze ooit daadwerkelijk een film over haar gaan maken, zouden de makers de werkelijkheid dichter benaderen als ze Queen Latifah in plaats van Halle Berry voor de rol zouden kiezen. Zuster Miriam heeft Latifahs omvang en koninklijke uitstraling en misschien wel nog meer charisma dan de actrice.

Ze beziet me altijd met een vriendelijke, zij het waakzame blik, alsof ze weet dat ik iets in mijn schild voer, al is dat niet per se iets verschrikkelijk ondeugends.

'Thomas is een Engelse naam,' zei ze, 'maar het kan haast niet anders of er zit ook Iers bloed in je familie, gezien het feit dat je iemand net zo makkelijk stroop om de mond smeert als warme boter op een muffin.'

'Geen Iers bloed, vrees ik. Maar als u mijn familie zou kennen, zou u het ermee eens zijn dat ik van *vreemd* bloed afstam.'

'Je ziet geen verbaasde non voor je, is het wel, liever?'

'Nee, zuster. U lijkt zich er niet over te verbazen. Mag ik u een paar vragen stellen over Jacob, in kamer veertien?'

'De vrouw die hij tekent is zijn moeder.'

Van tijd tot tijd lijkt zuster Miriam zelf een tikje paranormaal begaafd te zijn.

'Zijn moeder. Dat vermoedde ik al. Wanneer is ze gestorven?'

'Twaalf jaar geleden, aan kanker, toen hij dertien was. Ze waren erg close. Ze lijkt een toegewijde, liefhebbende vrouw te zijn geweest.'

'En zijn vader?'

Droefheid deed haar pruimdonkere gezicht zich samentrekken. 'Volgens mij heeft hij nooit een rol gespeeld in Jacobs leven. De moeder is nooit getrouwd. Voor haar dood heeft ze bij een andere kerkelijke instelling regelingen getroffen voor de zorg van Jacob. Toen wij opengingen, is hij hierheen overgebracht.'

'We hebben een poosje zitten praten, maar hij is niet makkelijk te volgen.'

Nu keek ik wél naar een door een nonnenkap omlijste uitdrukking van verbazing. 'Heeft Jacob dan met je gepraat, lieverd?'

'Is dat uitzonderlijk?' vroeg ik.

'Met de meeste mensen praat hij niet. Hij is verschrikkelijk verlegen. Ik heb hem uit zijn schulp weten te lokken...' Ze leunde over de balie en keek me vorsend in de ogen, alsof ze daarin een geheim voorbij had zien zwemmen dat ze hoopte aan de haak te kunnen slaan. 'Het zou me eigenlijk niet moeten verbazen dat hij met jou heeft gesproken. In het geheel niet. Jij hebt iets over je wat maakt dat mensen tegenover jou hun hart willen luchten, is het niet, lieverd?'

'Misschien komt dat omdat ik zo goed kan luisteren,' zei ik.

'Nee,' zei ze. 'Nee, dat is het niet. Niet dat je niet goed kunt luisteren. Je kunt zelfs buitengewoon goed luisteren, lieverd.'

'Dank u, zuster.'

'Heb je ooit een roodborstje op een gazon gezien, kopje schuin, luisterend of het wormen hoort die zich vrijwel geruisloos onder het gras voortbewegen? Als jij naast dat roodborstje zou staan, zou jij geheid steeds als eerste de worm te pakken krijgen.'

'Wat een idee. Dat zal ik van het voorjaar een keer moeten uitproberen. Hoe dan ook, zijn conversatie is nogal raadselachtig. Hij had het steeds over een dag dat hij niet naar de oceaan mocht, maar, ik citeer: "de dag dat zij gingen en de klok luidde".'

'"Nooit gezien waar de klok luidde",' citeerde zuster Miriam, '"en de oceaan beweegt, dus waar de klok luidde is naar een nieuwe plek".'

'Weet u wat hij bedoelt?' vroeg ik.

'De as van zijn moeder is uitgestrooid over zee. Toen de as werd uitgestrooid, hebben ze een klok geluid en dit hebben ze Jacob verteld.'

Ik hoorde in gedachten zijn stem: *Jacob is bang dat hij de verkeerde kant op drijft als het donker komt.*

'Aha,' zei ik, me toch nog een beetje een Sherlock Holmes voelend. 'Hij is bang dat hij niet de plek zal kunnen vinden waar haar as is uitgestrooid. Hij weet dat de oceaan altijd in beweging is en is bang dat hij haar niet zal kunnen vinden als hij doodgaat.'

'Die arme stakker. Ik heb hem wel duizend keer verteld dat ze in de hemel is en dat ze op een dag weer samen zullen zijn, maar het beeld dat hij in zijn hoofd heeft, van hoe ze wegdrijft, is te sterk om te verjagen.'

Ik wilde teruggaan naar kamer 14 en mijn armen om hem heen slaan. Je kunt niets beter maken met een omhelzing, maar kwaad kan het niet.

'Wat is de Nooitwas?' vroeg ik. 'Hij is bang voor de Nooitwas.'

Zuster Miriam fronste. 'Dat woord heb ik hem nooit horen zeggen. De Nooitwas?'

'Jacob zegt dat hij vol van het donker was…'

'Het donker?'

'Ik weet niet wat hij bedoelt. Hij zei dat hij vol van het donker was en toen kwam de Nooitwas en zei: "Laat hem doodgaan." Dat was lang geleden, "voor de oceaan en de klok en het wegdrijven".'

'Voor zijn moeder stierf,' interpreteerde ze.

'Ja. Dat klopt. Maar hij is nog steeds bang voor de Nooitwas.'

Ze richtte opnieuw die scherpe blik op me, alsof ze hoopte mijn sluier van geheimzinnigheid te doorboren en als een ballon te laten springen. 'Waarom ben je zo in Jacob geïnteresseerd, lieverd?'

Ik kon haar niet vertellen dat mijn mij ontvallen meisje, mijn Stormy, vanuit het hiernamaals contact met me had gezocht en me via Justine, ook een lief, verloren meisje, had laten weten dat Jacob over informatie beschikte met betrekking tot de bron van het geweld dat de school boven het hoofd hing, misschien nog vóór de volgende dageraad.

Dat had ik haar natuurlijk kunnen vertellen, maar ik wilde niet het risico lopen dat ze mijn onderlip omlaag zou trekken in de verwachting aan de binnenkant een tatoeage aan te treffen van het woord *krankjorum*.

Dus zei ik: 'Zijn kunst. De portretten aan zijn muur. Ik vermoedde al dat het afbeeldingen van zijn moeder waren. De tekeningen stralen zo veel liefde uit. Ik vroeg me af hoe het moest zijn om zo veel van je moeder te houden.'

'Wat een vreemd iets om te zeggen.'

'Ja, hè?'

'Hou jij dan niet van je moeder, lieverd?'

'Ik denk eigenlijk van wel. Een hard, scherp, doornachtig soort liefde die misschien eerder medelijden is dan iets anders.'

Ik stond tegen de balie geleund en ze nam een van mijn handen tussen de hare en gaf er een zacht kneepje in. 'Ik kan ook goed luisteren, lieverd. Wil je niet even bij me komen zitten om erover te praten?'

Ik schudde mijn hoofd. 'Zij houdt niet van mij, van niemand, ze gelooft niet in liefde. Ze is bang voor liefde, voor de verplichtingen die liefde met zich meebrengt. Ze heeft alleen zichzelf nodig, de aanbidder in de spiegel. En dat is het hele verhaal. Het heeft geen zin erover te gaan zitten praten, want er valt niets meer over te zeggen.'

In feite is mijn moeder een spookhuis vol schrikeffecten, zo'n verwrongen geest en psychologische chaos dat ze zuster Miriam en mij genoeg gespreksstof zou hebben geleverd tot aan de lentenachtevening.

Maar nu de ochtend bijna voorbij was, met zeven bodachs in de recreatiezaal, met levende bottenverzamelingen die rondliepen in de storm, met de Dood die de deur openhield van een rodelbaan en me uitnodigde voor een rit, had ik geen tijd om het slachtofferpak aan te trekken en het diep treurige verhaal van mijn doodongelukkige jeugd te vertellen. Tijd noch behoefte.

'Nou, ik ben altijd hier,' zei zuster Miriam. 'Zie mij maar als Oprah met een gelofte van armoede. Als je ooit je hart wilt luchten, ben ik er voor je, en je hoeft je emoties niet op te potten tijdens de reclamespotjes.'

Ik glimlachte. 'U bent een sieraad voor het nonnenvak.'

'En jij,' zei ze, 'hult je nog steeds in geheimzinnigheid.'

Toen ik me wegdraaide van de nonnenpost, trok een beweging aan de andere kant van de gang mijn aandacht. Een gedaante met een kap stond in de deuropening van het trappenhuis, waar hij kennelijk naar mij had staan kijken terwijl ik met zuster Miriam sprak. Toen hij besefte dat hij was gezien, verdween hij in het trappenhuis, terwijl hij de deur achter zich dicht liet vallen.

De kap had het gezicht verborgen, dat probeerde ik mezelf tenminste wijs te maken. Hoewel ik neigde tot de gedachte dat de toeschouwer broeder Leopold was, de gewantrouwde novice met het zonnige Iowa-gezicht, was ik er tamelijk zeker van dat het habijt dat ik had gezien, niet grijs was maar zwart.

Ik haastte me naar het eind van de gang, betrad het trappenhuis en hield mijn adem in. Ik hoorde niets.

Hoewel het klooster op de tweede verdieping verboden terrein was voor iedereen behalve de zusters, liep ik naar boven naar de overloop en keek omhoog naar de laatste trap. Die was verlaten.

Er was geen dreigend gevaar, maar toch bonsde mijn hart. Mijn mond was kurkdroog. Het koude zweet stond in mijn nek.

Ik probeerde mezelf nog steeds wijs te maken dat de kap het gezicht had verborgen, maar daar trapte ik niet in.

Met twee treden tegelijk, wensend dat ik niet op mijn sokken liep, die uitgleden op het steen, stoof ik de trap af naar de benedenverdieping. Ik opende de deur van het trappenhuis, keek om me heen, maar zag niemand.

Ik liep door naar de kelder, aarzelde, opende de deur onder aan de trap en bleef luisterend op de drempel staan.

Over de hele lengte van de vroegere abdij liep een lange gang.

Een tweede gang kruiste de eerste in het midden, maar van waar ik stond, kon ik die niet inkijken. Hier beneden waren de KitKat Catacombe, de garage, elektrakasten, machinekamers en voorraadkamers. Er zou heel wat tijd in gaan zitten om al die ruimten te inspecteren.

Hoe lang en grondig ik ook zou zoeken, ik betwijfelde of ik een op de loer liggende monnik zou vinden. En als ik het fantoom daadwerkelijk vond, zou ik waarschijnlijk wensen dat ik niet naar hem op zoek was gegaan.

Toen hij in de deuropening van het trappenhuis stond, had hij recht onder een plafondlamp gestaan. De kappen op de habijten van de monniken zijn minder dramatisch dan de kap van een middeleeuwse pij. De stof hangt niet ver genoeg over het voorhoofd om een identiteitverhullende schaduw te werpen, vooral niet in het volle licht.

De gedaante in het trappenhuis was gezichtloos geweest. En erger nog dan gezichtloos. Het licht dat in de kap naar binnen viel had daarbinnen niets gevonden wat het weerkaatste, alleen een gruwelijke zwarte leegte.

23

Mijn onmiddellijke reactie op het zien van de Dood in eigen persoon was dat ik nu eerst iets moest eten.

Ik had het ontbijt overgeslagen. Als de Dood me had meegenomen voor ik een smakelijke lunch naar binnen had gewerkt, zou ik echt heel erg boos op mezelf zijn geworden.

Bovendien functioneerde ik niet goed op een lege maag. Mijn denken werd waarschijnlijk vertroebeld door een veel te lage bloedsuikerspiegel. Als ik had ontbeten had ik misschien wijs kunnen worden uit Jacobs uitlatingen.

De kloosterkeuken is groot, een echte instellingskeuken. Toch is het er knus, hoogstwaarschijnlijk omdat de lucht altijd bezwangerd is met verrukkelijke aroma's.

Toen ik binnenkwam, rook het naar kaneel, bruine suiker, pruttelende varkenskoteletten met appelpartjes en een massa andere heerlijke geuren die me knikkende knieën bezorgden.

De acht zusters van de culinaire dienst, allemaal met een glimlach op hun glimmende gezicht, een paar met vegen bloem op hun wangen, sommigen met hun mouwen een paar slagen opgerold, allemaal met een wit schort over hun witte habijt, waren druk in de weer met allerlei taken. Twee van hen zongen en hun vrolijke stemmen kweelden een betoverende melodie.

Ik had het gevoel dat ik een oude film was binnengestapt en dat Julie Andrews, als non, elk moment binnen kon komen, zingend tegen een klein kerkmuisje dat op haar hand zat.

Toen ik zuster Regina Marie vroeg of ik een sandwich mocht klaarmaken, stond ze erop dat voor mij te doen. Het mes hanterend met een voor een non bijna ongepaste bedrevenheid en genoegen, sneed ze twee dikke plakken van een stevig brood, toen sneed ze een stapeltje dunne plakjes van een stuk koude rosbief en vervolgens besmeerde ze de ene snee brood met mosterd en de andere met mayonaise. Ze bouwde van de plakjes rosbief, Zwitserse kaas, sla, tomaat, fijngehakte olijven en brood een wankele toren, drukte het bouwsel plat met haar hand, sneed het in vieren, legde het op een bord met een augurk ernaast en reikte me het bord aan in de tijd die ik nodig had om bij de gootsteen mijn handen te wassen.

In de keuken staan hier en daar krukken bij de werkbladen, waar je een kop koffie kunt drinken of iets kunt eten zonder in de weg te lopen. Ik ging op zoek naar zo'n kruk – en stond opeens voor Rodion Romanovich.

De norse Rus was bezig aan een lang werkblad waarop tien cakes stonden in lange bakblikken. Hij was de cakes aan het glazuren.

Vlakbij op het granieten werkblad lag het boek over vergif en de grote gifmengers in de geschiedenis. Ik zag dat er ongeveer bij bladzijde vijftig een boekenlegger tussen zat.

Toen hij me zag, keek hij me dreigend aan en gebaarde naar een kruk vlak naast zich.

Aangezien ik een vriendelijk man ben en niet graag iemand beledig, vind ik het moeilijk een uitnodiging af te slaan, zelfs als die komt van een mogelijk moordzuchtige Rus die een beetje te nieuwsgierig is naar mijn redenen voor een verblijf als gast in de abdij.

'Boekt u vooruitgang met het opdoen van nieuwe spirituele kracht?' vroeg Romanovich.

'Langzaam maar zeker.'

'Aangezien we hier in de Sierra geen cactussen hebben, meneer Thomas, waarop zult u dan schieten?'

'Niet alle snelbuffetkoks mediteren op pistoolgeschut, meneer.' Ik nam een hap van mijn sandwich. Verrukkelijk. 'Sommigen prefereren een gummiknuppel.'

Helemaal opgaand in het glazuren van de eerste van de tien cakes, zei hij: 'Ikzelf heb ontdekt dat bakken kalmerend werkt op de geest en ruimte geeft voor bezinning.'

'U hebt dus ook de cakes gebakken en niet alleen het glazuur gemaakt?'

'Dat klopt. Dit is mijn beste recept... sinaasappel-amandel-cake met glazuur van bittere chocolade.'

'Klinkt heerlijk. En hoeveel mensen hebt u daarmee tot op heden vermoord?'

'Ik ben heel lang geleden de tel al kwijtgeraakt, meneer Thomas. Maar ze zijn allemaal gelukkig gestorven.'

Zuster Regina Marie zette een glas cola voor me neer en ik bedankte haar en zij zei dat ze twee druppels vanille aan de cola had toegevoegd omdat ze wist dat ik dat lekker vind.

Toen de zuster wegliep, zei Romanovich: 'U bent door iedereen graag gezien.'

'Welnee, niet echt, meneer. Het zijn nonnen. Die moeten tegen iedereen aardig zijn.'

Romanovich' voorhoofd leek een hydraulisch mechanisme te bevatten dat het mogelijk maakte het verder over zijn diepliggende ogen te laten hangen wanneer zijn stemming versomberde. 'Ik sta doorgaans wantrouwig tegenover mensen die door iedereen graag gezien zijn.'

'U bent niet alleen ontzagwekkend,' zei ik, 'maar ook verrassend ernstig voor een *Hoosier*.'

'Ik ben Rus van geboorte. Wij Russen zijn een tot ernst neigend volk.'

'Ik vergeet steeds uw Russische achtergrond. U hebt zo veel van uw accent verloren dat mensen u zouden kunnen aanzien voor een Jamaicaan.'

'Het zal u misschien verbazen dat ik daar nog nooit voor aangezien ben.'

Hij was klaar met de eerste cake, schoof hem opzij en trok een ander bakblik naar zich toe.

Ik zei: 'U weet toch wel wat een Hoosier is?'

'Een Hoosier is een persoon die geboren is in of inwoner is van de staat Indiana.'

'Ik durf te wedden dat die definitie woord voor woord zo in het woordenboek staat.'

Hij zei niets. Hij ging rustig door met glazuren.

'Aangezien u van geboorte een Rus bent en momenteel niet in Indiana woont, bent u op het moment eigenlijk geen Hoosier.'

'Ik ben een uitgeweken Hoosier, meneer Thomas. Wanneer ik mettertijd naar Indianapolis terugga, zal ik weer geheel en al Hoosier zijn.'

'Eens een Hoosier altijd een Hoosier.'

'Inderdaad.'

De augurk was lekker knapperig. Ik vroeg me af of Romanovich een paar druppeltjes van iets dodelijks had toegevoegd aan het pekelnat in de augurkenpot. Nu ja, te laat. Ik nam nog een hap van de augurk.

'Indianapolis,' zei ik, 'heeft een groot openbarebibliotheeksysteem.'

'Ja, dat is zo.'

'Plus acht universiteiten of colleges met een eigen bibliotheek.'

Zonder op te kijken van de cake zei hij: 'U loopt op uw sokken, meneer Thomas.'

'Dat maakt het makkelijker om mensen te besluipen. Met al die bibliotheken is er in Indianapolis vast veel werkgelegenheid voor bibliothecarissen.'

'De concurrentie voor onze diensten is in één woord moordend. Als u rubberlaarzen met een ritssluiting zou dragen en via de modderkamer aan de achterkant van het klooster, naast de keuken, zou binnenkomen, zou u minder rommel voor de zusters maken.'

'Ik geneerde me dood voor de rommel die ik heb gemaakt, meneer Romanovich. Ik vrees dat ik niet de vooruitziendheid had om een paar rubberlaarzen met rits mee te brengen.'

'Wat vreemd. U lijkt me typisch een jongeman die doorgaans op alles is voorbereid.'

'Niet echt, meneer. Ik improviseer meestal naargelang de omstandigheden. Bij welke van al die bibliotheken in Indianapolis werkt u eigenlijk?'

'Bij de Indiana State Library op 140 North Senate Avenue, tegenover het Capitool. Het gebouw huisvest meer dan vierendertigduizend boeken over Indiana of van de hand van schrijvers uit Indiana. De openingstijden van de bibliotheek en de genealogieafdeling zijn van maandag tot en met vrijdag van acht tot halfvijf en 's zaterdags van halfnegen tot vier. Gesloten op zondag en op staats- en nationale feestdagen. Rondleidingen zijn mogelijk op afspraak.'

'Dat klopt helemaal, meneer.'

'Natuurlijk.'

'De derde zaterdag in mei,' zei ik, 'op de Shelby County Fairgrounds – volgens mij is dat de opwindendste tijd van het jaar in Indianapolis. Vindt u ook niet?'

'Nee, dat vind ik niet. Op de derde zaterdag in mei wordt het Shelby County Blue River Dulcimer Festival gehouden. Als u plaatselijke en landelijke dulcimerspelers die concerten geven en workshops houden opwindend vindt in plaats van hoogstens alleraardigst, dan bent u een nog zonderlinger jongmens dan ik tot nu toe dacht.'

Ik deed er een poosje het zwijgen toe en at mijn sandwich op.

Terwijl ik mijn vingers aflikte zei Rodion Romanovich: 'U weet toch wel wat een dulcimer is, meneer Thomas?'

'Een dulcimer,' zei ik, 'is een trapezoïdale citer met metalen snaren die met lichte hamertjes worden geslagen.'

Hij leek geamuseerd, ondanks zijn sombere uitdrukking. 'Ik durf te wedden dat die definitie woord voor woord zo in het woordenboek staat.'

Ik zei niets, likte alleen de rest van mijn vingers af.

'Meneer Thomas, wist u dat bij een experiment met een menselijke waarnemer subatomaire deeltjes zich anders gedragen dan wanneer het experiment tijdens de uitvoering niet wordt gevolgd en de resultaten pas naderhand worden bekeken?'

'Natuurlijk. Dat weet iedereen.'

Hij trok een borstelige wenkbrauw op. 'Iedereen, zegt u. Welnu, dan beseft u wat dit betekent.'

Ik zei: 'Dat de menselijke wil, op een subatomair niveau althans, voor een deel de werkelijkheid vorm kan geven.'

Romanovich schonk me een blik die ik graag op een foto had willen vastleggen.

Ik zei: 'Maar wat heeft dit alles met cake te maken?'

'De kwantumtheorie vertelt ons dat elk punt in het heelal nauw verbonden is met elk ander punt, ongeacht schijnbare afstand. Op een raadselachtige manier is elk punt op een planeet in een ver melkwegstelsel even dicht bij mij als u nu bent.'

'Ik wil u niet beledigen, meneer, maar ik voel me eigenlijk niet zo nauw verbonden met u.'

'Dit betekent dat informatie of voorwerpen of zelfs mensen zich in een seconde zouden moeten kunnen verplaatsen van hier naar New York of zelfs van hier naar die planeet in een ander melkwegstelsel.'

'Ook van hier naar Indianapolis?'

'Ook dat.'

'Wauw.'

'We begrijpen alleen nog niet genoeg van de kwantum-structuur van de werkelijkheid om zulke wonderen tot stand te brengen.'

'De meeste mensen weten niet eens hoe ze een videorecorder moeten programmeren, dus waarschijnlijk hebben we nog een lange weg te gaan met dat van-hier-naar-een-ander-melk-wegstelselverhaal.'

Hij legde de laatste hand aan het glazuur van de tweede cake. 'De kwantumtheorie geeft ons reden te geloven dat op een diep structureel niveau elk punt in het heelal op een onverwoord-bare manier hetzélfde punt is. U hebt een kloddertje mayonaise in uw mondhoek.'

Ik vond het met een vinger, likte de vinger af. 'Dank u, meneer.'

'Het onderling-verbonden-zijn van elk punt in het heelal is zo volledig dat als een enorme zwerm vogels opvliegt van een moeras in Spanje, de door hun vleugels veroorzaakte luchtver-plaatsing zal bijdragen aan weersverandering in Los Angeles. En, ja, meneer Thomas, ook in Indianapolis.'

Met een zucht zei ik: 'Ik begrijp nog steeds niet wat dit met cake te maken heeft.'

'Ik evenmin,' zei Romanovich. 'Het heeft niets met cake te maken, maar met u en mij.'

Ik keek hem niet-begrijpend aan. Toen ik in zijn volslagen ondoorgrondelijke ogen keek, had ik het gevoel dat hij me op een subatomair niveau ontleedde.

Met het idee dat er misschien ook een kloddertje van het een of ander in mijn andere mondhoek zat, veegde ik er met een vinger overheen, maar vond noch mayonaise noch mosterd.

'Nou,' zei ik, 'ik ben alweer met stomheid geslagen.'

'Heeft God u hiernaartoe gebracht, meneer Thomas?'

Ik haalde mijn schouders op. 'Hij heeft me niet tegengehouden.'

'Ik geloof dat God mij hierheen heeft gebracht,' zei Romanovich. 'De vraag of God u wel of niet hiernaartoe heeft gebracht interesseert me bijzonder.'

'Ik ben tamelijk zeker dat niet Satan me hiernaartoe heeft gebracht,' verzekerde ik hem. 'De man die me met zijn auto heeft gebracht is een oude vriend en hij heeft geen hoorns.'

Ik stond op van de kruk, reikte langs de bakblikken en pakte het boek op dat hij uit de bibliotheek had meegenomen.

'Dit gaat niet over vergif en grote gifmengers,' zei ik.

'De werkelijke titel van het boek stelde me niet gerust – *Het mes van de moordenaar: de rol van dolken, ponjaards en stiletto's in de dood van koningen en geestelijken.*

'Ik heb een brede belangstelling voor geschiedenis,' zei Romanovich.

De kleur van de boekband leek identiek aan die van het boek dat hij in de bibliotheek in zijn hand had gehad. Ik wist zeker dat dit hetzelfde boek was.

'Wilt u een plakje cake?' vroeg hij.

Ik legde het boek neer en zei: 'Misschien straks.'

'Dan is er misschien niets meer over. Iedereen is dol op mijn sinaasappel-amandelcake.'

'Van amandelen krijg ik galbulten,' zei ik, en ik bedacht dat ik niet moest vergeten deze kolossale leugen aan zuster Angela door te geven als bewijs dat ik, ondanks wat zij geloofde, net zo grof kon liegen als wie dan ook.

Ik nam mijn lege glas en bord mee naar de gootsteen en begon ze af te spoelen.

Zuster Regina Marie verscheen opeens als uit een Arabische lamp. 'Ik was ze wel af, Oddie.'

Terwijl ze het bord met een zeepsponsje aanviel, zei ik: 'Ik zie dat meneer Romanovich een heleboel cakes heeft gebakken als nagerecht bij de lunch.'

'Bij het avondeten,' zei ze. 'Ze ruiken zo heerlijk dat ik vrees dat ze decadent zijn.'

'Ik zou nooit hebben geraden dat hij zo graag in de keuken bezig is.'

'Dat kan wel zijn,' zei ze, 'maar hij is dol op bakken. En hij is er bijzonder goed in.'

'Bedoelt u dat u al eerder zijn nagerechten heeft gegeten?'

'Heel dikwijls. Jij ook.'

'Dat geloof ik toch niet.'

'Die citroenstroopcake met kokosglazuur vorige week. Die had meneer Romanovich gebakken. En de week daarvoor, de polentacake met amandelen en pistachenoten.'

Ik zei: 'O.'

'En je herinnert je vast nog wel de banaan-limoencake met glazuur van ingedikt limoensap.'

Ik knikte. 'Zeker. Ja, die herinner ik me. Verrukkelijk.'

Opeens denderde een enorm hard klokgelui door de vroegere abdij, alsof Rodion Romanovich deze kletterende opvoering had geregeld om de spot met mij te drijven vanwege mijn lichtgelovigheid.

De klokken werden geluid voor diverse diensten in de nieuwe abdij, maar zelden hier en nooit op dit tijdstip.

Zuster Regina Marie keek fronsend op naar het plafond en toen in de richting van de kloosterkerk en de klokkentoren. 'Ach, lieve hemel. Denk je dat broeder Constantine weer terug is?'

Broeder Constantine, de dode monnik, de notoire zelfmoordenaar die koppig in deze wereld blijft talmen.

'Excuseer me, zuster,' zei ik, en ik haastte me de keuken uit, gravend in een zak van mijn spijkerbroek naar mijn loper.

24

De kerk in de voormalige abdij was na de bouw van de nieuwe abdij gewoon als kerk in gebruik gebleven. Tweemaal daags kwam een priester de helling af om de mis te lezen. De helft van de nonnen woonde de eerste dienst bij, de andere helft de tweede.

Wijlen broeder Constantine waarde bijna uitsluitend rond in de nieuwe abdij en de nieuwe kerk, al had hij zich wel tweemaal gemanifesteerd, zonder klokgelui, in de school. Hij had zich verhangen in de nieuwe klokkentoren, en bij eerdere gelegenheden waarbij zijn rusteloze geest de klok had geluid, was het gebeier daarvandaan gekomen.

Met mijn waarschuwing aan zuster Angela in het hoofd ging ik niet de storm in, maar volgde een gang op de benedenverdieping die naar de vleugel voerde waarin vroeger het noviciaat gevestigd was, en betrad de sacristie via de achterdeur.

Het volume van het klokgelui verdubbelde toen ik vanuit de sacristie de kerk binnenliep. In de door het gewelfde plafond weerkaatste galm lag niets feestelijks, niets van het zalig-kerstfeestgevoel, niets van het vreugdevolle gebeier dat volgt op een trouwerij. Dit was een woedend tumult van bronzen klepels, een hels gebimbam.

In het sombere licht van de storm dat door de gebrandschilderde ramen naar binnen viel, liep ik tussen de koorbanken door naar het hek van het koor en verder door het middenpad van het schip, af en toe meer glijdend dan lopend op mijn kousenvoeten.

Mijn haast betekende niet dat ik me verheugde op een ontmoeting met de geest van broeder Constantine. Hij is zo ongeveer even leuk als keelontsteking.

Aangezien deze lawaaiige manifestatie hier plaatsvond in plaats van in de toren waar hij zelfmoord had gepleegd, zou die op de een of andere manier in verband kunnen staan met het geweld dat op de kinderen van St. Bart's School afstormde. Ik was tot dusver niets te weten gekomen over de aard van die ophanden zijnde gebeurtenis en hoopte dat broeder Constantine misschien een paar aanwijzingen voor me had.

In de voorhal deed ik het licht aan, sloeg rechts af en kwam bij de deur van de klokkentoren, die altijd op slot was uit vrees dat een van de minder ernstig lichamelijk gehandicapte kinderen aan de aandacht zou kunnen ontsnappen en al rondzwervend hier zou kunnen belanden. Als een kind de toren zou beklimmen liep hij of zij het gevaar van de trap of uit de klokkentoren te vallen.

Terwijl ik mijn sleutel omdraaide in het slot waarschuwde ik mezelf dat ik evenveel risico liep op een fatale val als een ronddolend kind. Doodgaan op zich – en herenigd worden met Stormy, in de hemel of in het onbekende grote avontuur dat zij 'dienstplicht' noemt – vond ik niet erg, maar niet voordat het gevaar voor de kinderen was geïdentificeerd en afgewend.

Als ik dit keer tekort zou schieten, als sommigen gespaard bleven maar anderen de dood vonden, zoals in het winkelcentrum tijdens die schietpartij, zou geen enkel toevluchtsoord meer belofte van eenzaamheid en vrede kunnen inhouden dan een klooster in de bergen. En u weet al wat een flauwekul díé belofte bleek te zijn.

De wenteltrap in de toren was niet verwarmd. De met rubber beklede treden voelden onder mijn kousenvoeten koud aan, maar waren niet glad.

De heksenketel van beierende klokken deed de muren resoneren als een trommelvel dat reageert op donderslagen. Terwijl ik naar boven liep, liet ik mijn hand over de ronding van de muur glijden, en het stuc trilde onder mijn palm.

Tegen de tijd dat ik boven aan de trap was aangekomen, trilden mijn tanden als tweeëndertig geluidloze stemvorken. De haartjes in mijn neus kriebelden en mijn oren deden pijn. Ik voelde het gedreun van de klokken in mijn botten.

Dit was een auditieve ervaring waarnaar iedere doorgesnoven hardrockartiest zijn hele leven had gezocht: gestemde bronzen muren van geluid die zich als een oorverdovende lawine op je neerstortten.

Ik stapte de klokkentoren binnen, waar de lucht ijzig koud was.

Voor me was niet een uit drie klokken bestaand carillon zoals in de nieuwe abdij. Deze toren was breder, de klokkenstoel ruimer dan die in het gebouw hoger op de helling. In eerdere decennia hadden de monniken duidelijk meer behagen geput uit hun klokgelui, want ze hadden een carillon gebouwd met twee niveaus en vijf klokken, en die klokken waren ook nog eens enorm in omvang.

Er waren geen touwen of tuimelaars nodig om deze bronzen kolossen in beweging te brengen. Broeder Constantine bereed ze alsof hij een rodeocowboy was die in een kudde bokkende stieren van de ene rug op de andere sprong.

Zijn rusteloze geest was, gestimuleerd door frustratie en razernij, een razende poltergeist geworden. Als onstoffelijke entiteit beschikte hij niet over het gewicht of de kracht om de zware klokken in beweging te brengen, maar hij gaf pulserende concentrische golven energie af die voor anderen net zo onzichtbaar waren als de dode monnik zelf, maar die ik wel kon zien.

Terwijl deze golven door de klokkentoren raasden, zwaaiden de bronzen reuzen woest heen en weer. De enorme klepels hamerden een gewelddadiger gebeier uit dan hun makers hadden bedoeld of zelfs voor mogelijk hadden gehouden.

Ik voelde die golven van kracht over me heen spoelen. Een poltergeist is niet in staat een levend mens kwaad te doen, noch door aanraking noch als direct gevolg van zijn handelingen.

Als een van de klokken losraakte uit zijn bevestiging en boven op me viel, zou ik niettemin worden geplet.

Bij leven was broeder Constantine een zachtaardig man geweest dus kon hij nu hij dood was onmogelijk kwaadwillend zijn geworden. Als hij me onbedoeld zou kwetsen, zou hij in een nog diepere vertwijfeling geraken dan hij nu al ervoer.

Hoe groot zijn wroeging ook zou zijn, ik zou nog steeds geplet blijven.

Heen en weer over het carillon, op en neer tussen de beide

niveaus, sprong de dode monnik. Hoewel hij er niet demonisch uitzag, geloof ik niet dat ik hem onrecht doe als ik het woord *krankzinnig* gebruik.

Elke talmende geest is irrationeel doordat hij zijn plaats op de verticale as van de heilige ordening is kwijtgeraakt. Een poltergeist is irrationeel én pisnijdig.

Voorzichtig liep ik over de loopgang die rond de klokken liep. De klokken zwaaiden verder uit dan normaal, tot over de loopgang, en dwongen me aan de buitenkant van de ruimte te blijven.

Op de tot het middel reikende buitenmuur stonden zuilen die het dak steunden. Op een heldere dag waren tussen de zuilen door de nieuwe abdij, de hellingen van de Sierra en een ongerepte uitgestrektheid van bossen te zien.

De sneeuwstorm onttrok de nieuwe abdij en de bossen aan het zicht. Het enige wat ik zag waren de dakleien en de met keistenen bestrate binnenplaatsen van de vroegere abdij recht onder de toren.

De storm loeide nog even hard als eerder, maar was boven het gedreun van de klokken uit niet te horen. Door de wind voortgejaagde sneeuwvlagen zaten elkaar achterna door de klokkentoren en weer naar buiten.

Terwijl ik langzaam om hem heen liep, was broeder Constantine zich van mijn aanwezigheid bewust. Als een in habijt en kap gehulde kobold sprong hij van klok naar klok, zijn aandacht voortdurend op mij gericht.

Zijn ogen puilden op een groteske manier uit, niet zoals toen hij nog leefde, maar zoals toen de wurgende strop ze had doen uitpuilen toen zijn nek was gebroken en zijn luchtpijp werd dichtgeknepen.

Met mijn rug naar een van de zuilen bleef ik staan, mijn armen gespreid, beide palmen omhooggedraaid, alsof ik vroeg: *Wat heeft dit voor zin, broeder? Wat hebt u hieraan?*

Hoewel hij wist wat ik bedoelde, wilde hij niet nadenken over de uiteindelijke ineffectiviteit van zijn razernij. Hij wendde zijn blik van me af en slingerde zich nog woester tussen de klokken door.

Ik stak mijn handen in mijn zakken en geeuwde. Ik trok een verveeld gezicht. Toen hij me weer aankeek, geeuwde ik nog eens overdreven en schudde mijn hoofd als een toneelspeler die zich richt tot de achterste rijen, om duidelijk te maken hoe diep hij mij teleurstelde.

Hiermee werd bewezen dat zelfs bij de grootste vertwijfeling, wanneer een scherpgetande kou aan de botten knaagt en de zenuwen het bijna begeven uit vrees voor wat de volgende rondgang van de wijzers van de klok zou kunnen brengen, het leven iets komisch behoudt. Bij het niet-aflatende gekletter moest ik mijn toevlucht zoeken tot mime.

Dit aanzwellen van klokgelui bleek broeder Constantines laatste woede-uitbarsting te zijn. De concentrische golven van energie stierven weg en onmiddellijk zwaaiden de klokken minder woest heen en weer, en werd de boog waarin ze uitzwaaiden minder groot.

Hoewel mijn sokken dik waren en voor wintersport waren gemaakt, drong de ijzige kou van de stenen vloer erdoorheen. Mijn tanden begonnen te klapperen terwijl ik mijn best deed de schijn van verveling op te houden.

Al snel sloegen de klepels zachtjes tegen het brons en brachten heldere, warme klanken voort die de karakteristieke melodie vormden voor een melancholieke stemming.

De stem van de wind kwam niet gierend terug omdat mijn mishandelde oren nog gonsden van de herinnering aan de recente kakofonie.

Net als een van die meesters in oosterse vechtkunsten in *Crouching Tiger, Hidden Dragon*, die met een elegante sprong boven op het dak belanden en vervolgens met de gratie van een balletdanser weer afdalen naar de grond, liet broeder Constantine zich van de klokken glijden en kwam naast me neer op de loopgang rond de klokkenstoel.

Zijn ogen puilden niet meer uit. Zijn gezicht was zoals het was geweest voor de wurgende strop, al had hij er bij leven waarschijnlijk nooit zo treurig uitgezien.

Toen ik op het punt stond iets tegen hem te zeggen, zag ik iets bewegen aan de andere kant van de klokkenstoel, een donkere aanwezigheid tussen de gebogen lijnen van het tot zwijgen gebrachte brons, in silhouet afgetekend tegen het gesmoorde licht van de door sneeuw verstikte dag.

Broeder Constantine volgde mijn blik en leek de pas aange-
komene aan het weinige wat er van hem te zien was, te herkennen. Hoewel niets in deze wereld hem nog kwaad kon doen,
kromp de dode monnik als in doodsangst in elkaar.

Ik was bij de trap weggelopen, en toen de gedaante om de
klokken heen liep kwam hij tussen mij en die enige uitgang te
staan.

Terwijl mijn tijdelijke doofheid wegtrok en het gehuil van
de wind opsteeg als een koor van woedende stemmen, kwam
de gedaante achter de het zicht belemmerende klokken vandaan. Het was de in zwart habijt gehulde monnik die ik in de
deuropening van het trappenhuis had zien staan toen ik me
had afgewend van zuster Miriam in de nonnenpost, nog geen
twintig minuten eerder.

Ik stond nu dichter bij hem dan toen, maar zag nog steeds
alleen zwartheid in zijn kap, niet de minste indruk van een gezicht. De wind deed zijn habijt opbollen, maar onthulde geen
voeten, en aan het eind van zijn mouwen waren geen handen
te zien.

Nu mij meer dan een glimp werd gegund, besefte ik dat zijn
habijt langer was dan die van de broeders, dat het over de vloer
sleepte. De stof was minder sober dan de stof waarvan de habijten van monniken waren gemaakt en glansde als zijde.

Hij droeg een halssnoer van als parels geregen mensentanden met in het midden een hanger van drie vingers, gebleekte
botjes.

In plaats van een stoffen ceintuur om het middel om het habijt en scapulier bijeen te binden, droeg hij een geweven koord
van wat schoon, glanzend mensenhaar leek.

Hij zweefde op me toe. Hoewel ik me had voorgenomen me
niet te laten afschrikken, deinsde ik onwillekeurig achteruit
toen hij naderbij kwam, ik was even onwillig contact te maken
als mijn dode metgezel, broeder Constantine.

25

Als mijn voetzolen niet hadden aangevoeld alsof er een naald-scherpe kou in prikte, als een brandend soort gevoelloosheid niet mijn tenen had doen verkrampen, dan had ik misschien kunnen denken dat ik niet wakker was geworden en niet de rode en blauwe gloed van de zwaailichten van de auto's van het bureau van de sheriff in de met rijp bedekte ramen van mijn slaapkamer in het gastenverblijf had zien fonkelen, dat ik nog sliep en droomde.

De grote slingerende bronzen kwabben waaraan Freud met zijn wel erg levendige fantasie ongetwijfeld een vunzige sym-bolische betekenis zou hebben toegekend en het kruisgewelf-de plafond van de klokkentoren dat evenzeer beladen was met betekenis, niet alleen door de naam maar ook door zijn wel-vingen en schaduwen, omringd door het maagdelijk wit van de ijzige storm, vormden een perfect landschap voor een droom.

Deze minimalistische gestalte van de Dood, gehuld in ha-bijt met kap, was noch in staat van ontbinding noch bedekt met wriemelende maden zoals hij nogal eens in stripverhalen en prullige B-films wordt neergezet, maar zo schoon als een duistere poolwind, net zo echt als de Dood in *The Seventh Seal* van Bergman. Tegelijkertijd had hij de kenmerken van een dreigend fantoom in een nachtmerrie, amorf en onkenbaar, het best gezien vanuit een ooghoek.

De Dood hief zijn rechterarm en uit de mouw kwam een lange, bleke hand, niet skeletachtig, maar vlezig. Hoewel het binnenste van de kap leeg bleef, strekte de hand zich naar me uit, en de vinger wees.

Nu moest ik denken aan *A Christmas Carol* van Charles Dick-ens. Dit was de laatste van de drie geesten die een bezoek brachten aan de vrekkige geldschieter, de onheilspellende geest die Scrooge De Geest van Kerstmis in de Toekomst noemde. De geest was geweest wat Scrooge hem had genoemd, maar tegelijk iets ergers, want onverschillig waarheen de toekomst leidt, uiteindelijk leidt die naar de dood, het einde dat aanwezig is in míjn begin en in het uwe.

Uit de linkermouw van de Dood kwam ook een bleke hand tevoorschijn en deze hield een touw vast, waarvan het einde een strop vormde. De geest – of wat het ook mocht zijn – bracht de strop van zijn linkerhand over naar de rechter en trok een onwaarschijnlijke lengte touw van onder zijn habijt vandaan.

Toen hij het losse uiteinde van het touw uit zijn mouw trok, wierp hij het over de balk die als hij eenmaal met behulp van een tuimelaar onder in de toren gedraaid was, het uit vijf klokken bestaande carillon aan het spelen zou brengen. Hij legde met zo veel gemak een galgenknoop dat het meer weg had van de vingervlugheid van een goede goochelaar dan van de vaardigheid van een ervaren beul.

Het geheel deed me denken aan kabuki, die Japanse vorm van sterk geformaliseerd theater. De surreële decors, de flamboyante kostuums, de levendige maskers, de pruiken, de extravagante emoties en de weidse melodramatische gebaren van de acteurs zouden Japans theater net zo lachwekkend moeten maken als het Amerikaanse profworstelen. Toch zorgt een mysterieus effect dat kabuki voor het kennerspubliek zo indringend is als een scheermesje dat over een duim wordt gehaald.

In de stilte van de klokken, terwijl het leek of de storm zijn waardering uitbrulde voor de opvoering van de Dood, wees die naar mij, en ik wist dat de strop voor mijn hals was bedoeld.

Geesten kunnen de levenden niet deren. Dit is onze wereld, niet de hunne.

De Dood is niet werkelijk een gedaante die gekostumeerd op aarde ronddoolt en zielen verzamelt.

Dit is allebei waar, wat inhield dat deze onheilspellende Magere Hein me niet kon deren.

Omdat mijn fantasie even rijk is als mijn bankrekening leeg, kon ik me toch het gevoel voorstellen van de grove ve-

zels van het touw tegen mijn keel die mijn adamsappel plat-
persten.

Moed puttend uit het feit dat hij toch al dood was, deed
broeder Constantine een stap naar voren, alsof hij de aandacht
van de Dood wilde trekken om mij de kans te geven via de trap
te ontsnappen.

De monnik sprong weer naar de klokken, maar kon niet langer de vereiste razernij oproepen om psychokinetische feno-
menen te veroorzaken. Hij leek in plaats daarvan overweldigd
door angst om mij. Handenwringend sperde hij zijn mond
open in een stille schreeuw.

Mijn zekerheid dat een geest mij niet kon deren werd aan
het wankelen gebracht door broeder Constantines overtuiging
dat mijn laatste uur geslagen had.

Hoewel Magere Hein een simpelere gedaante was dan de
caleidoscoop van botten die me in de storm had gevolgd, voelde ik dat ze gelijksoortig waren in de zin dat ze theatraal, ge-
kunsteld en doelbewust waren op een manier die je bij de talmende doden nooit ziet. Zelfs een poltergeist in het heetst van
zijn razernij zal zijn vlaag van verwoesting niet vormgeven met
als doel een maximaal effect te sorteren op de levenden, en
heeft niet de opzet wie dan ook angst aan te jagen. Het enige
wat hij wil is zijn frustratie, zijn zelfverachting, zijn woede over
het feit dat hij vastzit in een soort vagevuur tussen twee we-
relden, botvieren.

De verbijsterende transformaties van het bottenschepsel voor
het raam hadden kenmerken vertoond van ijdelheid: *Ziehier
wat ik kan, kijk en huiver.* Net zo bewoog de Dood zich als een
zelfingenomen danser op een toneel, blufferig, in afwachting
van applaus.

IJdelheid is een aan mensen voorbehouden trekje. Geen enkel dier is tot ijdelheid in staat. Mensen zeggen soms dat katten ijdel zijn, maar katten zijn hooghartig. Ze zijn overtuigd
van hun superioriteit en smachten niet naar bewondering, zoals ijdele mannen en vrouwen.

De talmende doden waren misschien bij leven ijdel geweest,
maar zijn van ijdelheid ontdaan door de ontdekking van hun
sterfelijkheid.

Nu maakte deze Magere Hein een spottend gebaar van kommaar-hier, alsof hij verwachtte dat zijn afschrikwekkende verschijning en zijn grandeur zo intimiderend werkten dat ik zelf de strop om mijn hals zou leggen en hem die moeite zou besparen.

Het besef dat die twee verschijningen een al te menselijk trekje van ijdelheid deelden, iets wat ontbreekt in alles wat bovenaards is, was veelbetekenend. Maar ik wist niet waarom.

Als reactie op zijn kom-maar-hiergebaar deed ik een stap achteruit, en toen stormde hij opeens als een razende op me af.

Voor ik een arm kon optillen om hem tegen te houden, klemde hij zijn rechterarm om mijn keel en tilde me met een vertoon van onmenselijke kracht met één hand van de vloer.

De arm van Magere Hein was zo onnatuurlijk lang dat ik niet naar hem kon uithalen of klauwen naar de diepe zwartheid in zijn kap. Het enige wat ik kon was rukken aan de hand die me vasthield en proberen zijn vingers los te wrikken.

Hoewel zijn hand van vlees leek te zijn en zich als vlees bewoog, kon ik er geen bloed aan onttrekken. Het schrapen van mijn vingernagels over zijn bleke huid bracht hetzelfde geluid voort als krassen op een schoolbord.

Hij ramde me tegen een zuil en mijn achterhoofd sloeg tegen het steen. Heel even leek de sneeuwstorm mijn schedel te zijn binnengedrongen, en een werveling van wit achter mijn ogen deed me bijna wegtollen naar een eeuwige winter.

Toen ik schopte en trapte, landden mijn voeten zonder effect in het zacht golvende zwarte habijt, en zijn lichaam, als dat al bestond onder die zijden plooien, leek niet vaster te zijn dan drijfzand of het zuigende teer waarin behemoths in de juratijd naar hun ondergang waren gelopen.

Ik snakte naar lucht en kreeg die ook binnen. Hij hield me stevig vast, maar verstikte me niet, misschien om ervoor te zorgen dat wanneer ik werd gevonden en omhooggetakeld, de enige sporen op mijn keel en onder mijn kin daar waren achtergelaten door het dodelijk knappen van het touw.

Toen hij me wegtrok van de zuil kwam zijn linkerhand omhoog en wierp de strop, die als een ring donkere rook op me af kwam drijven. Ik draaide mijn hoofd weg. Het touw viel langs mijn gezicht en terug in zijn hand.

Zodra hij erin zou slagen de strop om mijn hals te slaan en aan te trekken, zou hij me uit de klokkenstoel werpen en zou ik de klokken luiden om mijn dood te verkondigen.

Ik hield op met rukken aan zijn hand, die me stevig in de tang had, en greep de lus van touw beet toen hij een nieuwe poging deed me die wrede das om te doen.

Worstelend om de strop af te weren, neerstarend in de leegte van zijn kap, hoorde ik mezelf hees zeggen: 'Ik ken jou, niet-waar?'

Die vraag, uit intuïtie voortgekomen, leek een magische uit-werking te hebben, alsof ik een toverspreuk had uitgesproken. Iets begon vorm aan te nemen in de leegte waar een gezicht had moeten zijn.

Hij aarzelde in de strijd om de strop.

Aangemoedigd zei ik nog eens, zekerder nu: 'Ik ken jou.'

Binnen in de kap begonnen zich de basiscontouren van een gezicht af te tekenen, als gesmolten zwart plastic dat zich voeg-de naar een gietvorm.

Het gelaat had te weinig details om herkenning mogelijk te maken. Het glansde zoals de wazige weerspiegeling van een gezicht zou kunnen glanzen en rimpelen in een nachtelijke vij-ver waarin geen maanlicht het zwarte water verheldert.

'Moeder Gods, ik ken je,' zei ik, al had intuïtie me nog steeds geen naam ingefluisterd.

De derde bewering toverde meer dimensie tevoorschijn in het glanzende zwarte gezicht, bijna alsof mijn woorden schuld-gevoel en een onweerstaanbare dwang om zijn identiteit te ont-hullen, in hem hadden opgewekt.

Magere Hein wendde zijn hoofd van me af. Hij wierp me aan de kant en gooide toen het galgentouw weg, dat in een warrige hoop op me neerdaalde terwijl ik neerstortte op de loopgang rond de klokkenstoel.

In een zwarte werveling van zijde sprong hij op de borstwe-ring tussen twee zuilen om zich na een korte aarzeling in de sneeuwstorm te storten.

Ik sprong overeind en leunde over de borstwering heen.

Zijn habijt spreidde zich uit als vleugels en hij zweefde vanaf de toren naar beneden, landde met de gratie van een balletdanser op het dak van de kerk en wierp zich onmiddellijk in de richting van het lagere dak van de abdij.

Hoewel ik het idee had dat hij iets anders dan een geest was, niet zozeer bovennatuurlijk als wel onnatuurlijk, loste hij in het niets op, als om het even welk spook, zij het op een manier die ik nooit eerder had gezien.

In volle vlucht leek hij uiteen te spatten als een kleiduif die door een beoefenaar van het kleiduifschieten wordt neergeschoten. Een miljoen sneeuwvlokken en een miljoen fragmenten van Magere Hein waaierden uit in een zwart-wit symmetrisch patroon, een caleidoscopisch beeld midden in de lucht, dat door de wind slechts een ogenblik werd gerespecteerd en toen oploste.

26

In de ontvangstruimte op de benedenverdieping ging ik op het puntje van een bank zitten om mijn skischoenen aan te trekken, die inmiddels droog waren.

Mijn voeten waren nog steeds stijf van de kou. Het liefst zou ik op een leunstoel zijn neergeploft met mijn voeten op een voetenbankje, een warme plaid over mijn benen, een goed boek, een schaal koekjes om op te knabbelen, terwijl mijn goede fee me de ene beker warme chocola na de andere kwam brengen.

Als ik een goede fee had, zou ze op Angela Lansbury lijken, de ster van *Murder, She Wrote*. Ze zou me onvoorwaardelijk liefhebben, me alles geven wat mijn hartje begeerde, en me elke avond instoppen en met een kus op mijn voorhoofd welterusten wensen, omdat ze in Disneyland een trainingsprogramma had gevolgd en de goede-feeëneed had afgelegd in bijzijn van Walt Disneys cryogeen bewaarde lijk.

Ik stond op in mijn laarzen en wiebelde met mijn deels gevoelloze tenen.

Bottenschepsel of geen bottenschepsel, ik zou weer naar buiten moeten, de sneeuwstorm in, niet meteen, maar spoedig.

Welke krachten hier in St. Bartholomew's ook aan het werk waren, ik had nog nooit zoiets meegemaakt, nog nooit zulke verschijningen gezien, en ik had er weinig vertrouwen in dat ik hun bedoelingen op tijd zou doorgronden om een ramp te kunnen voorkomen. Als ik er niet in slaagde de dreiging te identificeren voor die ons had ingehaald, had ik dappere harten en sterke handen nodig om me te helpen de kinderen te beschermen, en ik wist waar ik die kon vinden.

Gracieus, statig, haar voetstappen gedempt door haar golvende witte habijt, kwam zuster Angela aanlopen, als de belichaming van een sneeuwgodin die was afgedaald uit een hemels paleis om de effectiviteit van de stormbetovering die ze over de Sierra had uitgesproken, te beoordelen.

'Zuster Clare Marie zegt dat je me wilt spreken, Oddie.'

Broeder Constantine was vanuit de klokkentoren met me meegekomen en kwam nu bij ons staan. De moeder-overste kon hem natuurlijk niet zien.

'George Washington was beroemd om zijn slechte kunstgebit,' zei ik, 'maar ik weet niets over de toestand van het gebit van Flannery O'Connor en Harper Lee.'

'Ik evenmin,' zei ze. 'En voor je het vraagt, het heeft ook niets te maken met hun haardracht.'

'Broeder Constantine heeft geen zelfmoord gepleegd,' vertelde ik haar. 'Hij is vermoord.'

Haar ogen werden groot. 'Ik heb nog nooit in dezelfde zin zulk prachtig nieuws te horen gekregen gevolgd door zulk gruwelijk nieuws.'

'Hij blijft niet op aarde talmen uit vrees voor het oordeel dat in het hiernamaals over hem zal worden uitgesproken, maar omdat hij vreest voor het leven van zijn broeders in de abdij.'

Om zich heen kijkend in de ontvangstruimte, vroeg ze: 'Is hij op dit moment bij ons?'

'Vlak naast me.' Ik wees de plek aan.

'Dierbare broeder Constantine.' Haar stem sloeg over van emotie. 'We hebben elke dag voor u gebeden en u elke dag gemist.'

Tranen glinsterden in de ogen van de geest.

Ik zei: 'Hij wilde deze wereld niet verlaten zolang zijn broeders geloofden dat hij zichzelf had omgebracht.'

'Uiteraard. Hij was bang dat zijn zelfmoord zijn broeders ertoe zou kunnen brengen te gaan twijfelen aan hun eigen verbintenis met een leven in het geloof.'

'Ja. Maar volgens mij maakte hij zich ook ongerust omdat ze niet beseften dat er zich een moordenaar onder hen bevindt.'

Zuster Angela is vlug van begrip en heeft een scherp verstand, maar de decennia kalme dienstverlening in de vredige omgeving van een klooster hebben haar toch een tikkeltje wereldvreemd gemaakt.

'Maar je bedoelt toch zeker dat iemand van buiten op een nacht naar binnen is gewandeld, zo iemand waar het nieuws vol van staat, en dat broeder Constantine de pech had zijn pad te kruisen?'

'Als dat het geval is, dan is die kerel teruggekomen voor broeder Timothy, en zojuist heeft hij in de toren geprobeerd mij te vermoorden.'

Ze legde geschokt een hand op mijn arm. 'Oddie, je mankeert toch niets, hoop ik?'

'Ik leef nog,' zei ik, 'maar er is altijd nog die cake voor na het avondeten.'

'Cake?'

'Neem me niet kwalijk. Ik maak maar gekheid.'

'Wie heeft geprobeerd je te vermoorden?'

Ik zei alleen: 'Ik heb zijn gezicht niet gezien. Hij... droeg een masker. En ik ben ervan overtuigd dat hij iemand is die ik ken, niet iemand van buiten.'

Ze keek naar de plek waarvan ze wist dat de dode monnik daar was. 'Kan broeder Constantine hem niet identificeren?'

'Ik geloof niet dat hij het gezicht van zijn moordenaar heeft gezien. Hoe dan ook, u zou ervan staan te kijken hoe weinig hulp ik krijg van de talmende doden. Ze willen dat ik zorg dat ze gerechtigheid krijgen, dat willen ze heel graag, maar volgens mij moeten ze zich houden aan een verbod op het beïnvloeden van de loop der gebeurtenissen in deze wereld, omdat ze hier niet langer thuishoren.'

'En je hebt geen theorie?' vroeg ze.

'Noppes. Mij is verteld dat broeder Constantine af en toe last had van slapeloosheid en dat hij soms als hij niet kon slapen naar de top van de klokkentoren in de nieuwe abdij klom om naar de sterren te kijken.'

'Ja. Dat heeft abt Bernard me toentertijd verteld.'

'Ik vermoed dat hij op een nacht iets heeft gezien wat niet voor zijn ogen was bedoeld, iets wat geen getuigen duldde.'

Ze trok een gezicht. 'Dat doet de abdij klinken als een vuig oord.'

'Ik wil niets van dien aard suggereren. Ik woon hier nu zeven maanden en weet hoe fatsoenlijk en godvruchtig de broeders zijn. Ik geloof niet dat broeder Constantine iets vuigs heeft gezien. Hij heeft iets… uitzonderlijks gezien.'

'En recentelijk heeft broeder Timothy ook iets uitzonderlijks gezien wat geen getuigen duldde?'

'Ik ben bang van wel.'

Ze overpeinsde deze informatie even en trok er de meest logische conclusie uit. 'Dan ben jij dus ook getuige geweest van iets uitzonderlijks.'

'Ja.'

'En dat is?'

'Dat vertel ik liever niet tot ik begríjp wat ik heb gezien.'

'Wat je ook hebt gezien – dat is waarom we de deuren en alle ramen op slot moeten houden.'

'Ja, zuster. En dat is een van de redenen waarom we nu extra maatregelen gaan treffen om de kinderen te beschermen.'

'We zullen alles doen wat gedaan moet worden. Waar denk je aan?'

'Versterken,' zei ik. 'Versterken en verdedigen.'

27

George Washington, Harper Lee en Flannery O'Connor keken glimlachend op me neer, alsof ze zich vrolijk maakten om
mijn onvermogen het raadsel op te lossen van de eigenschap
die ze gemeen hadden.

Zuster Angela zat achter haar bureau en keek me aan over
haar leesbril, die naar het puntje van haar neus was gegleden.
Ze hield een pen boven een gelinieerd geel schrijfblok.

Broeder Constantine had ons niet vergezeld vanaf de ontvangstruimte. Misschien was hij eindelijk verder getrokken,
maar misschien ook niet.

Al ijsberend zei ik: 'Volgens mij zijn de meeste broeders alleen pacifist binnen de grenzen van redelijkheid. De meesten
zouden vechten om een onschuldig leven te redden.'

'God verlangt verzet tegen het kwaad,' zei ze.

'Ja, zuster. Maar bereidheid om te vechten is niet genoeg. Ik
wil mensen die weten hóé ze moeten vechten. Zet broeder
Boksbeugel boven aan de lijst.'

'Broeder Salvatore,' verbeterde ze.

'Ja, zuster. Broeder Boksbeugel zal weten wat hij moet doen
als de pleuris…' Mijn stem haperde en mijn gezicht liep rood
aan.

'Je had je zin best af kunnen maken, Oddie. Het woord *uit-
breekt* zou me niet hebben gekwetst.'

'Sorry, zuster.'

'Ik ben non, geen onnozelaar.'

'Ja, zuster.'

'Wie nog meer behalve broeder Salvatore?'

'Broeder Victor heeft zesentwintig jaar bij de mariniers ge-
diend.'

'Maar die is al zeventig.'

'Ja, zuster, maar hij is wél marinier geweest.'

'"Geen betere vriend, geen ergere vijand",' citeerde ze.

'Die trouw door dik en dun van *semper fi* lijkt wel te zijn wat we nodig hebben.'

Ze zei: 'Broeder Gregory was vroeger hospitaalsoldaat.'

De infirmarius had nooit iets over zijn militaire dienst verteld.

'Weet u dat zeker?' vroeg ik. 'Ik dacht dat hij gediplomeerd verpleegkundige was.'

'Dat klopt. Maar hij is jarenlang hospitaalsoldaat geweest en in het heetst van de strijd.'

Medische troepen op het slagveld zijn dikwijls net zo moedig als degenen die de wapens dragen.

'Zeker weten dat we broeder Gregory willen,' zei ik.

'En broeder Quentin?'

'Was die niet bij de politie, zuster?'

'Ik geloof van wel.'

'Zet hem ook maar op de lijst.'

'Hoeveel hebben we er volgens jou nodig?' vroeg ze.

'Een stuk of vijftien.'

'We hebben er al vier.'

Ik ijsbeerde in stilte. Ik stopte met ijsberen en bleef even voor het raam staan. Ik begon weer te ijsberen.

'Broeder Fletcher,' opperde ik.

Deze keus bracht haar van haar stuk. 'De dirigent?'

'Ja, zuster.'

'Voor hij kloosterling werd, was hij musicus.'

'Dat is een hard beroep, zuster.'

Ze dacht even na en zei toen: 'Hij heeft inderdaad soms de neiging tot opvliegendheid.'

'Saxofonisten neigen tot opvliegendheid,' zei ik. 'Ik ken een saxofonist die een gitaar uit de handen van een andere musicus rukte en het instrument met vijf kogels doorboorde. Het was een mooie Fender.'

'Waarom deed hij dat?'

'Hij stoorde zich aan onjuiste akkoordovergangen.'

Afkeuring rimpelde haar voorhoofd. 'Als dit voorbij is, zou

je vriend de saxofonist misschien een tijdje zijn intrek kunnen nemen in de abdij. Ik ben opgeleid om mensen te begeleiden bij het leren hoe ze met conflicten moeten omgaan.'

'Maar, zuster, op de gitaar schieten was nu net hoe hij met dat conflict omging.'

Ze keek op naar Flannery O'Connor en even later knikte ze alsof ze het eens was met iets wat de schrijfster had gezegd. 'Goed, Oddie. Denk je dat broeder Fletcher fel kan uithalen?'

'Ja, zuster, voor de kinderen wel.'

'Dan hebben we er vijf.'

Ik ging op een van de bezoekersstoelen zitten.

'Vijf,' zei ze nog eens.

'Ja, zuster.'

Ik keek op mijn horloge. We keken elkaar aan.

Na een stilte veranderde ze van onderwerp: 'Als het op vechten aankomt, waarmee moeten ze dan vechten?'

'Honkbalknuppels, bijvoorbeeld.'

De broeders vormden elk jaar drie teams. 's Zomers tijdens de avondlijke recreatie-uren speelden de teams bij toerbeurt tegen elkaar.

'Ze hebben inderdaad een heleboel honkbalknuppels,' zei ze. 'Jammer dat monniken in het algemeen niet aan hertenjacht doen.'

'Jammer,' beaamde ze.

'De broeders splijten vademhout voor de open haarden. Ze hebben bijlen.'

Ze kromp ineen bij de gedachte aan zulk een geweld. 'Misschien moeten we ons meer concentreren op versterking.'

'Dat zal ze heel goed afgaan,' beaamde ik.

De meeste kloostergemeenschappen geloven dat contemplatieve arbeid een belangrijk onderdeel van godvruchtigheid is. Sommige monniken maken voortreffelijke wijn om zo de onkosten van hun abdij te dekken. Anderen maken kaas of bonbons of broodjes en scones. Weer anderen fokken en verkopen prachtige honden.

De broeders van St. Bart's zijn gespecialiseerd in op ambachtelijke wijze met de hand vervaardigde meubelstukken. Omdat een klein deel van de rente van de Heineman-schenking volstaat om de algemene kosten van hun nijverheid te dekken, hoeven ze hun stoelen, tafels en buffetkasten niet te verkopen. Ze schenken alles aan een organisatie die huizen voor de armen inricht.

Met hun elektrisch gereedschap, houtvoorraad en vaardigheid waren ze in staat alle deuren en ramen te versterken.

Tikkend met haar pen op de lijst met namen op het schrijfblok zei zuster Angela nog eens: 'Vijf.'

'Zuster, wat we eigenlijk zouden moeten doen is – u belt de abt, bespreekt dit met hem, en dan praat u met broeder Boksbeugel.'

'Broeder Salvatore.'

'Ja, zuster. Vertel broeder Boksbeugel wat we nodig hebben, verdediging en versterking, en laat hem met de vier anderen die we hebben gekozen overleggen. Zij kennen hun broeders beter dan wij. Zij zullen weten wie de beste kandidaten zijn.'

'Ja, dat is een goed idee. Maar ik zou ze graag willen vertellen tegen wie we ons moeten verdedigen.'

'Ik ook, zuster.'

Alle voertuigen die de broeders en zusters tot hun beschikking hadden, stonden in de kelder van de school.

Ik zei: 'Zeg tegen Boksbeugel...'

'Salvatore.'

'... dat ik hen met een van de monster-suv's van de school kom ophalen om ze hiernaartoe te brengen en zeg hem...'

'Maar je zei dat er daar buiten vijandige mensen rondlopen.'

Ik had niet gezegd dat het *mensen* waren.

'Vijandig. Zeker, zuster.'

'Zal het niet gevaarlijk zijn, de rit naar en van de abdij?'

'Gevaarlijker voor de kinderen als we niet een paar potige kerels halen tegen wat ons ook boven het hoofd hangt.'

'Dat begrijp ik. Waar ik eigenlijk op doelde is dat je twee keer zou moeten rijden om zo veel broeders, hun honkbalknuppels en hun gereedschap over te brengen. Als ik een suv pak en jij de andere, hoeven we maar één keer te rijden.'

'Zuster, ik zou niets liever willen dan een sneeuwploegrace met u houden – wielen geblokkeerd, brullende motoren, startpistool – maar ik wil dat Rodion Romanovich de tweede suv bestuurt.'

'Is hij dan hier?'

'Hij is in de keuken, tot zijn ellebogen in glazuur.'

'Ik dacht dat je hem niet vertrouwde.'

'Als hij een Hoosier is, ben ik een dulcimerfanaat. Terwijl wij de school verdedigen, als het daarop uitdraait, geloof ik niet dat het een goed idee is dat meneer Romanovich zich binnen de verdedigingswerken bevindt. Ik zal hem vragen een van de suv's naar de nieuwe abdij te rijden. Als u met broeder Boks...alvatore...'

'Boksalvatore? Ik ken geen broeder Boksalvatore.'

Voordat ik zuster Angela kende zou ik niet hebben gedacht dat nonnen en sarcasme zo'n bruisend geheel konden vormen.

'Als u met broeder Salvatore praat, zuster, zeg hem dan dat meneer Romanovich in de nieuwe abdij blijft en dat Salvatore de suv terug moet brengen.'

'Ik neem aan dat meneer Romanovich niet zal weten dat hij een enkele reis onderneemt.'

'Nee, zuster. Ik speld hem wel iets op de mouw. Laat dat maar aan mij over. U mag er dan anders over denken, maar ik kan liegen als de beste.'

'Als je saxofoon speelde, zouden we pas echt onze handen aan je vol hebben.'

28

Tegen lunchtijd waren de keukenmedewerkers niet alleen drukker in de weer dan eerder die ochtend, maar ook uitbundiger. Vier van de nonnen zongen nu onder het werk, eerder maar twee, en in het Engels in plaats van in het Spaans.

Alle tien de cakes waren bedekt met chocoladeglazuur. Ze zagen er verraderlijk lekker uit.

Rodion Romanovich had zojuist een grote kom oranje botercrème gemaakt en met gebruikmaking van een knijpzak spoot hij een decoratief patroon op het glazuur van de eerste van zijn sinaasappel-amandelcakes.

Toen ik naast hem opdook, keek hij niet op, maar zei: 'Daar bent u weer, meneer Thomas. U hebt uw skischoenen aangetrokken.'

'Ik liep zo stilletjes op mijn kousenvoeten dat ik de zusters aan het schrikken bracht.'

'Hebt u zitten oefenen op uw dulcimer?'

'Dat was maar een bevlieging. Tegenwoordig heb ik meer belangstelling voor de saxofoon. Meneer, hebt u ooit het graf van John Dillinger bezocht?'

'Zoals u kennelijk weet, ligt hij begraven op de Crown Hill Cemetery in mijn geliefde Indianapolis. Ik heb het graf van de outlaw gezien, maar mijn voornaamste reden voor een bezoek aan de begraafplaats was om eer te betuigen aan de romanschrijver Booth Tarkington, die daar zijn laatste rustplaats heeft gevonden.'

'Booth Tarkington heeft de Nobelprijs gewonnen,' zei ik.

'Nee, meneer Thomas, Booth Tarkington heeft de Pulitzerprijs gewonnen.'

'Eigenlijk logisch dat u dat weet als bibliothecaris bij de In-

diana State Library op 140 North Senate Avenue met vierendertigduizend boeken over Indiana of van de hand van schrijvers uit Indiana.'

'Rúím vierendertigduizend boeken,' verbeterde Romanovich. 'We zijn bijzonder trots op dat aantal en horen niet graag
dat dat gebagatelliseerd wordt. Volgend jaar om deze tijd hebben we misschien vijfendertigduizend boeken over Indiana of
van de hand van schrijvers uit Indiana.'

'Wauw. Dat zal reden zijn voor een groot feest.'

'Hoogstwaarschijnlijk zal ik voor die gelegenheid een heleboel cakes bakken.'

De vastheid van hand en consistentie van details bij het aan-
brengen van zijn filigraanpatroon waren indrukwekkend.

Als hij niet een air van misleiding had uitgestraald gelijk aan
dat van een kameleon op een boomtak, vermomd als schors,
wachtend op argeloze vlinders, zou ik misschien zijn gaan twijfelen aan zijn potentieel voor schurkachtigheid.

'Als Hoosier hebt u vast veel ervaring met rijden in sneeuw,
meneer.'

'Ja. Ik heb een ruime ervaring met sneeuw, zowel in mijn
tweede thuis in Indiana als in mijn geboorteland Rusland.'

'We hebben twee met sneeuwploegen uitgeruste suv's in de
garage staan. We moeten naar de abdij om een aantal broeders
op te halen.'

'Vraagt u mij een van die voertuigen te besturen, meneer
Thomas?'

'Ja, meneer. Als u dat zou willen doen, zou ik u uiterst dankbaar zijn. Dat bespaart me een tweede rit.'

'Met welk doel komen de broeders naar de school?'

'Met het doel,' zei ik, 'de zusters te helpen met de kinderen
als de stroom uitvalt als gevolg van de sneeuwstorm.'

Hij tekende een perfect miniatuurroosje in de hoek van de
cake, waarmee hij de laatste hand eraan legde. 'Beschikt de
school dan niet over een noodaggregaat?'

'Jawel, meneer, zeker weten. Maar dat levert minder energie. De verlichting zal moeten worden beperkt. In sommige
ruimten zullen ze de verwarming moeten uitdraaien en de open
haarden in gebruik moeten nemen. En zuster Angela wil voor-

bereid zijn voor het geval het aggregaat het ook laat afweten.'

'Is het ooit voorgekomen dat de hoofdstroomvoorziening en het noodaggregaat het allebei tegelijk hebben laten afweten?'

'Dat weet ik niet, meneer. Ik geloof van niet. Maar in mijn ervaring zijn nonnen bezeten van gedetailleerde planning.'

'O, ik twijfel er niet aan, meneer Thomas, dat als nonnen de kerncentrale van Tsjernobyl hadden ontworpen en gerund, we geen kernramp hadden meegemaakt.'

Dit was een interessante wending. 'Komt u uit Tsjernobyl, meneer?'

'Heb ik een derde oog en een tweede neus?'

'Voor zover ik kan zien niet, meneer, maar uw lichaam is voor het grootste deel bedekt met kleren.'

'Als we ooit toevallig op hetzelfde strand liggen te zonnen, staat het u vrij me aan een nader onderzoek te onderwerpen, meneer Thomas. Mag ik de decoratie op deze cakes afmaken of moeten we ons halsoverkop naar de abdij spoeden?'

Boksbeugel en de anderen zouden op zijn minst drie kwartier nodig hebben om de spullen bijeen te zoeken die ze zouden meebrengen en zich te verzamelen om opgepikt te worden.

Ik zei: 'Maak de cakes maar af, meneer. Ze zien er fantastisch uit. Zullen we om kwart voor één in de garage afspreken?'

'U kunt op me rekenen. Dat geeft me genoeg tijd de cakes af te maken.'

'Dank u, meneer.' Ik liep al weg, maar draaide me weer om. 'Wist u dat Cole Porter een Hoosier was?'

'Ja. Evenals James Dean, David Letterman, Kurt Vonnegut en Wendell Willkie.'

'Cole Porter was waarschijnlijk de grootste Amerikaanse songwriter van de eeuw, meneer.'

'Ja, dat ben ik met u eens.'

'"Night and Day", "Anything Goes", "In the Still of the Night", "I Get a Kick Out of You", "You're the Top". Hij heeft ook het volkslied van de staat Indiana geschreven.'

Romanovich zei: 'Het volkslied van de staat is "On the Banks of the Wabash, Far Away", en als Cole Porter zou horen dat u dat aan hem toeschrijft, zou hij zich vast en zeker met zijn nagels een weg uit zijn graf krabben, u opsporen en op een gruwelijke manier zijn woede op u koelen.'

'O. Dan ben ik waarschijnlijk verkeerd ingelicht.'

Hij maakte zijn aandacht lang genoeg los van de cake om me een ironische blik te schenken die zwaar genoeg was om een veer in een straffe wind naar beneden te drukken. 'Ik betwijfel of u ooit verkeerd wordt ingelicht, meneer Thomas.'

'Nee, meneer, u vergist zich. Ik geef grif toe dat ik niets weet over wat dan ook – maar ik heb nu eenmaal een fanatieke interesse in alles wat Indiana betreft.'

'Op ongeveer welk tijdstip deze ochtend bent u door deze Hoosiermanie overvallen?'

Man, wat was die vent hier goed in.

'Niet deze ochtend, meneer,' loog ik. 'Mijn hele leven al, zo lang als ik me kan herinneren.'

'Misschien was u in een vorig leven een Hoosier.'

'Misschien was ik James Dean.'

'Ik weet zeker dat u niet James Dean was.'

'Hoezo, meneer?'

'Zulk een intense hunkering naar bewondering en zo'n grote capaciteit voor ongemanierdheid als waarvan meneer Dean blijk gaf, kunnen onmogelijk zo volledig zijn verdwenen van niet meer dan de ene incarnatie naar de volgende.'

Ik overdacht die bewering van verschillende kanten. 'Meneer, ik heb niets tegen wijlen meneer Dean, maar ik geloof dat ik dit niet anders kan interpreteren dan als een compliment.'

Met een dreigende blik zei Rodion Romanovich: 'U hebt mij gecomplimenteerd met mijn cakeversiering, is het niet? Dan staan we nu dus quitte.'

29

Ik had mijn jack gepakt van de kapstok in de ontvangstruimte en liep ermee naar de kelder, blij dat er geen echte catacomben waren die vol lagen met tot stof vergane lijken. Met mijn pech zou een daarvan Cole Porter zijn geweest.

De broeders die op het terrein van de abdij ter aarde besteld hadden willen worden, liggen begraven op een schaduwrijk lapje grond aan de rand van het bos. Het is een vredige kleine begraafplaats. De geesten van degenen die daar hun laatste rustplaats hebben gevonden, hebben allemaal deze wereld verlaten.

Ik heb aangename uren doorgebracht tussen deze grafstenen, met alleen Boo als gezelschap. Hij kijkt graag naar de eekhoorns en konijnen terwijl ik zijn nek aai en achter zijn oren krabbel. Soms rent hij achter ze aan, maar ze zijn niet bang voor hem, zelfs in de tijd dat hij nog scherpe tanden had, was hij nooit een moordenaar.

Alsof mijn gedachten hem hadden ontboden, zat Boo op me te wachten toen ik vanuit de oost-westgang de noord-zuidgang inliep.

'Hallo, Boo, wat doe jij hier beneden?'

Kwispelstaartend kwam hij naar me toe, ging liggen en rolde om op zijn rug, alle vier zijn poten in de lucht. Je moet wel erg ongevoelig zijn of het beredruk hebben met nutteloze zaken om zo'n uitnodiging te kunnen afslaan. Het enige waarom wordt gevraagd is genegenheid, terwijl dat wat wordt aangeboden alles is, gesymboliseerd in de weerloze houding met die blootgestelde buik.

Honden nodigen ons niet alleen uit hun vreugde te delen maar ook om in het heden te leven, waar we noch vandaan noch heen gaan, waar de betovering van het verleden en de toe-

komst ons niet kan afleiden, waar vrijwaring van praktisch verlangen en een rustpauze in onze gebruikelijke niet-aflatende
activiteit ons in staat stellen de waarheid van ons bestaan onder ogen te zien, de werkelijkheid van onze wereld en de zin
– als we dat durven.

Ik nam twee minuten de tijd om Boo een buikmassage te
geven en ging toen door met de gebruikelijke niet-aflatende
activiteit, niet omdat er dringende zaken op mij lagen te wachten, maar omdat, zoals een wijze man ooit schreef 'de mensheid niet al te veel werkelijkheid verdraagt', en ik ben maar al
te menselijk.

De grote garage deed denken aan een bunker: beton boven
en beneden en aan alle kanten. De tl-balken aan het plafond
verspreidden een fel licht, maar hingen te ver uit elkaar om alle schaduwen te verdrijven.

Er stonden zeven voertuigen: vier personenauto's, een zware
pick-up en twee verlengde suv's op grote banden met sneeuwkettingen.

Een schuine oprit liep naar een grote roldeur, waarachter de
wind gierde.

Aan een muur hing een sleutelkastje. Daarbinnen hingen aan
zeven haakjes veertien setjes sleutels, twee voor elk voertuig.
Boven elk haakje hing een kaartje met het kenteken van het
voertuig en op een label aan elk setje sleutels daaronder stond
hetzelfde kenteken.

Geen risico van een Tsjernobyl hier.

Ik trok mijn jack aan, kroop achter het stuur van een van de
suv's, startte de motor en liet hem net lang genoeg stationair
draaien om uit te zoeken hoe de bediening van de sneeuwploeg
werkte.

Toen ik uitstapte, stond Boo voor me. Hij keek op, hield
zijn kop schuin, spitste zijn oren en leek te zeggen: *Mankeert
er wat aan je neus, makker? Ruik jij niet hetzelfde onraad dat ik
ruik?*

Hij ging er op een drafje vandoor, keek achterom, zag dat
ik achter hem aan kwam en leidde me de garage uit en terug
naar de noordwesthal.

Dit was geen aflevering van *Lassie* en ik verwachtte niet iets te vinden waarvoor zo makkelijk een oplossing te zoeken was als dat Timmy in een put was gevallen of dat Timmy opgesloten zat in een brandende schuur.

Boo bleef staan voor een gesloten deur op dezelfde hoogte in de gang waar hij me de gelegenheid had geboden zijn buik te masseren.

Misschien had hij me die eerste keer daar halt laten houden om mijn legendarische intuïtie de kans te geven haar werk te doen. Maar ik had vastgezeten in het raderwerk van dwang, erop gericht de garage te bereiken, met mijn gedachten bij de rit die voor me lag, in staat twee minuten te blijven staan, maar niet in staat tot zien en voelen.

Ik voelde nu wel degelijk iets. Een subtiel, zij het hardnekkig trekken, alsof ik een visser was, mijn lijn uitgeworpen in diep water, een vis aan het haakje aan het andere uiteinde.

Boo liep de verdachte kamer binnen. Na een korte aarzeling volgde ik hem, maar ik liet de deur open omdat ik in situaties als deze, wanneer paranormaal magnetisme aan me trekt, er nooit zeker van kan zijn dat ik de visser ben en niet de vis met de haak in zijn bek.

We bevonden ons in een ketelruimte, vol met het gesis van ringen van vlammen en het gerommel van pompen. Vier grote hoogrendementsketels leverden het warme water dat nietaflatend door buizen in de muren van het gebouw stroomde, naar de tientallen units die de vele kamers verwarmden.

Er waren eveneens koelers die gekoeld water leverden dat ook door de school en het klooster circuleerde en zorgde voor koele lucht als een vertrek te warm werd.

Aan drie muren hingen fijn afgestelde luchtmonitoren die overal, tot in de verste uithoek van het grote gebouw, een alarm in werking zouden zetten en bovendien de gasaanvoer van de ketels zouden afsluiten bij het geringste spoor van vrijgekomen propaan in het vertrek. Dit werd verondersteld een absolute garantie te zijn tegen een explosie.

Absolute garantie. Volkomen veilig. De onzinkbare *Titanic*. De onneerstortbare *Hindenburg*. Vrede in onze tijd.

De mensheid verdráágt niet alleen niet al te veel werkelijkheid, we ontvlúchten de werkelijkheid als we niet door iemand dicht genoeg naar het vuur worden geduwd om de hitte op ons gezicht te kunnen voelen.

Geen van de drie luchtmonitoren gaf blijk van de aanwezigheid van rondzwevende propaanmolecuultjes.

Ik moest me op de monitoren verlaten omdat propaan kleuren reukloos is. Als ik zou rekenen op mijn zintuigen om een lek op te sporen, zou ik pas weten dat er iets mis was als ik van mijn stokje ging door zuurstofgebrek of als alles de lucht in vloog.

Elke monitorkast was afgesloten en was voorzien van een geperst metalen zegel met de datum van de laatste inspectie door het servicebedrijf dat verantwoordelijk was voor het betrouwbaar functioneren van de sensoren. Ik controleerde de sloten en zegels en vond geen aanwijzingen dat ermee geknoeid was.

Boo was naar de hoek gelopen die het verst van de deur lag. Ook ik werd daarnaartoe getrokken.

Tijdens de circulatie door het gebouw absorbeert het gekoelde water warmte. Vervolgens stroomt het naar een groot ondergronds gewelf, waar een koeltoren de ongewenste hitte omzet in stoom en die de lucht inblaast, waar deze vervliegt, waarna het water terugstroomt naar de koelers in dit vertrek om weer gekoeld te worden.

Vier pvc-buizen met een diameter van twintig centimeter verdwenen door de muur, net onder het plafond, vlak bij de hoek waar Boo en ik naartoe waren getrokken.

Boo snuffelde aan een roestvrijstalen paneel van ongeveer een meter bij een meter aan de muur, zo'n vijftien centimeter van de grond, en ik liet me voor het paneel op mijn knieën vallen.

Naast het paneel was een lichtschakelaar. Ik zette hem om, maar er gebeurde niets – tenzij ik het licht had aangedaan in een ruimte achter de muur.

Het toegangspaneel was met vier bouten aan de betonnen muur bevestigd. Aan een haak in de muur hing een stuk gereedschap waarmee de bouten verwijderd konden worden.

Na het verwijderen van de bouten zette ik het paneel terzijde en tuurde de opening in waar Boo al doorheen was gegaan. Ik keek langs het achterwerk en de tussen de poten weggestopte staart van de grote witte hond en zag een verlichte tunnel.

Niet bang voor hondenwinden, wel bevreesd voor wat er voor me zou kunnen liggen, kroop ik door de opening.

Toen ik de zestig centimeter dikke ter plaatse gestorte betonnen muur achter me had gelaten, kon ik weer staan. Voor me lag een rechthoekige gang, twee meter hoog en anderhalve meter breed.

De vier buizen hingen naast elkaar aan het plafond in de linkerhelft van de tunnel. Kleine lampjes in het midden van het plafond onthulden de steeds kleiner wordende buizen die tot in het oneindige leken door te lopen.

Langs de vloer, aan de linkerkant, liepen koperen buizen, stalen buizen en flexibele leidingen. Die bevatten waarschijnlijk water, propaan en elektrakabels.

Hier en daar ontsierden witte patronen van kalkafzetting de muren, maar de tunnel was niet vochtig. Er hing een schone geur van beton en ongebluste kalk.

Afgezien van het zwakke geluid van stromend water in de buizen boven mijn hoofd was het stil in de gang. Ik keek op mijn horloge. Over vierendertig minuten moest ik in de garage zijn voor mijn afspraak met de ultieme Hoosier.

Boo liep doelbewust op een drafje voor me uit en ik volgde zonder duidelijk doel.

Ik liep zo stil mogelijk op mijn skischoenen en toen mijn glanzende doorgestikte thermische jack begon te fluiten als ik mijn armen bewoog, trok ik het uit en liet het achter. Boo maakte helemaal geen geluid.

Een jongen en zijn hond zijn de beste kameraden, een gegeven dat in liedjes, boeken en films wordt geroemd. Maar wanneer de jongen in de greep is van een paranormale dwang en de hond geen angst kent, is de kans dat alles op zijn pootjes terecht zal komen zo ongeveer even waarschijnlijk als dat een gangsterfilm van Martin Scorsese eindigt met lieftalligheid, licht en het blije gezang van engelachtige kindertjes.

30

Ik heb een hekel aan ondergrondse gangen. Ik ben een keer doodgegaan in zo'n gang. Ik ben althans vrij zeker dat ik doodging en een tijdje dood was en zelfs heb rondgespookt bij een paar vrienden, al wisten die niet dat ik als spook bij hen was.

Als ik toen niet dood was, is me iets overkomen wat vreemder is dan de dood. In mijn tweede manuscript heb ik deze ervaring beschreven, maar erover schrijven heeft me niet geholpen die te begrijpen.

Op de rechtermuur waren om de twaalf tot vijftien meter luchtmonitoren geplaatst. Ik vond geen aanwijzingen dat daarmee geknoeid was.

Als de gang naar de koeltoren voerde, waarvan ik eigenlijk overtuigd was, dan zou die zo ongeveer honderdvijfentwintig meter lang zijn.

Tot tweemaal toe meende ik achter me iets te horen, maar toen ik over mijn schouder keek, zag ik niets.

De derde keer weigerde ik te zwichten voor de drang om achterom te kijken. Irrationele angst voedt zichzelf en groeit. Je moet er niet aan toegeven.

De kunst is om in staat te zijn onderscheid te maken tussen irrationele angst en gerechtvaardigde angst. Wanneer je gerechtvaardigde angst onderdrukt en stug doorzet, onverschrokken en vastberaden, is dat het moment dat de Kerstman zich toch door de schoorsteen omlaag wurmt en jouw plasje aan zijn verzameling toevoegt.

Boo en ik hadden een meter of zestig afgelegd toen aan de rechterkant een andere gang opdoemde. Deze liep schuin omhoog en verdween in een bocht uit het zicht.

Aan het plafond van de dwarsgang hingen nog eens vier pvc-buizen. Ze liepen in een bocht onze gang in en naast de eerste set buizen liepen ze verder in de richting van de koeltoren.

De tweede gang begon waarschijnlijk in de nieuwe abdij.

In plaats van de broeders met de twee suv's naar de school over te brengen met het risico van een aanval door wat het ook was dat ons in de sneeuwstorm misschien opwachtte, konden we hen via deze makkelijkere route overbrengen.

Ik moest de nieuwe gang onderzoeken, maar niet meteen.

Boo was doorgelopen in de richting van de koeltoren. Hoewel ik weinig hulp van de hond kon verwachten als ik werd aangevallen door het sluipende wezen achter me, voelde ik me toch prettiger als we bij elkaar bleven, en ik haastte me achter hem aan.

In mijn fantasie had het wezen achter me drie halzen, maar slechts twee hoofden. Het lichaam was dat van een mens, maar de hoofden waren die van coyotes. Het wilde mijn hoofd op zijn middelste hals zetten.

U zult zich misschien afvragen waar zo'n barokke irrationele angst vandaan kan zijn gekomen. Per slot van rekening ben ik, zoals u inmiddels weet, curieus, maar niet grotesk.

Een oppervlakkige vriend van me in Pico Mundo, een Panamint-indiaan van een jaar of vijftig die zich Tommy Cloudwalker noemt, heeft me verteld van een ontmoeting met zo'n driekoppig wezen.

Tommy was de Mojave ingegaan voor een kampeertrektocht toen de dofzilveren winterzon, de Oude Squaw, had plaatsgemaakt voor de gouden voorjaarszon, de Jonge Bruid, maar voordat de vurige platina zomerzon, de Lelijke Echtgenote, met haar scherpe tong de woestijn zo wreed kon verschroeien dat een zweet van schorpioenen en kevers uit het zand kon worden gewrongen in een vertwijfelde zoektocht naar meer schaduw en een druppel water.

Misschien komen Tommy's namen voor de seizoenszonnen voort uit de legenden van zijn stam. Misschien verzint hij ze gewoon. Ik weet eigenlijk niet of Tommy voor een deel echt is of simpelweg een meester in het vertellen van onzin.

In het midden van zijn voorhoofd heeft hij een gestileerde afbeelding van een havik, vijf centimeter breed en tweeënhalve centimeter hoog. Volgens Tommy is de havik een moeder-vlek.

Truck Boheen, een eenbenige voormalige biker en tatoeëerder, die in een verroeste caravan aan de rand van Pico Mundo woont, zegt dat hij vijfentwintig jaar geleden voor vijftig dollar de havik op Tommy's voorhoofd heeft gezet.

Rede doet de balans doorslaan naar de versie van Truck. Het probleem is dat Truck eveneens beweert dat de vijf meest recente presidenten van de Verenigde Staten in het holst van de nacht stiekem naar zijn caravan zijn gekomen om door hem een tatoeage te laten zetten. Eén of twee zou ik misschien nog geloven, maar víjf?

Hoe dan ook, Tommy zat op een voorjaarsavond in de Mojave, de hemel knipoogde met de Wijze Ogen van Voorouders – of sterren, als wetenschappers het goed hebben – toen het wezen met drie hoofden aan de andere kant van het kampvuur opdook.

Het mensenhoofd zei geen woord, maar de coyotekoppen aan weerszijden spraken Engels. Ze overlegden met elkaar of Tommy's hoofd verkieslijker was dan het hoofd dat momenteel op de hals tussen hen in zat.

Coyote één zag wel iets in Tommy's hoofd, vooral de trotse neus. Coyote twee was beledigend: hij zei dat Tommy 'meer weg had van een Italiaan dan van een indiaan'.

De sjamaan in Tommy besefte dat dit wezen een ongebruikelijke manifestatie was van de Misleider, een geest die veelvuldig opduikt in de folklore van veel indianenstammen. Als offergave haalde hij drie sigaretten tevoorschijn van wat het ook was dat hij rookte, en deze werden aanvaard.

Met plechtig genoegen rookten de drie hoofden in stilte. Na de peuken in het kampvuur te hebben gegooid, vertrok het wezen, en Tommy mocht zijn hoofd houden.

Eén woord zou Tommy's verhaal kunnen verklaren: *peyote-knoppen*.

Maar de volgende dag, na het hervatten van zijn trektocht, stootte Tommy op het hoofdloze lijk van een andere trekker. Het rijbewijs in de portefeuille van de man identificeerde hem als Curtis Hobart.

Vlakbij lag een afgehakt hoofd; het was het hoofd dat op de middelste hals tussen de coyotes had gezeten. Het leek totaal niet op de foto van Curtis Hobart op het rijbewijs.

Met zijn satelliettelefoon belde Tommy Cloudwalker de sheriff. Trillend als luchtspiegelingen in de voorjaarshitte arriveerden de ordehandhavers zowel over land als per helikopter.

Later had de lijkschouwer verklaard dat het hoofd en het lichaam niet bij elkaar hoorden. Ze hebben het hoofd van Curtis Hobart nooit gevonden en evenmin een lichaam dat hoorde bij het afgedankte hoofd dat op het zand naast Hobarts lijk was gedumpt.

Terwijl ik door de gang achter Boo aan rende in de richting van de koeltoren, begreep ik niet waarom Tommy's onwaarschijnlijke verhaal juist op dit moment uit mijn geheugenmoeras naar boven was gekomen. Het leek niet van toepassing op mijn huidige situatie.

Later zou alles me duidelijk worden. Zelfs bij die gelegenheden dat ik zo dom ben als het achtereind van een varken maakt mijn bedrijvige onderbewustzijn overuren om mijn hachje te redden.

Boo rende naar de koeltoren en nadat ik met mijn loper de branddeur had opengemaakt, volgde ik hem naar binnen, waar de tl-buizen brandden.

We stonden aan de basis van de constructie. Het leek net een filmset waarin James Bond een schurk achterna zou zitten, een schurk met stalen tanden en een dubbelloops 12-kaliber hoed op zijn hoofd.

Een tweetal tien meter hoge bladmetalen torens torenden boven ons uit. Ze waren met elkaar verbonden door middel van horizontale goten die op verschillende niveaus bereikbaar waren via een reeks rode loopbruggen.

Binnen in de torens en misschien in een aantal van de kleinere goten, draaiden dingen, met luide gonzende en zwiepende geluiden, misschien reusachtige ventilatorbladen. Gestuwde lucht siste als chagrijnige katten en floot als een afkeurend publiek.

De muren waren bedekt met een stuk of veertig grote grijze metalen kasten, een soort kabelkasten. Op elke kast zaten een grote AAN/UIT-hendel en twee controlelampjes, het ene was rood, het andere groen. Op het ogenblik brandden er alleen groene lampjes.

Het licht stond op groen. Alles in orde. Ik mocht doorlopen. Hieperdepiep, hoera!

Het systeem bood een groot aantal plaatsen waar iemand zich kon verstoppen en door het lawaai zou zelfs de allesbehalve geruisloze nadering van de lompste onder de belagers niet te horen zijn tot hij me had overrompeld, maar ik besloot de groene lampjes als een gunstig voorteken te beschouwen.

Als ik aan boord van de *Titanic* was geweest, zou ik op het zijdelings hellende dek hebben gestaan, leunend tegen een reling, kijkend naar een vallende ster en een hondje wensend onder de kerstboom, terwijl de band 'Nearer My God to Thee' speelde.

Hoewel veel dat me dierbaar was me in dit leven is ontnomen, heb ik reden optimistisch te blijven. Na al die hachelijke situaties waarin ik heb gezeten zou ik op zijn minst een been, drie vingers, één bil, bijna al mijn tanden, een oor, mijn milt en mijn gevoel voor pret kwijt moeten zijn. Maar hier ben ik.

Zowel Boo als paranormaal magnetisme had me hierheen gelokt en toen ik aarzelend de grote ruimte binnenging, ontdekte ik de bron van die aantrekkingskracht.

Tussen nog twee rijen grijze metalen kasten, voor een leeg stuk muur, hing broeder Timothy.

31

Broeder Tims in schoenen gestoken voeten bungelden een halve meter boven de vloer. In een boog van honderdtachtig graden, het hoogste punt van de boog twee meter boven zijn hoofd, waren dertien vreemde witte pinnen in de betonnen muur gedreven. Aan deze pinnen waren witte vezelige banden bevestigd, tweeënhalve centimeter brede repen stof, waaraan hij hing.

Een van de dertien banden eindigde in zijn warrige haar. Twee andere liepen naar de neergeslagen kap van zijn habijt, die in zijn nek was samengefrommeld en de overige tien verdwenen in kleine spleetjes in de schouders, mouwen en zijkanten van zijn habijt.

Hoe die banden precies aan hem waren vastgemaakt, was niet te zien.

Zijn hoofd hing voorover, zijn armen waren gespreid in een enigszins schuine hoek ten opzichte van zijn lichaam. Het was overduidelijk dat de spot werd gedreven met de kruisiging.

Hoewel zichtbare wonden ontbraken, leek hij dood te zijn. Zijn befaamde blos was nu witter dan bleek, grijs onder de ogen. Zijn slappe gezichtsspieren reageerden op geen enkele emotie, alleen op de zwaartekracht.

Toch bleven alle controlelampjes op de omringende kabelkasten – of wat het ook mochten zijn – groen, en met een aan krankzinnigheid grenzend optimisme zei ik: 'Broeder Timothy.' En ik schrok van het geluid van mijn stem: fluisterzacht en iel.

Het zwiep-gons-brom-klop van het mechanisme overstemde de ademgeluiden van de driehoofdige nicotineverslaafde achter me, maar ik weigerde me om te draaien en het wezen het hoofd te bieden. Irrationele angst. Er stond niets achter me. Geen coyote-menselijke indiaanse halfgod en niet mijn moeder met haar pistool.

Ik verhief mijn stem en zei nog eens: 'Broeder Tim?'

Zijn huid was glad, maar leek zo droog als stof, korrelig als papier, alsof hij niet alleen van het leven was beroofd, maar tot de laatste druppel was leeggezogen.

Een open wenteltrap voerde naar de loopbruggen en de hoge deur in dat deel van de koeltoren dat boven de grond uitstak. De politie zou door die deur zijn binnengekomen om het gewelf te doorzoeken.

Of ze hadden deze ruimte over het hoofd gezien, of de dode monnik had er nog niet gehangen toen ze hier binnen waren.

Hij was een goed mens geweest en vriendelijk tegen mij. Hij verdiende het niet om daar zo te blijven hangen, zijn lijk gebruikt ter bespotting van de God aan wie hij zijn leven had gewijd.

Misschien kon ik hem lossnijden.

Ik kneep zacht in een van de vezelige witte banden en liet mijn duim en wijsvinger over het gespannen lint glijden. Maar het was geen lint, geen katoen, niet iets wat ik ooit eerder had gevoeld.

Zo glad als glas, zo droog als talkpoeder, maar toch soepel. En opmerkelijk koud voor zo'n dun weefsel, zo ijskoud dat mijn vingers zelfs na een korte inspectie al gevoelloos werden.

De dertien witte pinnen waren wiggen die op de een of andere manier in het beton waren gedreven, zoals een bergbeklimmer met een hamer haken in rotsspleten drijft. Toch vertoonde het beton geen enkele spleet.

De dichtstbijzijnde van de dertien pinnen stak zo'n veertig centimeter boven mijn hoofd uit de muur. Het leek een stukje gebleekt bot.

Ik kon niet zien hoe de punt van de rotshaak in de muur was verankerd. Hij leek uit het beton te groeien of ermee versmolten te zijn.

Evenmin kon ik zien hoe de vezelige band aan de haak was bevestigd. Elke lijn en zijn anker leken één geheel te zijn.

Aangezien hij een hoofdenrover was, had de Misleider achter me vast een vervaarlijk mes bij zich, misschien een machete, waarmee ik broeder Timothy zou kunnen lossnijden. Hij zou me niets doen als ik hem uitlegde dat Tommy Cloudwalker en ik vrienden waren. Ik kon hem geen sigaretten aanbieden, maar had wel kauwgom bij me, een paar staafjes Black Jack.

Toen ik een rukje gaf aan een van de lijnen waaraan de dode monnik hing om te zien hoeveel spanning erop stond, bleek die groter dan ik had verwacht, de band stond zo strak als een vioolsnaar.

Het vezelige materiaal bracht een valse toon voort. Ik had er maar één aangeraakt, maar een tel later begonnen ook de twaalf andere banden te trillen en die brachten spookachtige muziek voort die deed denken aan een theremin.

Ik kreeg er kippenvel van, ik voelde hete adem in mijn nek, ik rook een walgelijke lucht en ik wist dat dit irrationele angst was, een reactie op de huiveringwekkende toestand van broeder Timothy en de verontrustende tonen van theremin-achtige muziek. Maar toch draaide ik me om, ik draaide me om, nijdig omdat ik me zo makkelijk in de luren liet leggen door mijn fantasie draaide ik me dapper om naar de mij bedreigende Misleider.

Hij stond niet achter me. Er stond niets achter me behalve Boo, die me aankeek met een uitdrukking van verbijstering die mijn schaamte deed verharden tot een diamant-felle schittering.

Toen het kille geluid van de dertien banden wegstierf, richtte ik mijn aandacht weer op broeder Timothy, en op het moment dat ik opkeek naar zijn gezicht, gingen zijn ogen open.

32

Om precies te zijn: broeder Timothy's oogleden gingen omhoog, maar hij kon zijn ogen niet opendoen omdat hij geen ogen meer had. In zijn oogkassen zaten identieke caleidoscopische patronen van nietige beenachtige vormen. Het patroon in de linkeroogkas opaliseerde tot nieuwe vormen, het patroon in de rechteroogkas deed hetzelfde, en toen veranderden ze allebei in volmaakte synchronisatie.

Het leek me raadzaam om een stap achteruit te doen.

Zijn tong- en tandeloze mond viel open. In de gapende holte van zijn stille schreeuw zag ik een uit lagen opgebouwde constructie van benige vormen, onderling verbonden op manieren die analyse en beschrijving tartten, kronkelend en draaiend en zich naar voren werpend en zich weer naar binnen vouwend, alsof hij probeerde een kolonie levende spinachtige dieren met een harde schaal, die weigerden opgegeten te worden, door te slikken.

De huid scheurde vanaf zijn mondhoeken tot aan zijn oren. Zonder ook maar een druppel bloed rolde zijn bovenlip zich op, zoals je het dekseltje van een sardineblikje met een draai aan een sleuteltje oprolt, en de onderkant van zijn gezicht rolde zich op over zijn kin.

Terwijl het duidelijk de opzet was geweest de spot te drijven met de kruisiging van Christus, was het lichaam van broeder Timothy tegelijk een pop geweest waaruit zich iets wat stukken minder bekoorlijk was dan een vlinder probeerde te bevrijden.

Onder het laagje van een gezicht lag de volheid van dat waarvan ik in de oogkassen, in de gapende mond slechts een glimp had opgevangen: een fantasmagorie van benige vormen, met elkaar verbonden door scharniergewrichten, draaigewrichten, ellipsoïdale gewrichten, kogelgewrichten en gewrichten waarvoor geen naam bestond en die in deze wereld niet natuurlijk waren.

De verschijning leek een solide massa botten die zo nauw met elkaar verbonden waren dat ze met elkaar versmolten moesten zijn, zo dicht opeengepakt dat ze geen ruimte konden hebben om zich te bewegen. En toch bogen en draaiden en zwenkten ze. Sterker nog, ze leken zich niet alleen in drie dimensies te bewegen, maar in vier, in een niet-aflatend vertoon van behendigheid die verbijstering en verwondering wekte.

Stelt u zich eens voor dat heel het universum en de tijd van altijd door een eeuwige tandwielkast in de juiste stand en in perfect evenwicht worden gehouden, en stel u dan eens voor dat u in die tandwielkast naar binnen kijkt, naar dat ingewikkelde mechanisme. Dan zult u een idee hebben van mijn verbijstering, ontzag en ontzetting terwijl ik voor het *Über*-skelet stond dat kolkte en tikte en zich samentrok en klikte en de ragfijne resten van broeder Tim van zich afpelde.

Iets bewoog zich energiek onder het habijt van de dode monnik.

Als ik popcorn, Pepsi en een gemakkelijke stoel tot mijn beschikking had gehad, zou ik misschien zijn gebleven. Maar de koeltoren was een ongastvrije plek, stoffig en tochtig, en er werden geen drankjes en lekkere hapjes aangeboden.

Bovendien had ik een afspraak met de Hoosier bibliotheca-ris-cakebakker in de garage van de school. Ik heb er een hekel aan om te laat te komen voor een afspraak. Te laat komen is ongemanierd.

Een pin schoot de muur uit. De vezelige band rolde zich op en in een oogwenk was de wig in de caleidoscopische bottenverzameling opgenomen en maakte deze er deel van uit. Een tweede pin schoot los en werd door de band binnengehaald.

Dit gedrocht dat op het punt stond het levenslicht te zien, hoefde niet op een ezeltje naar Bethlehem om geboren te worden. Scherpe witte lemmeten sneden van binnenuit door het habijt en scheurden het aan flarden. Er was geen Rosemary nodig, het was nergens voor nodig om jaren als baby te verspillen.

Het tijdstip was aangebroken om óf de zwarte kaarsen aan te steken en vol bewondering in gezang uit te barsten – óf om te maken dat ik hier wegkwam.

Boo was 'm al gesmeerd. Ik ging er als een haas vandoor.

Ik trok de deur dicht tussen de koeltoren en de dienstgang en knoeide onhandig met mijn sleutel voor ik besefte dat het slot alleen mensen buiten hield, dat ik niemand kon opsluiten.

De honderdvijfentwintig meter naar de school leken onmetelijke kilometers, de rij in de verte verdwijnende plafondlampen leek tot Pittsburgh en nog verder door te lopen.

Boo was al niet meer te zien. Misschien had hij een kortere weg door een andere dimensie naar de ketelruimte van de school genomen.

Ik wenste dat ik me aan zijn staart had vastgehouden.

33

Toen ik zo'n dertig meter al rennend had afgelegd hoorde ik de deur van de koeltoren met een klap opengaan. De slag dreunde als een geweerschot door de dienstgang.

Het bestaan van Tommy Cloudwalkers Mojave-makker, het boegbeeld van de antirookcampagne 'De gevaren van roken', leek waarschijnlijker dan het bestaan van de duivel in skeletvorm die nu zijn zinnen op míjn botten had gezet. Maar angst voor dit wezen was *rationele* angst.

Broeder Timothy was innemend, aardig en godvruchtig geweest, maar kijk eens wat hém is overkomen. Een onnut, werkloos, wijsneuzig exemplaar als ik, dat nog nooit gebruik had gemaakt van zijn kostbare Amerikaanse stemrecht, dat een complimentje in zijn zak had gestoken ten koste van wijlen James Dean, zou een nog gruwelijker lot moeten verwachten dan Tim ten deel was gevallen, al kon ik me niet voorstellen wat dat zou kunnen zijn.

Ik wierp een blik over mijn schouder.

Terwijl het op me afkwam door poelen van afwisselend schaduw en licht was de voortbewegingsmethode van mijn achtervolger niet duidelijk te onderscheiden, al waren het geen passen die het wezen op een dansschool had geleerd. Het leek een deel van zijn talrijke botten samen te voegen tot korte, dikke poten, maar die poten hadden niet allemaal dezelfde constructie en bovendien bewogen ze onafhankelijk van elkaar, waardoor ze elkaar tegenwerkten zodat het begerige wezen strompelde.

Ik bleef in beweging, wierp keer op keer een blik over mijn schouder, maar bleef niet staan om alles te overdenken en aantekeningen te maken van mijn indruk van het gedrocht, maar achteraf gezien geloof ik dat ik nog het meest verontrust was toen ik zag dat het niet over de vloer op me afkwam, maar in de overgang van het plafond en de rechtermuur. Het was een klimmer, wat betekende dat de verblijven van de kinderen op de eerste verdieping moeilijker te beveiligen zouden zijn dan ik had gehoopt.

Bovendien leek de hele structuur van het wezen niet-aflatend te draaien, alsof het zich voorwaarts boorde, als een avegaar door hout. Het woord *machine* kwam weer in me op, net als toen ik voor het raam van de ontvangstruimte een ander exemplaar van deze wezens zich had zien transformeren in het ene ingewikkelde patroon na het andere.

Mijn achtervolger struikelde weer, verloor zijn houvast en kletterde langs de muur naar de vloer. Scharende krikken van bot krikten het omhoog en het zette de achtervolging weer in, gretig, maar onzeker.

Misschien leerde het zijn vaardigheden zoals elke pasgeborene. Misschien was dit een kodakmoment: baby's eerste stapjes.

Tegen de tijd dat ik de kruising met de gang die klaarblijkelijk naar de nieuwe abdij voerde, bereikte, was ik ervan overtuigd dat ik het wezen voor zou kunnen blijven – tenzij zijn leercurve erg steil was.

Toen ik nog eens achteromkeek, zag ik dat het niet alleen onbeholpen was, maar dat het ook doorzichtig was geworden. Het licht van de plafondlampen speelde niet meer over zijn contouren, maar leek erdoorheen te schijnen, alsof het uit troebel glas bestond.

Heel even, toen het wankelend tot stilstand kwam, dacht ik dat het in het niets zou oplossen, in het geheel niet als een machine, maar als een geest. Toen verdween de doorzichtigheid en werd het weer vast, en schoot het weer voorwaarts.

Een bekend geweeklaag trok mijn aandacht naar de kruisende gang. Ver helling opwaarts gaf een ander exemplaar van deze wezens, met de stem die ik eerder in de storm had gehoord, uiting aan zijn oprechte verlangen naar een tête-à-tête met mij.

Vanaf deze afstand kon ik niet zeker zijn van zijn omvang, maar ik vermoedde dat het aanzienlijk groter was dan de schoonheid die uit de pop tevoorschijn was gekomen. Zijn bewegingen waren zeker, gracieus, glijdend zonder het voordeel van sneeuw, zijn poten draaiden in een foutloos ritme en met de snelheid van een duizendpoot.

Dus deed ik een van de dingen waar ik in uitblink: ik zette het op een lopen alsof de duivel me op de hielen zat.

Ik had maar twee benen in plaats van honderd en ik droeg skischoenen terwijl ik wenste dat ik op sportschoenen met een luchtkussenbinnenzool liep, maar ik had het voordeel van tomeloze vertwijfeling en de energie die de voortreffelijke sandwich die zuster Regina Marie voor me had klaargemaakt, me verschafte. Ik wist bijna voor Satan en Satan junior, of wat ze ook mochten zijn, de veiligheid van de ketelruimte te bereiken.

Toen strengelde zich iets om mijn voeten. Ik slaakte een kreet, viel en krabbelde onmiddellijk weer overeind, uithalend naar mijn aanvaller tot ik besefte dat het het doorgestikte thermische jack was dat ik eerder had uitgetrokken omdat het zo'n fluitend geluid maakte.

Alsof een dansgroep van opgewonden skeletten de laatste maten van de finale van de voorstelling uitdanste, zo zwol het geklikklak van mijn achtervolger tot een crescendo aan.

Ik draaide me om en stond oog in oog met het wezen.

Het regiment poten, anders dan die van een zandkrekel, maar even afzichtelijk, kwam klepperend tot stilstand. De voorste helft van de bijna vier meter grote knokkelige, knobbelige, ribbelige verschijning kwam met slangachtige gratie omhoog van de vloer.

Zoals ik al zei, we stonden oog in oog, of zouden dat hebben gedaan als ik niet de enige was geweest die ogen had.

De tot een ingewikkeld geheel samengevoegde botten vormden patronen die opbloeiden, verwelkten en werden vervangen door nieuwe vormen en patronen, maar met een tikloze, klikloze, kwikzilverige stilheid.

Dit geruisloze vertoon was bedoeld als demonstratie van zijn absolute en bovennatuurlijke beheersing van zijn fysiologie en om mij met schrik te vervullen en me in te peperen dat ik daarmee vergeleken wel bijzonder zwak was. Net als toen ik het door het raam had gadegeslagen, bespeurde ik een buitensporige ijdelheid in zijn vertoning van zichzelf, een arrogantie die griezelig menselijk was, een pompeusheid en eigendunk die boven ijdelheid uitstegen en eigenlijk snoeverij genoemd mochten worden.

Ik deed een stap achteruit en nog een. 'Lik me reet, vuile klootzak.'

Als een razende roeland viel het me aan, ijskoud en meedogenloos. Ontelbare boven- en onderkaken knaagden, gespoorde hielbeentjes reten, stilettoscherpe vinger- en teenkootjes groefden, een zweepachtige ruggengraat met gehaakte en scheermesscherpe wervels haalde me open van mijn buik tot aan mijn keel, mijn blootgelegde hart werd verscheurd, en het enige wat ik daarna nog voor de kinderen van St. Bartholomew's School kon doen was beperkt tot de eventuele macht die ik als een van de talmende doden zou hebben.

Ja, zo slecht had het met me kunnen aflopen, maar eerlijk gezegd heb ik tegen u gelogen. Maar de waarheid is vreemder dan de leugen, zij het aanzienlijk minder traumatisch.

Alles in mijn relaas is waar tot en met het punt waarop ik tegen die zak botten zei dat hij mijn reet kon likken. Na hem die hartgrondig gemeende vulgariteit te hebben toegevoegd, deed ik nog een stap achteruit, en toen nog een.

Omdat ik ervan overtuigd was dat ik toch niets te verliezen had, dat mijn leven toch al verbeurd was, draaide ik de verschijning dapper de rug toe. Ik liet me op mijn handen en knieën vallen en kroop door de vierkante opening tussen de dienstgang en de ketelruimte.

Ik verwachtte dat het wezen mijn voeten zou vastgrijpen en me terug zou trekken naar zijn domein. Toen ik heelhuids de ketelruimte bereikte, liet ik me omrollen en schoof op mijn rug weg van de doorgang in de muur omdat ik verwachtte een graaiend, scharend, benig aanhangsel door de opening te zien komen.

Er rees achter de muur geen geweeklaag op, maar evenmin het geklikklak van een aftocht, al is het mogelijk dat het gerommel van de pompen in de ketelruimte alles behalve de luidste geluiden zal hebben overstemd.

Ik luisterde naar mijn onstuimig bonzende hart, dolgelukkig dat ik het nog had. En al mijn vingers, al mijn tanden, mijn kostbare milt en beide billen.

Gezien het vermogen van die wandelende bottenverzameling zich in oneindig veel variaties te manifesteren, zag ik geen reden waarom het wezen niet de ketelruimte binnen zou komen. Zelfs in zijn huidige configuratie zou het makkelijk door de opening hebben gepast.

Als het wezen binnenkwam, had ik geen wapen om het van me af te houden. Maar als ik er niet in slaagde het tegen te houden, zou ik het toegang tot de school verlenen, waar de meeste kinderen op dit moment aan de lunch zaten in het refectorium op de benedenverdieping en de overige in hun kamer op de eerste verdieping.

Ik sprong overeind en rukte, hoe dwaas en ontoereikend dit ook naar mijn gevoel was, een brandblusser van de muur en hield hem gereed, alsof ik die strijdlustige bottenbundel met een nevel ammoniumfosfaat zou kunnen doden, zoals in die slechte sciencefictionfilms van vroeger, waarin de held steevast in de voorlaatste scène ontdekt dat het destructieve en klaarblijkelijk onverwoestbare monster kan worden opgelost in iets zo alledaags als zout of bleekwater of naar lavendel geurende haarlak.

Ik kon niet eens met zekerheid zeggen dat dit wezen leefde zoals mensen, dieren en insecten of zelfs planten leven. Ik kon niet verklaren hoe een driedimensionale collage van botten, hoe verbazingwekkend complex die ook mocht lijken, kon leven terwijl hij geen vlees, bloed of zichtbare zintuigen had. En als hij niet leefde kon hij niet gedood worden.

Ik kon er evenmin een bovennatuurlijke verklaring voor bedenken. In geen enkele theologie van om het even welke hoofdreligie wordt gewag gemaakt van het bestaan van een entiteit als deze, net zomin als in enige overlevering waarmee ik bekend was.

Boo kwam tussen de ketels vandaan. Hij keek met aandacht naar mij en mijn ammoniumfosfaatnevelwapen. Hij ging zitten, hield zijn kop schuin en grijnsde. Zo te zien vond hij me erg grappig.

Gewapend met de brandblusser en, als dat niet lukte, met alleen nog een paar staafjes Black Jack-kauwgom, hield ik een minuut, twee minuten, drie minuten stand. Er kwam niets door de opening in de muur. Niets stond me op te wachten op de drempel, ongeduldig tikkend met zijn vleesloze tenen.

Ik zette de brandblusser neer.

Drie meter van de opening ging ik op mijn handen en knieën zitten om de gang in te turen. Ik zag de verlichte betonnen gang in de richting van de koeltoren steeds kleiner worden, maar niets wat maakte dat ik de Ghostbusters wilde bellen.

Boo liep dichter naar de opening dan ik durfde, keek de gang in, en keek toen mij aan, verbijsterd.

'Weet ik veel,' zei ik. 'Ik snap er niks van.'

Ik zette het roestvrijstalen paneel weer op zijn plaats voor de doorgang. Terwijl ik de eerste bout aandraaide met het daarvoor bestemde stuk gereedschap verwachtte ik dat er iets tegen de andere kant zou rammen, het paneel weg zou rukken en me de ketelruimte uit zou sleuren. Er gebeurde niets.

Ik weet niet wat het bottenbeest had weerhouden met mij te doen wat het met broeder Timothy had gedaan, maar ik weet zeker dat het de bedoeling had gehad mij te grazen te nemen. En ik weet bijna zeker dat mijn belediging – *lik me reet, vuile klootzak* – het niet pruilend, met gekwetste gevoelens, had doen afdruipen.

34

Rodion Romanovich kwam naar de garage, gekleed in een fraaie berenmuts, een witzijden sjaal, een gevoerde driekwartjas van zwart leer met een bontkraag en bontmanchetten en – uiteraard – kniehoge rubberlaarzen met rits. Hij zag eruit alsof hij zich had gekleed voor een rit in de arrenslee met de tsaar.

Na mijn ervaring met de dravende bottenverzameling lag ik op mijn rug op de vloer, starend naar het plafond. Ik deed mijn best tot bedaren te komen, wachtend tot mijn benen ophielden met trillen en hun kracht hervonden.

Hij keek op me neer en zei: 'U bent een zonderling jongmens, meneer Thomas.'

'Ja, meneer. Dat weet ik.'

'Wat doet u daar?'

'Bijkomen van de schrik.'

'Wat heeft u doen schrikken?'

'Een plotseling besef van mijn sterfelijkheid.'

'Had u nooit eerder beseft dat u sterfelijk bent?'

'Jawel, meneer, dat besef ik al een tijdje. Ik werd alleen, nou ja, overweldigd door een besef van het onbekende.'

'Welk onbekende, meneer Thomas?'

'Het grote onbekende, meneer. Ik ben niet een bij uitstek gevoelig persoon. Het kleine onbekende brengt me niet van mijn stuk.'

'Hoe kan op een garagevloer liggen u een hart onder de riem steken?'

'De watervlekken op het plafond zijn prachtig. Ze brengen me tot rust.'

Hij keek naar het beton boven zijn hoofd en zei: 'Ik vind ze lelijk.'

'Nee, echt niet. Al die zachte schakeringen van grijs en zwart en roest, een zweem van groen, die zo mooi in elkaar overlopen, allemaal vrije vormen, niets met de scherpe belijning en onbuigzaamheid van bot.'

'Bot, zegt u?'

'Ja, meneer, dat zei ik. Is dat een berenmuts, meneer?'

'Ja. Ik weet dat het niet politiek correct is om bont te dragen, maar ik weiger me er tegenover wie dan ook voor te verontschuldigen.'

'Goed zo, meneer. Ik durf te wedden dat u de beer eigenhandig hebt gedood.'

'Bent u een dierenactivist, meneer Thomas?'

'Ik heb niets tegen dieren maar ik heb het doorgaans te druk om in demonstraties ten gunste van hen mee te lopen.'

'Dan zal ik u vertellen dat ik inderdaad de beer heb gedood waarvan deze muts is gemaakt en die het bont heeft geleverd voor de kraag en de manchetten van deze jas.'

'Je zou denken dat er uit zo'n beer veel meer te halen valt.'

'Mijn garderobe telt nog andere artikelen van bont, meneer Thomas. Ik vraag me af hoe u wist dat ik de beer heb gedood.'

'Ik wil u niet beledigen, meneer, maar behalve het bont voor diverse kledingstukken hebt u ook iets van de geest van de beer in u opgenomen toen u hem doodde.'

Vanuit mijn extreme perspectief waren zijn vele fronsrimpels net afschuwelijke donkere sabellittekens. 'Dat klinkt new age, niet katholiek.'

'Ik bedoel het in overdrachtelijke zin, niet letterlijk, meneer, en met enige ironie.'

'Toen ik zo oud was als u, kende ik de luxe van ironie niet. Bent u nog van plan om op te staan?'

'Zo dadelijk, meneer. Eagle Creek Park, Garfield Park, White River State Park – Indianapolis heeft een paar bijzonder aardige parken, maar ik wist niet dat daar beren rondliepen.'

'Zoals u ongetwijfeld zult beseffen heb ik als jongeman in Rusland de beer neergeschoten.'

'Ik vergeet steeds dat u een Rus bent. Wauw, in Rusland zijn bibliothecarissen heel wat stoerder dan hier, dat ze op beren jagen en zo.'

'Het was een moeilijke tijd. Het was de Sovjettijd. Maar ik was in Rusland geen bibliothecaris.'

'Zelf zit ik ook midden in een carrièreverandering. Wat was u in Rusland?'

'Begrafenisondernemer.'

'O ja? U balsemde dus mensen en zo.'

'Ik maakte mensen gereed voor de dood, meneer Thomas.'

'Dat is een vreemde manier om het te beschrijven.'

'Nee, hoor. Zo zeiden we dat in mijn vaderland.' Hij sprak een paar woorden Russisch en vertaalde toen wat hij had gezegd: '"Ik ben begrafenisondernemer. Ik maak mensen gereed voor de dood." Tegenwoordig ben ik natuurlijk bibliothecaris bij de Indiana State Library tegenover het Capitool, op 140 North Senate Avenue.'

Ik bleef even zwijgend liggen. Toen zei ik: 'U bent behoorlijk curieus, meneer Romanovich.'

'Maar hopelijk niet grotesk.'

'Daar ben ik nog niet uit.' Ik wees naar de tweede SUV. 'U rijdt met die wagen. De sleutels vindt u in een kastje daar aan de muur; de sleutels zijn gelabeld.'

'Heeft uw bespiegeling van de vlekken op het plafond uw angst voor het grote onbekende afgezwakt?'

'Zo veel als kon worden verwacht, meneer. Wilt u misschien een paar minuten uittrekken om ze te overdenken?'

'Nee dank u, meneer Thomas. Het grote onbekende verontrust mij niet.' Hij liep naar het kastje om de sleutels te pakken.

Toen ik overeind kwam, stond ik vaster op mijn benen dan recentelijk.

Ozzie Boone, een honderdtachtig kilo zware schrijver van detectiveromans, stuk voor stuk bestsellers, mijn vriend en mentor in Pico Mundo, heeft me op het hart gedrukt de toon van deze biografische manuscripten luchtig te houden. Hij is van mening dat pessimisme is voorbehouden aan mensen met een overmaat aan onderricht en gebrek aan fantasie. Ozzie vertelt me dat melancholie een genotzuchtige vorm van droefheid is. Door op een ononderbroken duistere wijze te schrijven, waarschuwt hij, loopt de schrijver het risico duisternis in zijn

hart te cultiveren en precies zo te worden als dat wat hij af-
keurt.

Rekening houdend met de gruwelijke dood van broeder
Timothy, de afschuwelijke ontdekkingen die in dit verhaal nog
onthuld zullen worden en de naderende zware verliezen betwijfel ik of de toon van dit relaas half zo luchtig zou zijn als
Rodion Romanovich er geen rol in had gespeeld. Ik bedoel niet
dat hij een toffe peer bleek te zijn. Ik bedoel alleen maar dat
hij gevat was.

Het enige wat ik vandaag de dag van de godin van het lot
vraag is dat de mensen die ze mijn leven binnenslingert, of die
nu goed of slecht zijn of in moreel opzicht bipolair, tot op ze-
kere hoogte vermakelijk zijn. Dit is veel gevraagd van de druk-
bezette lotsgodin, die miljarden levens in een niet-aflatende
staat van beroering moet houden. De meeste goede mensen
hebben gevoel voor humor. Het probleem is slechte mensen te
vinden die een glimlach oproepen, aangezien met hen doorgaans weinig te lachen valt, al krijgen ze in films dikwijls de
beste tekst. Op enkele uitzonderingen na hebben in moreel opzicht bipolaire mensen het te druk met het rechtvaardigen van
hun tegenstrijdige gedragingen om te leren om zichzelf te lachen, en het is me opgevallen dat ze meer óm dan mét andere mensen lachen.

Stoer, het gezicht onder de bontmuts zo ernstig als gepast
voor een man die mensen gereedmaakt voor de dood, liep Rodion Romanovich met de sleutels naar de tweede suv.

'Meneer Thomas, iedere wetenschapper zal u vertellen dat
veel systemen in de natuur chaotisch schijnen, maar wanneer
je ze lang genoeg grondig bestudeert, blijkt er altijd sprake te
zijn van een zonderlinge onderliggende orde.'

Ik zei: 'Asjemenou.'

'De winterstorm waarin we ons zo direct wagen zal chaotisch lijken – de veranderlijke wind, de kolkende sneeuw en de
helderheid die meer verhult dan onthult – maar als u dit alles
niet op het niveau van een meteorologische gebeurtenis maar
op een microschaal van fluïdum-, partikel- en energieflux zou
kunnen bekijken, zou u een schering en inslag zien die doet
denken aan een hecht weefsel.'

'Ik heb mijn microschaalbril op mijn kamer laten liggen.'

'Als u het op atomair niveau zou bekijken, zou de gebeurtenis misschien weer chaotisch lijken, maar doorgaand naar het subatomaire niveau, zien we weer zonderlinge orde, een nog ingewikkelder patroon dan schering en inslag. Altijd, onder elke schijnbare chaos, ligt orde te wachten om onthuld te worden.'

'U hebt mijn sokkenla nog nooit gezien.'

'Wij tweeën lijken misschien bij louter toeval allebei op dit tijdstip op deze plek te zijn, maar zowel een eerlijk wetenschapper als een ware man van het geloof zal u vertellen dat het toeval niet bestaat.'

Ik schudde mijn hoofd. 'Op die school voor begrafenisondernemers worden de leerlingen behoorlijk aan het denken gezet.'

Geen vlekje of kreukel ontsierde zijn kleren en zijn rubberlaarzen glansden als lakleer.

Zijn gezicht was een masker van perfecte orde: stoïcijns, doorgroefd en solide.

Hij zei: 'U kunt zich de moeite besparen me naar de naam van de school voor begrafenisondernemers te vragen, meneer Thomas. Die heb ik niet bezocht.'

'Dit is voor het eerst dat ik iemand tegenkom,' zei ik, 'die zonder vergunning heeft gebalsemd.'

Zijn ogen onthulden een orde die nog nauwgezetter was dan de orde die uit zijn kleren en gezicht sprak.

Hij zei: 'Ik heb een vergunning gekregen zonder de noodzaak voor scholing. Ik had een aangeboren talent voor het vak.'

'Sommige kinderen worden geboren met een absoluut gehoor of met een wiskundeknobbel en u werd geboren met de kennis die nodig is om mensen voor de dood gereed te maken.'

'Dat is volkomen juist, meneer Thomas.'

'U moet wel afstammen van een in genetisch opzicht interessant geslacht.'

'Ik vermoed,' zei hij, 'dat uw familie en de mijne even onconventioneel zijn.'

'Ik heb de zus van mijn moeder, tante Cymry, nooit ontmoet, maar volgens mijn vader is ze een gevaarlijke mutant die ze ergens hebben opgeborgen.'

De Rus haalde zijn schouders op. 'Toch zou ik er veel onder durven verwedden dat onze families gelijkwaardig zijn. Zal ik voorgaan of rijd ik achter u aan?'

Als er op een niveau onder kleding en gezicht en ogen chaos in hem school, moest dat in zijn geest zijn. Ik vroeg me af wat voor zonderlinge orde daaronder zou kunnen liggen.

'Meneer, ik heb nog nooit in sneeuw gereden. Ik zou niet weten hoe ik onder al die sneeuw de weg tussen hier en de abdij moet vinden. Ik zou op intuïtie moeten ploegen – al breng ik het er op die manier doorgaans heel goed af.'

'Met alle respect, meneer Thomas, ik geloof dat ervaring boven intuïtie gaat. Rusland is een wereld van sneeuw en ik ben zelfs tijdens een sneeuwstorm geboren.'

'Tijdens een sneeuwstorm, in een mortuarium?'

'Nee, in een bibliotheek.'

'Was uw moeder bibliothecaresse?'

'Nee,' zei hij. 'Ze was sluipmoordenaar.'

'Sluipmoordenaar.'

'Dat klopt.'

'Bedoelt u dat figuurlijk of letterlijk, meneer?'

'Beide, meneer Thomas. Houd alstublieft een veilige afstand als u achter me rijdt. Zelfs met vierwielaandrijving en sneeuwkettingen is er altijd gevaar voor slippen.'

'Ik heb het gevoel dat ik de hele dag al aan het slippen ben. Ik zal voorzichtig zijn.'

'Als u begint te slippen, draai dan het stuur in de richting van de slip. Probeer niet het voertuig uit de slip te trekken. En alleen zachtjes remmen.' Hij liep naar de andere suv en opende het portier aan de bestuurderskant.

Voor hij achter het stuur schoof, zei ik: 'Meneer, doe uw portieren op slot. En als u in de storm iets vreemds ziet, stap niet uit om te kijken wat het is. Gewoon doorrijden.'

'Iets vreemds? Zoals wat?'

'O, u weet wel, om het even wat voor iets vreemds. Zeg maar een sneeuwpop met drie hoofden, bijvoorbeeld, of iemand die misschien mijn tante Cymry zou kunnen zijn.'

Romanovich had met zijn blik een appel kunnen schillen.

Met een zwaai van mijn hand wenste ik hem succes en toen

stapte ik in mijn suv, en even later stapte hij in zijn voertuig.

Hij reed om me heen naar de onderkant van de schuine oprit en ik volgde.

Hij gebruikte zijn afstandsbediening en boven aan de helling begon de grote deur omhoog te rollen.

Achter de garage lag een chaos van naargeestig licht, gierende wind en een aanhoudende lawine van vallende sneeuw.

35

Voor me reed Rodion Romanovich de garage uit, de hamerende wind en versplinterde sneeuw binnen, en ik deed mijn koplampen aan. Het verdronken daglicht had die nodig in deze gevederde regen.

Toen de lichtbundels de matwitte sneeuwgordijnen deden sprankelen, materialiseerde Elvis zich op de passagiersplaats, alsof ik ook hem had ingeschakeld.

Hij was gekleed in het duikerpak uit de film *Easy Come, Easy Go*, waarin hij een kikvorsman bij de marine had gespeeld, mogelijk omdat hij vond dat ik wel wat opvrolijking kon gebruiken.

De zwarte neopreen kap zat strak om zijn hoofd en bedekte zijn haar, zijn oren en zijn voorhoofd tot net boven de wenkbrauwen. Door deze omlijsting werd de zinnelijke uitstraling van zijn gelaatstrekken op een eigenaardige manier versterkt, maar het effect was niet in zijn voordeel. Hij leek meer op een schattige Kewpie-pop met gewelfde lippen die de een of andere pervert een bondagepak had aangetrokken dan op een kikvorsman van de marine.

'Jeetje, man, die film,' zei ik. 'Daarmee heb je het woord *belachelijk* nieuwe betekenis gegeven.'

Hij lachte geluidloos, deed net of hij met een harpoengeweer op me schoot en liet het duikerpak vloeiend overgaan in het Arabische kostuum dat hij in *Harum Scarum* had gedragen.

'Je hebt gelijk,' beaamde ik, 'die film was nog erger.'

In zijn muziek was hij het summum van cool geweest, maar in zijn films dikwijls een zelfparodie, te gênant om aan te zien. Kolonel Parker, zijn manager, die filmscripts voor Elvis had uitgekozen, had hem daarmee een minder goede dienst bewezen dan de monnik Raspoetin tsaar Nicolaas en Alexandra.

Ik reed de garage uit, stopte en drukte op de afstandsbediening om de deur achter me te sluiten.

In de achteruitkijkspiegel keek ik toe tot de deur helemaal dicht was, klaar om het voertuig in zijn achteruit te schakelen en om het even welke uit een nachtmerrie ontsnapte griezel die probeerde de garage binnen te gaan omver te rijden.

Romanovich, die kennelijk door middel van een logische analyse van de topografie foutloos het traject van de oprit berekende, ploegde noordnoordwestwaarts en legde het wegdek bloot terwijl hij in een lichte bocht tegen de helling opreed.

In zijn spoor viel een deel van de weggeschoven sneeuw terug op het wegdek. Ik liet mijn ploeg zakken tot vlak boven het asfalt en ruimde achter hem op. Ik hield de verlangde veilige afstand, niet alleen uit respect voor zijn ervaring, maar ook omdat ik niet wilde dat hij me aan zijn moeder, de sluipmoordenaar, zou rapporteren.

De wind gilde alsof er een tiental met doedelzakken begeleide Schotse begrafenissen aan de gang was. Heftige vlagen deden de suv schudden en ik was blij dat het een verlengd model was met een lager zwaartepunt en dat het voertuig door de zware ploeg extra vast op de weg lag.

De sneeuw was zo droog en de wind zo niet-aflatend krachtig dat niets aan de voorruit bleef kleven. Ik schakelde de ruitenwissers niet in.

Terwijl ik met mijn blik afwisselend de helling voor mij scande en in de spiegels achter me keek, verwachtte ik een of misschien meer dan een van die bottenmonsters in de sneeuwstorm te zien ronddartelen. De witte maalstromen verhinderden het zicht bijna even effectief als een zandstorm in de Mojave, maar de scherpe geometrische lijnen van de wezens zouden genoeg moeten afsteken in dit relatief zachte sneeuwlandschap om de aandacht te trekken.

Op de suv's na bewoog niets, behalve dat wat de wind voortjoeg. Zelfs enkele grote bomen langs de route, pijnbomen en sparren, waren zo zwaar met sneeuw beladen dat de takken nauwelijks trilden uit eerbied voor de harde wind.

Op de passagiersplaats zat Elvis, die nu opeens blond was,

gehuld in de werkschoenen, de spijkerbroek met ongelijke pijpen en het geruite shirt die hij in *Kissin' Cousins* had gedragen. In die film had hij een dubbelrol gehad: een donkerharige luchtmachtofficier en een blondharige *hillbilly*.

'In de echte wereld zie je niet veel blonde hillbillies,' zei ik, 'vooral niet met perfecte tanden, zwarte wenkbrauwen en getoupeerd haar.'

Hij deed net of hij een extreme overbeet had en keek er scheel bij in een poging de rol een *Deliverance*-effect mee te geven.

Ik moest lachen. 'Tjongejonge, je bent de laatste tijd wel veranderd, zeg. Je hebt nooit zo makkelijk kunnen lachen over de slechte keuzes die je hebt gemaakt.'

Hij leek even na te denken over wat ik had gezegd en toen wees hij naar mij.

'Wat?'

Hij grijnsde knikkend.

'Vind je me grappig?'

Hij knikte weer, maar schudde toen zijn hoofd, alsof hij wilde zeggen dat hij me wel grappig vond maar dat hij dat niet had bedoeld. Hij trok een ernstig gezicht en wees nog eens naar mij en toen naar zichzelf.

Als hij bedoelde wat ik dacht, dan voelde ik me gevleid. 'De persoon die mij heeft geleerd om mijn dwaasheid te lachen, was Stormy.'

Hij keek in de achteruitkijkspiegel naar zijn blonde haar, schudde zijn hoofd en lachte weer geluidloos.

'Wanneer je om jezelf lacht, win je aan perspectief. Dan ga je beseffen dat de fouten die je hebt gemaakt, zolang je daarmee niemand hebt gekwetst dan jezelf – nou ja, dat je jezelf die kunt vergeven.'

Hij dacht daar even over na en stak toen als teken van instemming zijn duim omhoog.

'Weet je wat? Iedereen die naar gene zijde overgaat beseft opeens, als hij of zij het niet voor die tijd al wist, op welke duizend manieren hij of zij in deze wereld dwaas heeft gehandeld. Dus iedereen daar begrijpt iedereen hier beter dan we onszelf begrijpen – en vergeeft ons onze dwaasheid.'

Hij wist dat ik bedoelde dat zijn teerbeminde moeder hem

met een verrukte lach zou begroeten, niet met teleurstelling en zeker niet met schaamte. In zijn ogen welden tranen op.

'Denk daar maar eens over na,' zei ik.

Hij beet op zijn onderlip en knikte.

Uit mijn ooghoek ving ik een glimp op van een snelle aanwezigheid in de storm. Mijn hart maakte een sprongetje en ik draaide mijn hoofd om naar de beweging, maar het was Boo maar.

Met hondse uitbundigheid leek hij bijna de helling op te schaatsen, genietend van het winterse spektakel, niet gehinderd door het vijandige landschap en evenmin een storend element daarin, een witte hond die door een witte wereld rende.

We reden langs de achterkant van de kerk en verder naar de ingang van het gastenverblijf, waar de broeders ons zouden opwachten.

Elvis had zijn zorgvuldig gekapte hillbilly-uiterlijk verruild voor dat van een arts. Hij droeg een witte doktersjas en een stethoscoop om zijn hals.

'Hé, da's waar ook. Je hebt in een film met nonnen gespeeld. Je was arts. *Change of Habit*. Mary Tyler Moore speelde een non. Niet wat je noemt een onsterfelijke film, misschien niet helemaal op het niveau Ben Affleck-Jennifer Lopez, maar ook niet enorm onnozel.'

Hij legde zijn rechterhand over zijn hart en maakte een kloppend gebaar om een snelle hartslag aan te geven.

'Hield je van Mary Tyler Moore?' Toen hij knikte, zei ik: 'Iedereen hield van Mary Tyler Moore. Maar in het echte leven waren jullie alleen maar vrienden, toch?'

Hij knikte. Alleen maar vrienden. Hij maakte nog eens het kloppende gebaar. Alleen maar vrienden, maar hij had van haar gehouden.

Rodion Romanovich remde af en stopte voor de ingang van het gastenverblijf.

Toen ik langzaam doorreed tot vlak achter de Rus, stopte Elvis de oordopjes van de stethoscoop in zijn oren en drukte het plaatje op mijn borst, alsof hij mijn hartslag beluisterde. Zijn blik was veelbetekenend en gekleurd door droefheid.

Ik schakelde naar de parkeerstand, trapte op de rem en zei:

'Jongen, maak je om mij nou maar geen zorgen. Hoor je wat ik zeg? Wat er ook gebeurt, ik red me wel. Als mijn tijd is gekomen, zal het nog beter met me gaan, maar in de tussentijd red ik me wel. Doe jij nou maar wat je moet doen en maak je om mij geen zorgen.'

Hij bleef de stethoscoop tegen mijn borst drukken.

'Je bent voor mij een zegen geweest in een moeilijke tijd,' zei ik, 'en niets zou me blijer maken dan als ik een zegen voor jou zou blijken te zijn.'

Hij legde zijn hand in mijn nek en gaf er een zacht kneepje in, zoals een broer zou kunnen doen als woorden tekortschieten.

Ik opende het portier van de SUV en stapte uit. De wind was ijskoud.

36

Gebakken door de bittere kou was de helft van het dons van de vallende sneeuw verschroeid. De vlokken waren bijna korrels en ze prikten in mijn gezicht terwijl ik door een halve meter poeder naar Rodion Romanovich waadde, die ook uitstapte. Hij had de motor laten lopen en de lichten aangelaten, net als ik.

Ik verhief mijn stem om boven de wind uit te komen. 'De broeders hebben vast hulp nodig met hun spullen. Laat ze even weten dat we er zijn. De achterste rij zitplaatsen in mijn wagen is ingeklapt. Ik kom naar binnen zodra ik ze overeind heb gezet.'

In de garage van de school had deze zoon van een moordenares er een tikje theatraal uitgezien met zijn berenmuts en met bont afgezette leren jas, maar in de storm leek hij vorstelijk en in zijn element, alsof hij de koning van de winter was en de vallende sneeuw een halt zou kunnen toeroepen zo hij dat verkoos.

Hij boog zich niet voorover en trok zijn hoofd niet in om zich te beschermen tegen de gure wind, maar bleef kaarsrecht staan en schreed het gastenverblijf binnen met de zwierige gang die je zou verwachten bij een man die vroeger mensen had gereedgemaakt voor de dood.

Zodra hij binnen was, opende ik het portier aan de bestuurderskant van zijn suv, deed de koplampen uit en stak de sleutels in mijn zak.

Ik haastte me naar het tweede voertuig om ook daarvan de lichten te doven en de motor af te zetten. Ook die sleutels stopte ik in mijn zak om te waarborgen dat Romanovich geen van beide suv's terug kon rijden naar de school.

Toen ik achter mijn favoriete Hoosier aan het gastenverblijf binnenging, trof ik daar zestien broeders aan, klaar voor de strijd.

Uit praktisch oogpunt hadden ze hun habijt verruild voor een stormpak. Het waren echter niet de blitse pakken die je op de hellingen van Aspen en Vail zou zien. Ze zaten niet nauwsluitend om de contouren van het lichaam ter bevordering van de aerodynamica en après-ski-verleidingstactieken en waren niet uitgevoerd in felle kleuren of opvallende patronen.

De door de monniken gedragen habijten en ceremoniële gewaden werden geknipt en genaaid door vier broeders die het kleermakersvak hadden geleerd. Dit viertal had ook de stormpakken gemaakt.

De pakken waren mat blauwgrijs, zonder opsmuk. Ze waren van een praktisch ontwerp, met een opvouwbare capuchon, elleboog- en kniebeschermers van ballistisch nylon en sneeuwmanchetten met klittenbandsluiting: perfecte kledij voor het sneeuwvrij maken van stoepen en andere taken in stormachtig weer.

Toen Romanovich binnenkwam, waren de broeders begonnen hun met Thermoloft gevoerde vest over hun stormpak aan te trekken. De vesten hadden elastische okselinzetten en versterkte schouders, en net als de stormpakken waren ze voorzien van een aantal zakken met rits.

In dit uniform, de vriendelijke gezichten omlijst door een behaaglijk aansluitende capuchon, waren het net zestien ruimtevaarders die zojuist waren aangekomen vanaf een planeet waar het leven zo goedaardig is dat het volkslied 'Teddy Bears on Parade' moet zijn.

Broeder Victor, de voormalige marinier, liep tussen zijn manschappen door om zich ervan te vergewissen dat al het benodigde gereedschap naar het verzamelpunt was gebracht.

Twee stappen de kamer in zag ik broeder Boksbeugel. Hij knikte samenzweerderig en we liepen naar de andere kant van de ontvangstruimte, het verst bij de verzamelde krachten van rechtschapenheid vandaan.

Toen ik hem de sleutels van de suv waarin Romanovich had gereden overhandigde, zei Boksbeugel: 'Versterken en verdedigen tegen wie, jongen? Wanneer je de ring ingaat, is het min of meer gebruikelijk dat je weet tegen wie je moet knokken.'

'Het gaat om een stelletje slechteriken van de eerste orde, broeder. Ik heb nu geen tijd om het uit te leggen. Dat moet even wachten tot we in de school zijn. Mijn grootste probleem is hoe ik het aan de broeders moet uitleggen, want het is niet van deze wereld.'

'Ik zal voor je instaan, jongen. Als Boksbeugel zegt dat het woord van een man goud is, zijn er geen twijfelaars.'

'Dit keer zullen er twijfelaars zijn.'

'Dat kunnen ze maar beter uit hun kop laten.' Zijn boksersgezicht kreeg een harde uitdrukking, passend bij een stenen tempelgod die geen ongelovigen duldt. 'Ze kunnen maar beter niet aan je twijfelen. Bovendien, ze weten dan misschien niet dat God je een hand boven het hoofd houdt, maar ze mogen je graag en hebben echt wel door dat jij iets bijzonders over je hebt.'

'En ze zijn dol op mijn pannenkoeken.'

'Dat is ook meegenomen.'

'Ik heb broeder Timothy gevonden,' zei ik.

Het stenen gezicht verzachtte een beetje. 'Je hebt die arme Tim dus gevonden, precies zoals ik had gezegd, hè?'

'Niet helemaal precies zo, broeder. Maar, ja, hij is nu bij God.'

Hij sloeg een kruis, prevelde een gebed voor broeder Timothy en zei toen: 'Nu hebben we bewijs – Tim is niet naar Reno overgewipt voor een beetje R en R. De sheriff zal over de brug moeten komen met bescherming voor de kinderen.'

'Was dat maar waar, maar helaas. We hebben nog steeds geen lichaam.'

'Misschien spelen al die keren dat ik een dreun op mijn oren heb gekregen me parten, want ik meende dat je zei dat je zijn lichaam hebt gevonden.'

'Ja, broeder, dat klopt, ik heb zijn lichaam gevonden, maar het enige wat daar nu nog van over is zijn misschien de eerste paar centimeter van zijn gezicht, opgerold als het deksel van een sardineblikje.'

Hij keek me diep in de ogen en overdacht mijn woorden.

Toen zei hij: 'Daar kan ik echt geen touw aan vastknopen, jongen.'

'Dat kan ik me voorstellen. Ik zal u alles vertellen zodra we in de school zijn, maar als u het verhaal hebt aangehoord, zult u er nog minder van begrijpen.'

'En jij denkt dat die Rus er iets mee te maken heeft?'

'Hij is geen bibliothecaris, en als hij ooit begrafenisondernemer is geweest, heeft hij niet op werk gewacht, maar is hij eropuit getrokken om daar zelf voor te zorgen.'

'Daar kan ik ook geen chocola van maken. Hoe gaat het met je schouder na die klap van vannacht?'

'Nog steeds een beetje pijnlijk, maar niet erg. Mijn hoofd mankeert niks, broeder, ik heb geen hersenschudding, dat verzeker ik u.'

De helft van de in stormpak gehulde monniken had hun uitrusting naar de SUV's gebracht en de anderen liepen achter elkaar naar buiten toen broeder Saul, die niet meeging naar de school, ons kwam vertellen dat de telefoonlijnen van de abdij waren uitgevallen.

'Is dat normaal in een zware storm?' vroeg ik.

Broeder Boksbeugel schudde zijn hoofd. 'Voor zover ik me kan herinneren is dat misschien in de afgelopen jaren maar één keer gebeurd.'

'Gelukkig zijn er nog mobieltjes,' zei ik.

'Daar zou ik maar niet op rekenen, jongen.'

Zelfs met goed weer was het bereik in dit gebied niet betrouwbaar. Ik viste mijn toestel uit een zak van mijn jack, schakelde het in, en toen wachtten we tot het scherm ons slecht nieuws zou brengen, wat het inderdaad deed.

Als de hel losbarstte zou communicatie tussen de abdij en de school niet makkelijk zijn.

'In de tijd dat ik nog voor de Eierklutser werkte, zeiden we altijd iets als er sprake was van te veel gekke toevalligheden.'

'"Toeval bestaat niet",' citeerde ik.

'Nee, dat was het niet. Wij zeiden: "Iemand van ons heeft zich door de FBI een afluisterapparaatje in zijn reet laten douwen."'

'Dat is kleurrijk, broeder, maar ik zou dolgelukkig zijn als dit de FBI was.'

'Nou ja, ik stond toen aan de duistere kant. Je moet die Rus nog vertellen dat hij geen retourtje heeft.'

'U hebt zijn sleutels.'

Met een gereedschapskist in de ene hand en een honkbalknuppel in de andere liep de laatste van de in stormpak gestoken broeders naar buiten. De Rus was niet in het vertrek.

Toen broeder Boksbeugel en ik de sneeuw inliepen, reed Rodion Romanovich weg in de eerste suv, die volgeladen was met monniken.

'Krijg nou de klere.'

'Ho daar. Kijk uit wat je zegt, jongen.'

'Hij heeft beide setjes sleutels meegenomen,' zei ik.

Romanovich reed tot halverwege de zijkant van de kerk en bleef daar staan, alsof hij op mij wachtte.

'Dit is foute boel,' zei ik.

'Misschien is dit God aan het werk, jongen, en kun je de zegen hiervan nog niet zien.'

'Is dat overtuigd geloof aan het woord of het warme, vage optimisme van de muis die de prinses heeft gered?'

'Dat is min of meer hetzelfde, jongen. Wil jij rijden?'

Ik gaf hem de sleutels van de tweede suv. 'Nee. Ik wil gewoon rustig blijven zitten en in mijn eigen stommiteit gaarkoken.'

37

De pluiswitte hemel leek de dag minder te verhelderen dan het met een dikke laag sneeuw bedekte land, alsof de zon stervende was en de aarde evolueerde tot een nieuwe zon, een koude zon, die weinig licht zou brengen en niets zou verwarmen.

Broeder Boksbeugel reed. Hij volgde de slinkse nepbibliothecaris op een veilige afstand, en ik zat op de passagiersplaats. Acht broeders en hun uitrusting bezetten de tweede, derde en vierde rij stoelen in de verlengde suv.

U zou misschien verwachten dat een wagen vol monniken rustig is, alle passagiers in stil gebed verzonken of mediterend over de staat van hun ziel of ieder op zijn eigen manier een plan uitbroedend om voor de mensheid verborgen te houden dat de Kerk een organisatie is van buitenaardse wezens met het doel de wereld in hun macht te krijgen door middel van gedachtebeheersing, een duistere waarheid waarmee Leonardo da Vinci bekend was, waarvan het bewijs wordt geleverd door zijn beroemdste zelfportret waarop hij zichzelf heeft afgebeeld met een piramidevormige hoed van aluminiumfolie op zijn hoofd.

Hier in de vroege middag had de Kleine Stilte in acht genomen moeten worden en conversatie beperkt moeten blijven tot waar het werk die vereiste, maar de monniken waren spraakzaam. Ze maakten zich zorgen over hun vermiste broeder Timothy en waren geschokt door de mogelijkheid dat onbekenden van plan waren de kinderen in de school kwaad te doen. Ze klonken bevreesd, vernederd, maar ook opgetogen over het feit dat er misschien een beroep op hen zou worden gedaan om als dappere beschermers van de onschuldigen op te treden.

Broeder Alfonse vroeg: 'Odd, gaan we er allemaal aan?'

'Ik hoop dat geen van ons het leven laat,' antwoordde ik.

'Als we allemaal doodgaan, zou de sheriff een slechte beurt maken.'

'Ik zie niet in,' zei broeder Rupert, 'hoe de morele calculus van het eerverlies van de sheriff zou kunnen opwegen tegen het feit dat we allemaal sterven.'

'Ik verzeker je, broeder,' zei Alfonse, 'dat ik niet bedoelde dat een bloedbad een aanvaardbare prijs zou zijn voor de nederlaag van de sheriff bij de volgende verkiezingen.'

Broeder Quentin, die vroeger bij de politie had gewerkt, eerst als wijkagent en later als rechercheur bij roof- en moordzaken, vroeg: 'Odd, wie zijn die zogenaamde kindermoordenaars?'

'Dat weten we niet precies,' zei ik, terwijl ik me half omdraaide om hem aan te kunnen kijken. 'Het enige wat we weten is dat er iets op ons afkomt.'

'Wat voor bewijs heb je daarvoor? Klaarblijkelijk iets wat niet concreet genoeg is om indruk te maken op de sheriff. Dreigtelefoontjes, bijvoorbeeld?'

'De telefoonlijnen zijn dood,' zei ik ontwijkend, 'dus van dreigtelefoontjes zullen we geen last hebben.'

'Draai je eromheen?' vroeg broeder Quentin.

'Ja, broeder, dat klopt.'

'Dat gaat je niet best af.'

'Nou, ik doe mijn best, broeder.'

'We moeten de naam van onze vijand weten,' zei broeder Quentin.

Broeder Alfonse zei: 'We weten de naam. Hij heeft talloze namen.'

'Ik bedoel niet onze *ultieme* vijand,' zei Quentin. 'Odd, we hoeven ons toch niet met honkbalknuppels tegen Satan te weer te stellen, hoop ik?'

'Als het Satan is, dan is de zwavelgeur me ontgaan.'

'Je draait er weer omheen.'

'Ja, broeder.'

Broeder Augustine zei vanaf de derde rij: 'Waarom zou je ontwijkend moeten zijn over of het wel of niet Satan is? We weten allemaal dat het niet Satan in eigen persoon is, dus moeten het wel antigeloofszeloten zijn, waar of niet?'

'Militante atheïsten,' zei iemand achter in het voertuig.

Een andere passagier op de vierde rij merkte op: 'Islamofascisten. De president van Iran heeft gezegd: "De wereld zal schoner zijn als er niemand meer is voor wie zaterdag de dag van verering is. Als die eenmaal allemaal dood zijn, dan doden we de zondagkliek."'

Broeder Boksbeugel, die achter het stuur zat, zei: 'Het is nergens voor nodig dat jullie je er zo druk om maken. Eenmaal in de school zal abt Bernard ons precies vertellen wat er aan de hand is, voor zover we dat weten.'

Vol verbazing gebaarde ik naar de suv die voor ons reed, en ik vroeg: 'Is de abt dan meegekomen?'

Boksbeugel haalde zijn schouders op. 'Hij stond erop, jongen. Hij mag dan niet meer wegen dan een verzopen kat, maar hij is een aanwinst voor het team. De abt laat zich door niets in deze wereld afschrikken.'

Ik zei: 'Nou, misschien is er toch íéts.'

Vanaf de tweede rij legde broeder Quentin een hand op mijn schouder en keerde terug naar zijn hoofdzaak met de volharding van een in ondervraging doorgewinterde politieman. 'Het enige wat ik zeg, Odd, is dat we de naam van onze vijand moeten weten. We hebben hier niet echt wat je noemt een ploeg ervaren vechtersbazen. Als puntje bij paaltje komt zullen ze, als ze niet weten tegen wie we ons moeten verdedigen, zo zenuwachtig worden dat ze elkáár met die honkbalknuppels te lijf gaan.'

Broeder Augustine zei vermanend: 'Onderschat ons niet, broeder Quentin.'

'Misschien zal de abt de honkbalknuppels zegenen,' zei broeder Kevin vanaf de derde rij.

Broeder Rupert zei: 'Ik betwijfel of de abt het gepast zou vinden een honkbalknuppel te zegenen om een winnende homerun te garanderen, laat staan die dingen tot een effectiever wapen te maken om iemand de hersens in te slaan.'

'Ik hoop toch echt,' zei broeder Kevin, 'dat we niemand de hersens in hoeven slaan. Ik word al misselijk bij het idee.'

'Houd de knuppel laag,' adviseerde broeder Boksbeugel, 'en mik op de knieën. Een vent met verbrijzelde knieën vormt geen direct gevaar meer, terwijl de schade niet blijvend is. Hij zal volledig genezen. Meestal.'

'We staan hier voor een zwaar moreel dilemma,' zei broeder Kevin. 'Natuurlijk moeten we de kinderen beschermen, maar knieën verbrijzelen is in geen enkel theologisch opzicht een christelijke reactie.'

'Christus,' bracht broeder Augustine hem in herinnering, 'heeft eigenhandig de geldwisselaars de tempel uitgegooid.'

'Inderdaad, maar nergens in de Bijbel heb ik gelezen dat onze Heer daarbij hun knieën heeft verbrijzeld.'

Broeder Alfonse zei: 'Misschien staat ons daadwerkelijk allemaal de dood te wachten.'

Met zijn hand nog op mijn schouder zei broeder Quentin: 'Iets anders dan een dreigtelefoontje heeft je gealarmeerd. Misschien… heb je broeder Timothy gevonden? Is dat het, Odd? Dood of levend?'

Ik kon moeilijk zeggen dat ik hem zowel dood als levend had gevonden en dat hij opeens was veranderd van Tim in iets wat niet Tim was. In plaats daarvan antwoordde ik: 'Nee, broeder, dood noch levend.'

Quentins ogen vernauwden zich. 'Je draait er weer omheen.'

'Hoe kunt u dat weten, broeder?'

'Je hebt een verklikker.'

'Een wat?'

'Elke keer dat je eromheen draait, begint je linkeroog te trillen. Je hebt een trillend oog dat verraadt dat je de bedoeling hebt eromheen te draaien.'

Toen ik me weer omdraaide om broeder Quentin het zicht op mijn trillende oog te ontnemen, zag ik Boo vrolijk heuvelafwaarts door de storm rennen.

Achter de grijnzende hond kwam Elvis, huppelend als een kind, zonder sporen achter te laten, de armen de lucht in, zwaaiend met zijn handen zoals sommige bezielde evangelisten doen wanneer ze *halleluja* roepen.

Boo verliet het schoongeploegde wegdek en rende dartel over de weide. Uitbundig lachend rende Elvis achter hem aan. De rockster en de uitgelaten hond verdwenen uit het zicht, niet gehinderd door het door de storm gegeselde landschap en evenmin een storend element daarin.

Op de meeste dagen wens ik dat mijn bijzondere gave en intuïtie me nooit verleend waren, dat mijn hart bevrijd kon worden van de kwelling die ze me hebben gebracht, dat alles wat ik aan bovennatuurlijks had gezien uit mijn geheugen kon worden gewist, en dat ik gewoon kon zijn wat ik zonder deze gave ben – niets bijzonders, de zoveelste ziel in een zee van zielen, zwemmend door de dagen in de richting van een hoop op dat uiteindelijke toevluchtsoord, alle pijn en angst voorbij.

Maar zo nu en dan zijn er momenten waarvoor de last de moeite van het dragen waard lijkt: momenten van buitenaardse vreugde, van onbeschrijfelijke schoonheid, van wonder dat de geest overweldigt met ontzag, of in dit geval een moment van zulk een diepe bekoring dat de wereld beter lijkt dan die in werkelijkheid is en een glimp biedt van hoe het paradijs had kunnen zijn voor we dat hadden afgebroken.

Boo zou voorlopig nog bij me blijven, maar Elvis niet. Maar ik weet dat het beeld van hen, uitgelaten vrolijk rennend door de storm, me bij zal blijven tot het eind van mijn dagen in deze wereld en voor eeuwig daarna.

'Jongen?' zei Boksbeugel, nieuwsgierig.

Ik besefte dat ik glimlachte, terwijl een glimlach niet passend was voor het moment.

'Broeder, ik geloof dat de King er bijna klaar voor is weg te trekken uit die tent aan het eind van Lonely Street.'

'Heartbreak Hotel,' zei Boksbeugel.

'Ja. Dat was nooit zo'n vijfsterrenhotel waar hij had moeten optreden.'

Boksbeugels gezicht klaarde op. 'Dat is prachtig, hè?'

'Dat is het zeker,' beaamde ik.

'Het moet je een goed gevoel geven dat je de grote deur voor hem hebt opengezet.'

'Ik heb die deur niet geopend,' zei ik. 'Ik heb hem alleen laten zien waar de knop zit en naar welke kant hij die moest draaien.'

Achter me zei broeder Quentin: 'Waar hebben jullie het over? Ik kan het niet volgen.'

Zonder me om te draaien zei ik: 'Te zijner tijd, broeder. Te zijner tijd zult u hem volgen. Te zijner tijd zullen we hem allemaal volgen.'

'Hem wie?'

'Elvis Presley, broeder.'

'Ik wil wedden dat je linkeroog als een gek trilt,' zei broeder Quentin.

'Ik geloof van niet,' zei ik.

Boksbeugel schudde zijn hoofd. 'Geen trilling.'

We hadden twee derde van de afstand tussen de nieuwe abdij en de school afgelegd toen uit de storm een scharende, rennende, kronkelige bottenverzameling op ons af kwam stuiven.

38

Hoewel broeder Timothy door een van deze wezens was vermoord – en erger dan vermoord –, had een deel van me, de op het dwaze af zonnige optimist die altijd in me zal schuilen, willen geloven dat het voortdurend verschuivende mozaïek van botten voor het raam van de school en mijn achtervolgers in de diensttunnel van de koeltoren geestverschijningen waren geweest, angstaanjagend, maar als het erop aankwam minder gevaarlijk dan bijvoorbeeld een man met een pistool, een vrouw met een mes of een Amerikaanse senator met een idee.

Odd-de-dwaze-optimist verwachtte half-en-half dat deze entiteiten, net als de talmende doden en de bodachs, onzichtbaar zouden zijn voor iedereen behalve mijzelf en dat wat Timothy was overkomen een uitzonderlijk geval was, omdat bovennatuurlijke aanwezigheden per slot van rekening niet in staat zijn de levenden te deren.

Die hoopvolle mogelijkheid werd met de ijdelehoophamer de bodem ingeslagen door het verschijnen van de weeklagende banshee van botten en de onmiddellijke reactie van Boksbeugel en zijn broeders.

Zo groot en lang als twee paarden die neus-aan-staart lopen, voortdurend caleidoscopisch terwijl het over de weide kwam aanrennen, kwam het wezen uit de witte wind tevoorschijn en stak vlak voor de eerste suv de weg over.

In Dantes *Inferno*, in de ijzige, sneeuwachtige nevel van het bevroren laagste niveau van de hel, was de gevangengezette Satan voor de dichter verschenen uit de wind veroorzaakt door het drietal grote leerachtige vleugelparen. De gevallen engel, ooit mooi maar nu afzichtelijk, had vertwijfeling, ellende en kwaad uitgestraald.

Evenzo waren ellende en vertwijfeling hier belichaamd in het calcium en fosfaat van botten en het kwaad in het merg. De bedoelingen van het wezen waren duidelijk in het patroon, in de snelheid van beweging, het was een toonbeeld van kwaad-aardigheid.

Geen enkele van de broeders reageerde op deze manifesta-tie met verbazing of zelfs met angst voor het onbekende, en evenmin met ongeloof. Zonder uitzondering beschouwden ze het wezen onmiddellijk als een gruwel. Ze bekeken het met evenveel afschuw als ontzetting, met walging en een gerecht-vaardigd soort haat, alsof één blik genoeg was om het te her-kennen als een oeroud, eeuwig monster.

Zo de broeders met stomheid geslagen waren, dan vonden ze al snel hun stem terug, de suv weergalmde van hun uitroe-pen. Ze riepen Christus en de Heilige Moeder aan en ik hoor-de geen aarzeling of terughoudendheid om het wezen voor ons aan te duiden met de namen van demonen of met de naam van de vader aller demonen, al weet ik tamelijk zeker dat de eerste woorden van broeder Boksbeugel *mamma mia* waren.

Rodion Romanovich trapte met volle kracht op de rem en kwam tot stilstand toen de witte demon voor hem langs liep.

Toen Boksbeugel op de rem trapte, stotterden de van sneeuwkettingen voorziene banden op het gladde wegdek, maar ze slipten niet, en ook wij kwamen huiverend tot stil-stand.

De pompende knokenpoten wierpen pluimen sneeuw op van de weide toen het wezen de weg overstak en doorrende, alsof het zich van ons helemaal niet bewust was. Het spoor dat het in de verse poedersneeuw achterliet en de manier waarop de vallende sneeuw in zijn kielzog wervelde, verjoeg elke twijfel aan de werkelijkheid van zijn bestaan.

Ik was ervan overtuigd dat de ongeïnteresseerdheid van het wezen gehuicheld was en dat het zou terugkomen. Ik zei te-gen Boksbeugel: 'Doorrijden. Schiet op. We moeten binnen zien te komen.'

'Ik kan niet weg tot hij doorrijdt,' zei Boksbeugel, gebarend naar de suv die de weg voor ons blokkeerde.

Rechts van ons, ten zuiden, was een steile helling die het

überskelet in een duizendpootachtige haast was afgedaald. We zouden misschien niet in de diepe sneeuwlaag vast komen te zitten, maar de hellingshoek was te groot en we zouden zeker omslaan.

Op de noordelijke weide plooiden het sombere licht van de zonloze dag en sluiers van sneeuw zich rond de grillige architectuur van voortdurend verschuivende botten, maar ik twijfelde er niet aan of het wezen zou zich weer laten zien.

Rodion Romanovich had zijn voet nog steeds op het rempedaal en in de rode remlichten viel de sneeuw in bloedige vlagen.

Tussen de weide links van ons en de weg was een hoogteverschil van een halve meter. We hadden waarschijnlijk om Romanovich heen kunnen rijden, maar dat was een nodeloos risico.

'Hij wacht tot het zich weer laat zien,' zei ik. 'Is hij gek geworden? Gebruik de claxon.'

Boksbeugel drukte een paar keer hard op de claxon en de remlichten van Romanovich' suv flakkerden. Boksbeugel toeterde nog eens en de Rus kwam weer in beweging, maar trapte toch weer op de rem.

Vanuit het noorden kwam het monster aan, een voor trekkend in het veld van sneeuw, minder snel bewegend dan eerder, een onheilspellende vastberadenheid in zijn meer afgemeten stappen.

Verbijstering, angst, nieuwsgierigheid, ongeloof: wat het ook was dat Romanovich had verlamd, hij ontsnapte uit de greep ervan. De suv kwam weer in beweging.

Voordat Romanovich snelheid had kunnen maken, had het wezen hem bereikt. Het richtte zich op, strekte complexe scharende armen uit, greep zijn prooi en kieperde het voertuig op zijn kant.

39

De suv lag op zijn rechterkant. De langzaam draaiende banden aan de linkerkant zochten vergeefs houvast in de met
sneeuw beladen lucht.

De Rus en de acht monniken konden er alleen uitkruipen
via het achterportier of de portieren die naar de hemel gericht
waren, maar niet makkelijk en niet snel.

Ik nam aan dat het monster óf de portieren open zou wrikken om de negen mannen eruit te trekken óf dat hij ze te pakken zou nemen als ze probeerden te vluchten. Ik wist niet hoe
het hen zou aandoen wat het broeder Timothy had aangedaan,
maar ik was ervan overtuigd dat het de mannen systematisch
zou verzamelen, een voor een.

Zodra het alle mannen had vergaard, zou het ze wegvoeren
om ze aan een muur te kruisigen, zoals het met Timothy had
gedaan, en hun sterfelijk lichaam veranderen in negen poppen.
Of het zou dan achter ons aankomen, hier in de tweede suv,
en dan zouden er later op de dag in de koeltoren achttien poppen hangen.

In plaats van door te gaan met zijn gebruikelijke machinale
volharding, liep het wezen weg bij de op zijn kant liggende suv
en wachtte. Het nam weer zijn basisvorm aan, maar bleef zich
voortdurend in zichzelf opvouwen en weer opbloeien in nieuwe uitwaaierende en op bloembladen gelijkende patronen.

Met het koelbloedige aplomb van een doorgewinterde be-
stuurder van een vluchtauto maakte broeder Boksbeugel zijn
veiligheidsgordel vast, hief de stalen sneeuwploeg van het wegdek, schakelde en reed achteruit.

'We kunnen ze niet in de val laten zitten,' zei ik, en de broeders achter me vielen me luidruchtig bij.

'We laten niemand achter,' verzekerde Boksbeugel me. 'Ik hoop alleen dat ze bang genoeg zijn om te blijven zitten.'

Als een macaber, door grafplunderaars vervaardigde gemotoriseerde sculptuur hield de bottenverzameling de wacht aan de kant van de weg, misschien wachtend tot de portieren van de op zijn kant liggende suv opengingen.

Toen we vijftig meter achteruit waren gereden, was de gekantelde suv nog maar een vlek op het lagergelegen wegdek, en de sneeuwgordijnen onttrokken het bottenspook bijna geheel aan het zicht.

Ik deed mijn veiligheidsriem om en hoorde dat de broeders achter me mijn voorbeeld volgden. Zelfs wanneer God je copiloot is, is het verstandig een parachute mee te nemen.

Broeder Boksbeugel remde af en kwam tot stilstand. Met één voet op het rempedaal schakelde hij de suv in zijn vooruit.

Op het geluid van hun ademhaling na deden de monniken er het zwijgen toe.

Toen zei broeder Alfonse: *'Libera nos a malo.'*

Verlos ons van den boze.

Boksbeugel liet het rempedaal los en trapte het gaspedaal in. De motor brulde, de sneeuwkettingen roffelden een ritme op het wegdek, en we reden in volle vaart de helling af met de bedoeling om de gekantelde suv heen te rijden en die duivel uit te schakelen.

Ons doelwit leek zich tot het voorlaatste moment niet van ons bewust, of misschien kende het geen angst.

Met de ploeg ramden we het wezen en onmiddellijk waren we onze vaart kwijt.

Een stortvloed van botdeeltjes hagelde op ons neer. In de voorruit verscheen een craquelépatroon en een seconde later viel het glas naar binnen en met het glas zowel losse botten als gewrichten.

Een ingewikkeld gelede berg botten landde op mijn schoot, stuiptrekkend als een gebroken krab. Mijn kreet was even mannelijk als die van een schoolmeisje dat schrikt van een harige spin. Ik sloeg het ding van me af naar de vloer.

Het voelde koud en glad aan, maar niet vettig of nat, en het leek geen levenswarmte in zich te hebben.

Het van me afgeworpen ding kronkelde bij mijn voeten, niet met kwaad in de zin, maar als het onthoofde lichaam van een slang dat ontzield heen en weer zwiept. Toch trok ik haastig mijn voeten op de zitting en als ik petticoats had gedragen, zou ik die strak om me heen verzameld hebben.

Na tien meter voorbij het gekantelde voertuig tot stilstand te zijn gekomen, reden we, begeleid door een luid geknak en geknars onder de banden, achteruit tot we er weer naast stonden.

Toen ik uitstapte zag ik dat het wegdek bezaaid lag met stuiptrekkende botstructuren, versplinterde resten van de ingewikkelde anatomische opbouw van het monster. Sommige waren zo groot als stofzuigers, veel het formaat van keukenapparaten – samentrekkend, iriserend, zich opvouwend en uitvouwend alsof ze probeerden te gehoorzamen aan de bezwering van een tovenaar.

Ook lagen er duizenden losse botten in alle vormen en maten over de weg verspreid. Deze rammelden alsof de grond waarop ze lagen schudde, maar ik voelde geen aardschokken door de zolen van mijn skischoenen trekken.

Ik schopte de brokstukken opzij en maakte een pad vrij naar de gekantelde suv. Toen klom ik erbovenop. De omvergegooide broeders keken door de zijramen naar me op met hun opengesperde ogen.

Ik trok een portier open en broeder Rupert klom ook naar boven om me te helpen. Al snel hadden we de Rus en de monniken uit het voertuig gehesen.

Sommigen hadden blauwe plekken opgelopen en allemaal waren ze van slag, maar geen van hen was ernstig gewond.

Alle banden van de tweede suv waren door botschilfers lekgeprikt. Het voertuig stond op plat rubber. De laatste honderd meter naar de school zouden we te voet moeten afleggen.

Niemand hoefde erop te wijzen dat als er één ondenkbare wandelende caleidoscoop van botten bestond, er mogelijk nog andere waren. Feitelijk werden er, door de schok of door angst, maar weinig woorden gewisseld en als er al werd gesproken, was dat op een fluistertoon.

Iedereen ging druk aan het werk om het gereedschap en de

andere spullen die waren meegenomen om de school te verdedigen en te versterken, uit te laden.

Het geratel van de brokstukken van het skelet nam af en sommige botten begonnen uiteen te vallen in blokjes van verschillende grootte, alsof het helemaal geen botten waren geweest, maar structuren die waren opgebouwd uit kleinere aaneengekoppelde stukjes.

Toen we op weg gingen naar de school trok Rodion Romanovich zijn berenmuts van zijn hoofd, bukte zich en schepte met een in handschoen gestoken hand een aantal blokjes in de zak van berenvacht.

Hij keek op en zag dat ik hem gadesloeg. Met de muts in zijn hand geklemd alsof het een buidel was waarin hij een schat bewaarde, pakte hij in plaats van een gereedschapskist een grote diplomatenkoffer op en vertrok in de richting van de school.

Om ons heen leek de wind vervuld van woorden, woedende woorden die steeds woedender werden, in een grove taal die zich volmaakt leende voor vervloekingen, laster, blasfemie en bedreigingen.

De gesluierde lucht klapte in en ging over in het verborgen land, en het verdwijnen van de horizon werd al snel gevolgd door het verdwijnen van elke structuur van mens en natuur. Een volmaakte consistentie van licht op deze sombere dag, die geen schaduwen duldde, verlichtte niet, maar verblindde. In die witte obscuriteit werden alle contouren van het landschap aan het zicht onttrokken, behalve dat wat direct onder onze voeten lag, en we werden ondergedompeld in een totale *whiteout*.

Dankzij paranormaal magnetisme ben ik nooit verdwaald. Maar op zijn minst een paar broeders zouden misschien op luttele meters van de school zijn afgedwaald als ze niet dicht bij elkaar waren gebleven en geen hulp hadden gehad van de snel verdwijnende stukjes asfalt die eerder door de sneeuwploegen waren blootgelegd.

Mogelijk waren er meer wandelende bottenverzamelingen in de buurt en ik vermoedde dat die niet verblind zouden zijn door de whiteout. Welke zintuigen ze ook bezaten, ze waren niet analoog met – en misschien wel beter dan – de onze.

Twee passen voor ik tegen de roldeur van de garage op liep, zag ik hem en bleef staan. Toen de anderen zich om me heen hadden verzameld, telde ik de koppen om me ervan te vergewissen dat alle zestien monniken er waren. Het waren er zeventien. De Rus was er, natuurlijk, maar die had ik niet per ongeluk voor een monnik aangezien.

Ik leidde ze langs de grote deur naar een kleinere, mans-grote ingang. Met mijn loper liet ik ons de garage binnen.

Toen iedereen veilig binnen was, deed ik de deur dicht en het nachtslot erop.

De broeders lieten hun last op de vloer vallen, sloegen de sneeuw van zich af en zetten hun capuchon af.

De zeventiende monnik bleek broeder Leopold te zijn, de novice die dikwijls kwam en ging met de heimelijkheid van een spook. Zijn sproetige gezicht had een minder gezond aanzien dan eerder het geval was geweest en zijn gebruikelijke zonnige glimlach ontbrak.

Leopold stond naast de Rus en een ondefinieerbaar iets in hun houding wekte de indruk dat er sprake moest zijn van een onderlinge band.

40

Romanovich liet zich op de garagevloer op één knie zakken en liet de verzameling witte blokjes in zijn berenmuts op het beton vallen.

De grootste exemplaren waren een kleine vier centimeter in het vierkant, de kleinste misschien net een centimeter. Ze waren glad en glimmend als dobbelstenen zonder puntjes en zagen er niet uit als natuurlijke voorwerpen, maar als gefabriceerde blokjes.

Ze schokten en botsten ratelend tegen elkaar aan alsof er nog steeds leven in zat. Misschien werden ze aangespoord door de herinnering aan het bot dat ze waren geweest en waren ze geprogrammeerd om die structuur opnieuw te vormen, maar ontbrak hun de kracht.

Ze deden me denken aan springbonen, die zaadjes van Mexicaanse wolfsmelk die tot leven komen door de bewegingen van de mottenlarven daarbinnenin.

Hoewel ik niet geloofde dat het schokken van deze blokjes werd veroorzaakt door het equivalent van mottenlarven, was ik echt niet van plan er eentje open te bijten om mijn vermoeden te bevestigen.

Toen de broeders zich eromheen schaarden om de blanco dobbelstenen beter te kunnen bekijken, begon een van de grootste nog heftiger te schokken – en toen viel het uiteen in vier kleinere, identieke blokjes.

Misschien op gang gebracht door die actie begon ook een kleiner blokje te duikelen om zich vervolgens om te zetten in vier kleinere replica's.

Opkijkend van de zelfdelende geometrie wisselde Romanovich een blik met broeder Leopold.

'Kwantisatie,' zei de novice.

De Rus knikte instemmend.

Ik zei: 'Wat gebeurt hier allemaal?'

In plaats van antwoord te geven richtte Romanovich zijn aandacht weer op de dobbelsteentjes en zei, bijna tegen zichzelf: 'Ongelooflijk. Maar waar is de hitte?'

Alsof deze vraag hem deed schrikken, liep Leopold twee stappen achteruit.

'Je zou wensen dat je dertig kilometer van hier verwijderd was,' zei Romanovich tegen de novice. 'Daarvoor is het een beetje te laat.'

'Jullie kenden elkaar al voordat jullie hiernaartoe kwamen,' zei ik.

De blokjes splitsen zich steeds sneller in kleinere eenheden op.

Toen ik mijn aandacht op de broeders richtte in de verwachting dat zij mijn verzoek om antwoorden van de Rus zouden ondersteunen, zag ik dat ze niet naar Romanovich of Leopold keken, maar met een half oog naar mij en met een half oog naar de vreemde – steeds kleinere – blokjes op de vloer.

Broeder Alfonse zei: 'Odd, in de SUV, toen we dat wezen uit de sneeuw zagen komen, leek je niet zo overweldigd door zijn aanblik als de rest van ons.'

'Ik was... gewoon sprakeloos,' zei ik.

'Daar hebben we dat verklikkende trillende oog weer,' zei broeder Quentin, naar mij wijzend, fronsend zoals hij waarschijnlijk talloze verdachten fronsend had aangekeken in de verhoorkamer van de afdeling Moordzaken.

Terwijl de blokjes zich steeds verder opsplitsten en in aantal toenamen, had hun collectieve massa gelijk moeten blijven. Als je een appel in blokjes snijdt, wegen de gezamenlijke stukjes evenveel als de hele vrucht. Maar hier verdween de massa.

Dit duidde erop dat het wezen toch bovennatuurlijk was en zich manifesteerde in een materiaal met kennelijk meer substantie – zij het niet meer fysieke aanwezigheid – dan ectoplasma.

Er waren veel problemen met die theorie. Ten eerste: broeder Timothy was dood en hij was niet gedood door een simpele geest. De suv was omvergegooid door de woede van een poltergeist.

Te oordelen naar de verschrikte uitdrukking die de zonnige Iowa-charme aan broeder Leopolds jongensachtige gezicht had onttrokken, was hij duidelijk gefocust op een andere verklaring – een veel angstaanjagendere verklaring – dan een bovennatuurlijke manifestatie.

De blokjes op de vloer waren zo talrijk en minuscuul geworden dat ze uitgestrooid zout leken. En toen... was het beton weer kaal, alsof de Rus niets uit zijn muts had laten vallen.

De kleur kwam langzaam terug in het gezicht van broeder Leopold en hij huiverde van opluchting.

Op een meesterlijke manier de nieuwsgierigheid van zijn persoon afleidend kwam Romanovich overeind, en gebruikmakend van het intuïtieve gevoel van de broeders dat ik meer over deze situatie wist dan hij, zei hij: 'Meneer Thomas, wat wás dat voor wezen daar buiten?'

Alle broeders keken me aan en ik besefte dat ik – met mijn loper en soms raadselachtige gedrag – voor hen altijd een mysterieuzer persoon was geweest dan de Rus of broeder Leopold.

'Ik weet niet wat het was,' zei ik. 'Wist ik dat maar.'

Broeder Quentin zei: 'Geen trillend oog. Heb je geleerd dat te onderdrukken of draai je er nu echt niet omheen?'

Voor ik kon reageren zei abt Bernard: 'Odd, ik zou graag willen dat je deze broeders over je bijzondere gave vertelt.'

Ik liet mijn blik gaan over de gezichten van de monniken, die glommen van nieuwsgierigheid en zei: 'In heel de wereld zijn er niet half zoveel mensen die mijn geheim kennen als hier bijeen zijn. Dit voelt aan als... een openbare bekendmaking.'

'Ik gelast ze hierbij,' zei de abt, 'je onthulling als een biecht te beschouwen. Aangezien zij je biechtvaders zijn, zijn je geheimen voor hen heilig.'

'Niet voor iedereen,' zei ik, zonder broeder Leopold van onoprechtheid te beschuldigen in zijn postulaat en in het afleggen van de kloostergelofte als novice, maar uitsluitend op Romanovich doelend.

'Ik ga niet weg,' zei de Rus, en hij zette zijn berenmuts weer op als om zijn verklaring te benadrukken.

Ik had geweten dat hij erop zou staan te blijven om te horen wat ik de anderen te vertellen had, maar ik zei: 'Moet u niet nog een paar vergiftigde cakes versieren?'

'Nee, meneer Thomas, alle tien zijn klaar.'

Ik liet nog een keer mijn blik over de ernstige gezichten van de monniken gaan en zei toen: 'Ik zie de talmende doden.'

'Deze man,' zei broeder Boksbeugel, 'zal misschien een vraag ontwijken als hij niet anders kan, maar liegen gaat hem niks beter af dan een kind van twee.'

Ik zei: 'Dank u wel. Geloof ik.'

'In mijn andere leven, voordat God me riep,' vervolgde Boksbeugel, 'leefde ik in een smerige zee van leugenaars en leugens en ik zwom met hetzelfde gemak als wie dan ook van die criminelen. Odd – die is niet zoals zij, niet zoals ik vroeger was. Eerlijk gezegd lijkt hij op niemand die ik ooit heb gekend.'

Na die hartelijke, oprecht gemeende steunbetuiging vertelde ik mijn verhaal zo kort mogelijk, inclusief het feit dat ik jarenlang had samengewerkt met de politiecommissaris in Pico Mundo, die bij abt Bernard voor me had ingestaan.

De broeders luisterden geboeid en uitten geen twijfels. Hoewel spoken en bodachs niet waren opgenomen in de doctrines van hun geloof, waren dit stuk voor stuk mannen die hun leven hadden gewijd aan een absolute overtuiging dat het heelal door God geschapen was en dat het een verticale as van heilige ordening had. Aangezien ze een manier hadden gevonden het bestaan van het monster in de storm te verklaren – door het te definiëren als een demon – zouden ze niet in spirituele of intellectuele beroering raken als hun gevraagd werd te geloven dat een simpele, wijsneuzige snelbuffetkok werd bezocht door de rusteloze doden en dat hij zijn best deed gerechtigheid voor hen te halen.

Ze waren ontroerd toen ze hoorden dat broeder Constantine niet zelfmoord had gepleegd. Maar de gezichtloze gedaante van de Dood in de klokkentoren was voor hen eerder intrigerend dan angstaanjagend en ze waren het met elkaar eens dat, als een traditioneel exorcisme effectief zou zijn bij een van beide recente verschijningen, de kans groter was dat dat zou werken bij de geest in de toren dan bij een überskelet dat een suv kon doen kantelen.

Ik kon niet uitmaken of broeder Leopold en Rodion Romanovich me geloofden, maar ik was dat tweetal geen bewijs schuldig buiten de oprechtheid van mijn verhaal.

Tegen Leopold zei ik: 'Ik geloof niet dat exorcisme zal werken, bij geen van beide – u wel?'

De novice keek naar de plek op de vloer waar de blokjes hadden gelegen. Hij likte zenuwachtig zijn lippen.

De Rus bespaarde zijn kameraad de noodzaak om te antwoorden. 'Meneer Thomas, ik ben volkomen bereid te geloven dat u leeft op een richel tussen deze wereld en de volgende, dat u ziet wat wij niet kunnen zien. En nu hebt u verschijningen gezien die u nooit eerder hebt gezien.'

'Hebt u ze wel eerder gezien?' vroeg ik.

'Ik ben maar een eenvoudige bibliothecaris, meneer Thomas, zonder zesde zintuig. Maar ik ben een gelovig man, of u dat gelooft of niet, en nu ik uw verhaal heb gehoord, maak ik me evenveel zorgen om de kinderen als u. Hoeveel tijd hebben we nog? Wat staat ons te wachten en wanneer?'

Ik schudde mijn hoofd. 'Ik heb vanochtend maar zeven bodachs gezien. Er zouden er meer zijn als er onmiddellijk gevaar dreigde.'

'Dat was vanochtend. Vindt u niet dat we nu even een kijkje moeten nemen – nu het al halftwee is geweest?'

'Neem al het gereedschap en de… wapens mee,' zei abt Bernard tegen zijn broeders.

De sneeuw die op mijn schoenen had gezeten was gesmolten. Ik veegde mijn voeten op de mat bij de deur tussen de garage en de kelder van de school, terwijl de andere mannen, stuk voor stuk veteraan van de winter en stuk voor stuk wellevender dan ik, hun van een rits voorziene rubberlaarzen uittrokken en achterlieten.

Nu de lunchtijd voorbij was, waren de meeste kinderen in de revalidatie- of de recreatiezaal, die ik samen met de abt, een paar broeders en Romanovich bezocht.

Roetkleurige schaduwen, geworpen door niets in deze we-

reld, dwaalden door de zalen en de gang, huiverend van verwachting, wolfachtig en gretig, zo te zien in vervoering gebracht door de aanblik van zo veel onschuldige kinderen die,
naar ze op de een of andere manier wisten, weldra zouden gillen van doodsangst en helse pijn. Ik telde tweeënzeventig bodachs en wist dat er nog meer in de gangen op de eerste verdieping zouden rondsluipen.

'Spoedig,' zei ik tegen de abt. 'Het komt eraan.'

41

Terwijl de zestien krijgshaftige monniken en één onbetrouwbare novice bespraken hoe de beide trappenhuizen naar de eerste verdieping van de school het beste bewaakt konden worden, was zuster Angela aanwezig om de mannen te garanderen dat haar nonnen klaarstonden om waar nodig hulp te bieden.

Toen ik op weg ging naar de nonnenpost in de noordwesthoek, liep ze met me op. 'Oddie, ik heb gehoord dat er op de terugweg van de abdij iets is gebeurd.'

'Ja, zuster. Zeg dat wel. Ik heb nu geen tijd om er verder op in te gaan, maar uw verzekeraar zal een heleboel vragen hebben.'

'Zijn er hier bodachs?'

Ik keek links en rechts de kamers binnen waar we langskwamen. 'Het krioelt ervan, zuster.'

Rodion Romanovich volgde ons met de autoritaire houding van een bibliothecaris die met een intimiderende dreigende blik over de boekenrekken heerst, die zo scherp *stil* fluistert dat het tere weefsel van het binnenoor scheurt en die jacht maakt op een te laat teruggebracht boek met de woestheid van een hondsdolle fret.

'Is meneer Romanovich hier om te helpen?'

'Nee, zuster.'

'Wat doet hij dan?'

'Hoogstwaarschijnlijk intrigeren.'

'Zal ik hem eruit gooien?' vroeg ze.

Voor mijn geestesoog zag ik een kort filmpje van de moeder-overste die de arm van de Rus achter zijn rug omdraaide, hem de trap af duwde naar de keuken en hem op een kruk in de hoek zette tot alles voorbij was.

'Eerlijk gezegd, zuster, heb ik hem liever in de buurt, aangezien ik me dan niet de hele tijd hoef af te vragen waar hij is en wat hij uitspookt.'

Bij de nonnenpost stond zuster Miriam, met *God zij dank* voor altijd op haar lippen, tenminste voor altijd op de onderlip, nog steeds achter de balie.

Ze zei: 'Lieverd, de donkere nevels van geheimzinnigheid die je omhullen worden zo dicht dat ik je weldra niet meer kan zien. Dan zal deze donkere smog voorbijkomen en zullen de mensen zeggen: "Kijk, daar gaat Odd Thomas. Ik vraag me af hoe hij er tegenwoordig uitziet."'

'Zuster, ik heb uw hulp nodig. Kent u Justine in kamer tweeëndertig?'

'Lieverd, ik ken niet alleen ieder kind hier, maar ik hou van hen alsof ze mijn eigen kinderen zijn.'

'Toen ze vier was heeft haar vader haar in de badkuip verdronken, maar hij heeft de klus niet afgemaakt, zoals hij wel bij haar moeder heeft gedaan. Klopt dat?'

Haar ogen vernauwden zich. 'Ik wil er niet aan denken in wat voor soort oord zijn ziel verteerd wordt.' Ze keek vluchtig naar haar moeder-overste en zei, met een zweem van schuldgevoel in haar stem: 'Eerlijk gezegd denk ik daar niet alleen af en toe aan, maar geniet ik van die gedachte.'

'Wat ik moet weten, zuster, is of hij misschien toch de klus heeft afgemaakt en dat Justine een paar minuten dood was voordat de politie of de ambulancebroeders haar hebben gereanimeerd. Kan het zo zijn gegaan?'

Zuster Angela zei: 'Ja, Oddie. We kunnen voor alle zekerheid haar dossier erop naslaan, maar ik geloof inderdaad dat het zo is gegaan. Ze heeft hersenletsel opgelopen door langdurig gebrek aan zuurstof en gaf geen teken van leven meer toen de politie de deur forceerde en haar vond.'

Vandaar dat het meisje als brug kon dienen tussen onze wereld en de volgende: ze had de oversteek gemaakt, hoe kort ook, en was door mannen met de beste bedoelingen teruggehaald. Stormy had via Justine contact met mij kunnen zoeken omdat Justine eigenlijk aan gene zijde thuishoorde.

Ik vroeg: 'Zijn er nog andere kinderen die hersenletsel hebben opgelopen door langdurig zuurstofgebrek?'

'Een paar,' bevestigde zuster Miriam.

'Zijn die – al is het er maar één – alerter dan Justine? Nee, daar gaat het niet om. Zijn ze tot spreken in staat? Dat is wat ik moet weten.'

Rodion Romanovich, die inmiddels naast de moeder-overste voor de balie stond, keek me dreigend aan, als een begrafenisondernemer die, op zoek naar werk, meende dat ik al snel een kandidaat voor balsemen zou zijn.

'Ja,' zei zuster Angela. 'Minstens twee.'

'Drie,' verbeterde zuster Miriam.

'Zuster, is een van hen klinisch dood geweest en gereanimeerd door de politie of ambulancebroeders, net als Justine?'

Zuster Miriam keek fronsend naar haar moeder-overste. 'Weet u dat?'

Zuster Angela schudde haar hoofd. 'Dat zal waarschijnlijk in de medische dossiers staan.'

'Hoe lang hebt u nodig om die dossiers te bekijken, zuster?'

'Een halfuur, veertig minuten? Misschien hebben we geluk en vinden we zoiets al in het eerste dossier.'

'Wilt u dat alstublieft doen, zuster, zo snel mogelijk? Ik heb een kind nodig dat dood is geweest, maar nog steeds kan praten.'

Van hen drieën was zuster Miriam de enige die niets wist van mijn zesde zintuig. 'Lieverd, je begint nu echt griezelig te worden.'

'Dat ben ik altijd al geweest, zuster.'

42

In kamer 14 had Jacob het nieuwste portret van zijn moeder afgemaakt en er een dun laagje fixatief opgespoten. Met het schuurblokje sleep hij zorgvuldig de punt van al zijn potloden als voorbereiding voor een volgend portret op de blanco pagina van het tekenblok op het schuine tekenbord.

Op de tafel stond ook een lunchblad vol lege borden en vuil bestek.

Er waren momenteel geen bodachs aanwezig, al stond de sombere geest die zichzelf Rodion Romanovich noemde in de deuropening, met zijn jas over zijn arm, maar de berenmuts nog op zijn hoofd. Ik had hem verboden de kamer binnen te gaan omdat zijn dreigende aanwezigheid de verlegen jonge kunstenaar zou kunnen intimideren.

Als de Rus het toch zou wagen een voet over de drempel te zetten, zou ik zijn muts van zijn hoofd trekken, erop gaan zitten en dreigen die met een Odd-luchtje te parfumeren als hij zich niet terugtrok. Ik kan keihard zijn.

Ik ging tegenover Jacob aan de tafel zitten en zei: 'Daar ben ik weer. De Odd Thomas.'

Tegen het eind van mijn vorige bezoek had hij op al mijn opmerkingen en vragen met zo'n diep zwijgen gereageerd dat ik het idee had gekregen dat hij zich in zichzelf had verschanst, dat hij me niet langer kon horen en dat hij zelfs niet besefte dat ik er was.

'Dit nieuwe portret van je moeder is prachtig geworden. Het is een van je beste werken.'

Ik had gehoopt dat hij in een spraakzamere stemming zou zijn dan tijdens mijn vorige bezoek. Deze hoop bleek vals te zijn.

'Ze moet wel bijzonder trots zijn geweest op je talent.'

Jacob had inmiddels alle potloden geslepen en hield het laatste in zijn hand. Hij richtte zijn aandacht op het tekenbord en bestudeerde het blanco tekenvel.

'Sinds mijn vorige bezoek,' zei ik, 'heb ik een heerlijke rosbiefsandwich gegeten en een knapperige augurk die waarschijnlijk niet vergiftigd was.'

Zijn dikke tong verscheen en hij beet er zachtjes op, misschien besloot hij waar hij zijn eerste potloodstreep zou trekken.

'Toen ben ik bijna opgehangen in de klokkentoren door een gemenerik en ben ik door een tunnel achternagezeten door een groot, boos, griezelig wezen en daarna heb ik met Elvis Presley een sneeuwavontuur beleefd.'

Hij begon licht en vloeiend de contouren te schetsen van iets wat ik niet meteen herkende omdat ik het ondersteboven zag.

In de deuropening slaakte Romanovich een ongeduldige zucht.

Zonder hem aan te kijken, zei ik: 'Sorry. Ik weet dat mijn ondervragingstechniek minder direct is dan die van een bibliothecaris.'

Tegen Jacob zei ik: 'Zuster Miriam heeft me verteld dat je je moeder hebt verloren toen je dertien was, ruim twaalf jaar geleden.'

Hij schetste een boot vanaf een hoog perspectief.

'Ik heb nooit een moeder verloren omdat ik er eigenlijk nooit een gehad heb. Maar ik heb wel een meisje verloren waarvan ik hield. Ze betekende alles voor me.'

Met een paar lijnen gaf hij aan dat de zee, als de tekening klaar was, kalm zou zijn.

'Ze was mooi, dit meisje, en mooi in haar hart. Ze was vriendelijk en sterk, lief en kordaat. Slim, ze was slimmer dan ik. En heel grappig.'

Jacob wachtte even om te kijken wat hij tot dusver op het papier had gezet.

'Het leven was hard geweest voor dit meisje, Jacob, maar ze had genoeg moed voor een heel leger.'

Zijn tong trok zich terug en hij beet in plaats daarvan op zijn onderlip.

'We hebben nooit de liefde bedreven. Als klein meisje had ze iets akeligs meegemaakt en daarom wilde ze wachten. Wachten tot we het ons konden veroorloven om te trouwen.'

Met dubbele arcering begon hij diepte aan te brengen in de romp van de boot.

'Soms was ik bang dat ik niet kon wachten, maar toch lukte dat altijd. Omdat ze me zoveel andere dingen gaf, en alles wat ze me gaf was meer dan wat duizend andere meisjes me ooit konden geven. Het enige wat ze wilde was liefde met respect. Respect was voor haar heel belangrijk, en dat kon ik haar geven. Ik snap niet wat ze in mij zag, weet je? Maar dat was iets wat ik haar kon geven.'

Het potlood gleed fluisterend over het papier.

'Ze had vier kogels in haar borst en buik. Mijn lieve meisje dat nooit een vlieg kwaad had gedaan.'

Het bewegende potlood gaf Jacob troost. Ik kon zien hoe hij troost putte uit het scheppen.

'Ik heb de man gedood die haar had gedood, Jacob. Als ik twee minuten eerder ter plekke was geweest, had ik hem misschien kunnen doden voordat hij haar doodde.'

Het potlood aarzelde, maar gleed toen verder.

'We waren voorbestemd om voor altijd bij elkaar te zijn, mijn meisje en ik. We hadden een kaartje uit een waarzegmachine waarop dat stond. En dat zullen we ook zijn... voor altijd. Dit hier, nu – dit is alleen maar een pauze tussen het eerste en het tweede bedrijf.'

Misschien vertrouwt Jacob erop dat God zijn hand zal leiden en hem de boot en de exacte plek op de oceaan zal tonen waar de klok luidde, zodat hij die zal herkennen als zijn eigen laatste uur geslagen heeft, als voor hem het tijdstip is aangebroken om weg te drijven.

'Ze hebben de as van mijn meisje niet op zee uitgestrooid. Ze hebben haar as aan mij gegeven in een urn. Een vriend in mijn woonplaats bewaart die voor mij.'

Terwijl het potlood fluisterde, mompelde Jacob: 'Ze kon zingen.'

'Als haar stem net zo mooi was als haar gezicht, moet die wel prachtig zijn geweest. Wat zong ze?'

'Zo mooi. Alleen voor mij. Als het donker kwam.'

'Ze zong je in slaap.'

'Als ik wakker werd en het donker nog niet weg was, en het donker zo groot leek, dan zong ze zacht en maakte ze het donker weer klein.'

Dat is het beste van alles wat we voor elkaar kunnen doen: het donker klein maken.

'Jacob, vanochtend vertelde je me over iemand die de Nooitwas heet.'

'Hij is de Nooitwas en dat kan ons niet schelen.'

'Je zei dat hij naar je toe kwam toen je "vol van het donker" was.'

'Jacob was vol van het donker en de Nooitwas zei: "*Laat hem doodgaan.*"'

'Dus "vol van het donker" betekent dat je ziek was. Erg ziek. Was de man die zei dat ze je moesten laten doodgaan – was dat een dokter?'

'Hij was de Nooitwas. Dat is alles wat hij was. En dat kan ons niet schelen.'

Ik keek naar de elegante lijnen die uit het simpele potlood vloeiden dat werd vastgehouden door de dikke vingers van de korte, brede hand.

'Jacob, herinner je je het gezicht van de Nooitwas?'

'Heel lang geleden.' Hij schudde zijn hoofd. 'Heel lang geleden.'

Een stortvloed van vallende sneeuw maakte van het raam een blind oog.

In de deuropening tikte Romanovich met opgetrokken wenkbrauwen met zijn vinger op de wijzerplaat van zijn horloge.

Het was mogelijk dat we nog maar weinig tijd hadden, maar ik kon geen betere plek bedenken om die tijd door te brengen dan hier, waar ik naartoe was gestuurd door de als medium optredende eens-dode Justine.

Intuïtie deed een vraag in me rijzen die me onmiddellijk belangrijk leek.

'Jacob, je kent mijn naam, mijn hele naam.'

'De Odd Thomas.'

'Ja. Mijn achternaam is Thomas. Weet jij je achternaam?'
'Haar naam.'
'Dat klopt. Die zou ook de achternaam van je moeder zijn.'
'Jennifer.'
'Dat is een voornaam, zoals Jacob.'

Het potlood hield stil alsof de herinnering aan zijn moeder opeens zo levendig was dat er geen enkel deel van zijn geest of hart vrij was om zijn tekenen te leiden.

'Jenny,' zei hij. 'Jenny Calvino.'
'Jij bent dus Jacob Calvino.'
'Jacob Calvino,' bevestigde hij.

Intuïtie had me ingefluisterd dat de naam onthullend zou zijn, maar hij zei me niets.

Het potlood kwam weer in beweging en de boot nam verder vorm aan, de boot die was gebruikt om de as van Jenny Calvino uit te strooien.

Net als tijdens mijn eerdere bezoek lag er ook nu een tweede tekenblok dichtgeslagen op de tafel. Hoe langer ik probeerde en jammerlijk faalde vragen te bedenken waarmee ik belangrijke informatie aan Jacob zou kunnen ontlokken, hoe meer mijn aandacht naar dat tekenblok werd geleid.

Als ik zonder toestemming dat tweede tekenblok zou inkijken, zou Jacob mijn nieuwsgierigheid kunnen opvatten als een inbreuk op zijn privacy. Hij zou zich ontstemd weer in zichzelf terug kunnen trekken en niets meer zeggen.

Daar stond tegenover dat als ik vroeg of ik het blok mocht inzien en hij dit zou weigeren, die weg afgesloten zou zijn.

Jacobs achternaam was tegen mijn verwachting in niet onthullend, maar in dit geval had ik het idee dat mijn intuïtie me niet in de steek zou laten. Het tekenblok leek bijna te gloeien, boven de tafel te zweven, het levendigste voorwerp in de kamer, meer dan echt.

Ik trok het tekenblok naar me toe en Jacob merkte het niet of gaf er niet om.

Toen ik het blok opensloeg, vond ik een tekening van het enige raam van deze kamer. Tegen het raam gedrukt was een caleidoscoop van botten, tot in het kleinste detail weergegeven.

Romanovich voelde dat ik iets schokkends had gevonden en deed een stap de kamer binnen.

Ik stak mijn hand op om hem te waarschuwen dat hij moest blijven staan, maar toen hield ik de tekening omhoog zodat hij die kon zien.

Toen ik de bladzijde omsloeg vond ik nog een tekening van het wezen voor hetzelfde raam, maar nu vormden de botten een patroon dat van het eerste verschilde.

Of het wezen had zich lang genoeg tegen het raam gedrukt om Jacob de gelegenheid te geven het na te tekenen, wat ik betwijfelde, of Jacob had een fotografisch geheugen.

De derde tekening was van een gedaante in een lang gewaad met een halssnoer van mensentanden en botjes: de Dood zoals ik hem in de klokkentoren had gezien, met bleke handen en zonder gezicht.

Toen ik op het punt stond ook deze tekening aan Romanovich te laten zien, glipten drie bodachs de kamer binnen, en ik sloeg het tekenblok dicht.

43

Het drietal onheilspellende gedaanten vond mij niet interessant of deed alsof en schaarde zich rond Jacob.

Hun handen waren vingerloos, even gespeend van details als hun gezicht en gestalte. Toch deden ze eerder denken aan klauwen – of de van vliezen voorziene poten van amfibieën – dan aan handen.

Terwijl Jacob doorwerkte, zich niet bewust van zijn geestbezoekers, leken ze zijn wangen te strelen. Huiverend van opwinding volgden de schimmen de kromming van zijn dikke nek en kneedden zijn zware schouders.

Bodachs lijken deze wereld te ervaren met sommige van de, zo niet alle, gebruikelijke vijf zintuigen, misschien ook zelfs met een eigen zesde zintuig, maar ze hebben geen invloed op dingen hier. Als er een zwerm van honderd van die wezens voorbij zou razen, zouden ze geen enkel geluid maken en niet de geringste luchtstroom veroorzaken.

Ze leken in vervoering gebracht te worden door iets wat Jacob uitstraalde, onzichtbaar voor mij, misschien zijn levenskracht, ze leken te weten dat die hem weldra zou worden ontnomen. Wanneer het geweld uiteindelijk losbarst, de dreigende verschrikking die hen heeft aangelokt, beginnen ze te beven en te stuiptrekken en raken ze in extase.

Ik heb wel eens gedacht dat het misschien helemaal geen geesten zijn. Soms vraag ik me af of het tijdreizigers zouden kunnen zijn die niet lijfelijk maar in een virtueel lichaam terugkeren naar het verleden.

Als onze huidige barbaarse wereld in een neerwaartse spiraal nog verder afdaalt naar corruptie en gewelddadigheid, worden onze afstammelingen misschien dermate wreed en moreel pervers dat ze terugkeren in de tijd om ons te zien lijden en om orgastisch genoegen te beleven aan de bloedbaden waaruit hun geperverteerde beschaving is voortgekomen.

Feitelijk is dat maar een paar treetjes lager dan de fascinatie van hedendaagse toeschouwers voor de allesomvattende verslaggeving van rampen, bloederige moordverhalen en het meedogenloze zaaien van angst die het tv-nieuws ons voorschotelt.

Deze afstammelingen van ons zouden beslist op ons lijken en voor ons kunnen doorgaan als ze in hun echte lichaam hierheen zouden reizen. De huiveringwekkende bodachvorm, het virtuele lichaam, zou dus een weerspiegeling kunnen zijn van hun verwrongen, ziekelijke ziel.

Een van de drie sloop op handen en voeten door de kamer en sprong toen op het bed, waar het de lakens leek te besnuffelen.

Als door tocht aangetrokken rook gleed een andere bodach door een kier onder de badkamerdeur de badkamer binnen. Ik weet niet wat hij daar deed, maar hij hoefde beslist niet nodig naar de wc.

Ze lopen niet door muren en gesloten deuren zoals de talmende doden. Ze hebben een kier nodig, een spleet, een open sleutelgat.

Hoewel bodachs geen massa bezitten en geen last zouden moeten hebben van de zwaartekracht, kunnen ze niet vliegen. Ze lopen trappen op en af met drie of vier treden tegelijk, met lange, soepele stappen, maar zweven nooit door de lucht zoals filmspoken. Ik heb gezien hoe ze in drommen als bezetenen rondrenden, even snel als panters, maar door de contouren van het land beperkt.

Ze lijken gebonden te zijn aan sommige – maar niet alle – regels van onze wereld.

Vanuit de deuropening zei Romanovich: 'Is er iets?'

Ik schudde mijn hoofd en maakte een gebaar alsof ik mijn mond dichtritste, wat een echte bibliothecaris natuurlijk onmiddellijk zou begrijpen.

Hoewel ik de bodachs stiekem in de gaten hield, deed ik net of ik aandachtig naar Jacobs tekening van een boot op zee keek.

In heel mijn leven ben ik maar één ander iemand tegengekomen die bodachs kon zien, een zesjarig Engels jongetje. Luttele seconden nadat hij binnen hun gehoorsafstand hardop had gesproken over de duistere aanwezigheden, was hij door een op hol geslagen vrachtwagen overreden.

Volgens de lijkschouwer in Pico Mundo had de chauffeur van de vrachtwagen een beroerte gehad en was hij tegen het stuur in elkaar gezakt.

Ja hoor, natuurlijk. En dat de zon elke ochtend opkomt en duisternis de zonsondergang volgt is zuiver toeval.

Nadat de bodachs uit kamer 14 vertrokken waren, zei ik tegen Romanovich: 'We hebben bezoek gehad.'

Ik opende het tekenblok bij de derde tekening en staarde naar de gezichtloze Dood met zijn halssnoer van mensentanden. De volgende vellen waren blanco.

Toen ik het tekenblok omdraaide en naast Jacob op de tafel legde, keek hij er niet naar, maar bleef geconcentreerd op zijn tekening.

'Jacob, waar heb je dit wezen gezien?'

Hij antwoordde niet en ik hoopte dat hij zich niet weer van mij had verwijderd.

'Jacob, ik heb dit wezen ook gezien. Vandaag nog. Boven in de klokkentoren.'

Jacob verruilde zijn potlood voor een ander en zei: 'Hij komt hier.'

'Naar deze kamer, Jacob? Wanneer is hij hier geweest?'

'Hij komt heel vaak.'

'Wat komt hij hier doen?'

'Naar Jacob kijken.'

'Alleen maar naar je kijken?'

De zee begon uit het potlood te vloeien. De eerste aanzet deed vermoeden dat het water golvend, onheilspellend en donker zou zijn.

'Waarom kijkt hij naar je?' vroeg ik.

'Dat weet je best.'

'O ja? Dan ben ik het zeker vergeten.'

'Hij wil me dood.'

'Je zei eerder dat de Nooitwas je dood wil.'

'Hij is de Nooitwas en dat kan ons niet schelen.'

'Deze tekening, deze gedaante met de kap over zijn hoofd – is hij de Nooitwas?'

'Ben niet bang voor hem.'

'Is dit degene die bij je op bezoek kwam toen je ziek was, toen je vol was van het donker?'

'De Nooitwas zei: "*Laat hem doodgaan*," maar zij liet Jacob niet doodgaan.'

Of Jacob zag geesten, net als ik, of deze gedaante van de dood was net zomin een geest als die wandelende bottenverzameling.

Omdat ik het naadje van de kous wilde weten, vroeg ik: 'Heeft je moeder de Nooitwas ook gezien?'

'Ze zei kom, en toen kwam hij een keer.'

'Waar was jij toen hij kwam?'

'Waar iedereen wit droeg en piepende schoenen aanhad en de naalden voor medicijnen gebruikte.'

'Je was dus in het ziekenhuis en toen kwam de Nooitwas. Maar kwam hij in een lang zwart gewaad met een kap en droeg hij een halssnoer van mensentanden?'

'Nee. Niet zo, niet in het verre verleden, alleen nu.'

'En toen had hij een gezicht, nietwaar?'

De zee nam in verschillende schakeringen vorm aan, vol van zijn eigen duisternis, maar op andere plekken lichter door weerspiegelingen van de lucht.

'Jacob, had hij in het verre verleden een gezicht?'

'Een gezicht en handen, en zij zei: "Waarom doe je nou zo raar?" en de Nooitwas zei: "Omdat hij zo raar is," en zij zei: "Mijn god, o mijn god, je durft hem niet eens aan te raken," en hij zei: "Stel je niet aan, kreng."'

Hij tilde zijn potlood van het papier omdat zijn hand was gaan trillen.

De emotie in zijn stem was intens geweest. Tegen het eind van zijn alleenspraak was zijn lichte spraakgebrek verergerd.

Bang dat hij zich misschien weer in zichzelf terug zou trekken als ik te veel aandrong, gaf ik hem de tijd om tot rust te komen.

Toen zijn hand ophield met trillen ging hij weer verder met het scheppen van de zee.

Ik zei: 'Je hebt me enorm geholpen, Jacob. Je bent een echte vriend en ik weet dat dit niet makkelijk voor je is, maar ik hou van je omdat je zo'n goede vriend bent.'

Hij wierp me een steelse blik toe en richtte onmiddellijk weer zijn aandacht op de tekening.

'Jacob, wil je iets speciaal voor mij tekenen? Wil je het gezicht van de Nooitwas voor me tekenen, zoals hij er in het verre verleden uitzag?'

'Kan ik niet,' zei hij.

'Ik weet haast wel zeker dat je een fotografisch geheugen hebt. Dat betekent dat je je alles herinnert wat je ziet, tot in het kleinste detail, zelfs van lang voor de oceaan en de klok en het wegdrijven.' Ik keek naar de muur met de vele portretten van zijn moeder. 'Zoals het gezicht van je moeder. Heb ik gelijk, Jacob? Herinner je je echt alles van lang geleden, net zo duidelijk alsof je het een uur geleden hebt gezien?'

Hij zei: 'Het doet pijn.'

'Wat doet pijn, Jacob?'

'Alles, zo duidelijk.'

'Dat kan ik me heel goed voorstellen. Dat weet ik. Mijn meisje is al zestien maanden weg en elke dag zie ik haar duidelijker.'

Hij tekende en ik wachtte.

Toen vroeg ik: 'Weet je hoe oud je was toen in dat ziekenhuis?'

'Zeven. Ik was zeven.'

'Wil je alsjeblieft het gezicht van de Nooitwas voor me tekenen, van die keer in het ziekenhuis toen je zeven was?'

'Kan ik niet. Mijn ogen waren toen raar. Als een raam als het regent en alles raar lijkt.'

'Zag je alles die dag als door een waas?'

'Door een waas.'

'Van de ziekte, bedoel je.' Mijn hoop vervloog. 'Dat kan heel goed.'

Ik ging een bladzij terug naar de tweede tekening van de bottencaleidoscoop voor het raam.

'Hoe vaak heb je dit wezen gezien, Jacob?'

'Meer dan één wezen. Verschillende.'

'Hoe vaak heb je ze voor het raam gezien?'

'Drie keer.'

'Drie keer maar? Wanneer was dat?'

'Gisteren twee keer. En toen ik wakker werd.'

'Toen je vanochtend wakker werd?'

'Ja.'

'Ik heb ze ook gezien,' zei ik. 'Ik kom er maar niet achter wat het zijn. Wat denk jij dat het zijn, Jacob?'

'De honden van de Nooitwas,' zei hij zonder aarzeling. 'Ik ben niet bang voor ze.'

'Honden, hè? Ik zie geen honden.'

'Niet honden maar net als honden,' legde hij uit. 'Als heel gemene honden. Hij leert ze om te doden en hij stuurt ze en dan doden ze.'

'Aanvalshonden,' zei ik.

'Ik ben niet bang en word niet bang.'

'Je bent een dappere jongeman, Jacob Calvino.'

'Ze zei... ze zei niet bang zijn, we zijn niet geboren om de hele tijd bang te zijn, toen we werden geboren waren we blij, baby's lachen om alles, we zijn blij geboren en om een betere wereld te maken.'

'Ik zou je moeder heel graag hebben gekend.'

'Ze zei dat iedereen... iedereen, of hij rijk is of arm, of hij belangrijk is of een niemand – een deugd heeft.' Een vredige uitdrukking gleed over zijn gekwelde gezicht toen hij het woord *deugd* zei. 'Weet je wat een deugd is?'

'Ja.'

'Een deugd is iets wat je van God krijgt. Je gebruikt hem om een betere wereld te maken of je gebruikt hem niet, je moet kiezen.'

'Zoals jouw kunst,' zei ik. 'Zoals jouw prachtige tekeningen.'

Hij zei: 'Zoals jouw pannenkoeken.'

'Aha, je weet dus dat ik die pannenkoeken heb gebakken, hè?'

'Die pannenkoeken, dat is een deugd.'

'Dank je wel, Jacob. Dat is heel lief van je.' Ik sloeg het tweede tekenblok dicht en stond op. 'Ik moet nu gaan, maar ik zou graag nog eens terugkomen, als je dat goed vindt.'

'Dat vind ik goed.'

'Red je je wel?'

'Ik red me wel,' verzekerde hij me.

Ik liep naar zijn kant van de tafel, legde een hand op zijn schouder en bekeek de tekening vanuit zijn perspectief.

Hij was een meester met het potlood, maar niet alleen dat. Hij begreep de aard van het licht, de eigenschap van licht, zelfs in de schaduw, de schoonheid van licht en de noodzaak van licht.

Hoewel de winterschemering nog een paar uur in het verschiet lag, zag ik door het raam dat het licht voor het overgrote deel door de sneeuwstorm uit de lucht was geperst. De dag begon al donker te worden.

Tijdens mijn eerste bezoek had Jacob me gewaarschuwd dat het donker zou komen met het donker. Misschien konden we er niet van uitgaan dat de dood zou wachten op de volle nacht. Misschien was het halfduister van deze valse schemering donker genoeg.

44

Buiten op de gang voor kamer 14, nadat ik bij Jacob was weggegaan met de belofte dat ik terug zou komen, zei Rodion Romanovich: 'Meneer Thomas, uw ondervraging van die jongeman – dat hebt u anders aangepakt dan ik zou hebben gedaan.'

'Ja, meneer, maar de nonnen hebben een strikte regel tegen
het uittrekken van vingernagels met een nijptang.'

'Nou, zelfs nonnen hebben niet in alles gelijk. Maar wat ik
wilde zeggen is dat u hem even goed aan de praat hebt gekregen als wie dan ook zou hebben gekund. Ik ben diep onder de
indruk.'

'Ik weet het niet, meneer. Al ben ik misschien een stapje verder, ik ben er nog niet. Hij heeft de sleutel. Ik ben eerder op
de dag naar hem toe gestuurd omdat hij de sleutel heeft.'

'Naar hem toe gestuurd? Door wie?'

'Door iemand die dood is en die me via Justine probeerde te
helpen.'

'Via het verdronken meisje over wie u het eerder had, het
meisje dat dood was en toen is gereanimeerd.'

'Ja, meneer.'

'Ik had gelijk over u,' zei Romanovich. 'Complex, gecompliceerd, uiterst gecompliceerd zelfs.'

'Maar niet martiaal,' verzekerde ik hem.

Zonder zich ervan bewust te zijn dat ze door een zwerm bodachs heen liep, kwam zuster Angela op ons toelopen.

Ze wilde iets zeggen en ik maakte weer het gebaar alsof ik
mijn mond dichtritste. Haar maagdenpalm-blauwe ogen vernauwden zich, want al was ze op de hoogte van het bestaan
van bodachs, ze was er niet aan gewend dat een ander haar de
mond snoerde.

Toen de verderfelijke geesten in diverse kamers waren verdwenen, zei ik: 'Zuster, ik hoop dat u me kunt helpen. Jacob – wat weet u over zijn vader?'

'Over zijn vader? Niets.'

'Ik dacht dat u van alle kinderen achtergrondinformatie had.'

'Dat is ook zo. Maar Jacobs moeder is nooit getrouwd.'

'Jenny Calvino. Dat is dus haar meisjesnaam.'

'Ja. Voor ze aan kanker stierf heeft ze geregeld dat Jacob werd opgenomen in een kerkelijke instelling, niet deze destijds.'

'Twaalf jaar geleden.'

'Ja. Ze had geen familie en op de formulieren, waar naar de naam van de vader werd gevraagd, heeft ze helaas *onbekend* neergezet.'

Ik zei: 'Ik heb de bewuste dame nooit ontmoet, maar zelfs met het weinige wat ik over haar weet, geloof ik niet dat ze zo lichtzinnig was dat ze dat niet zou weten.'

'Het is een trieste wereld, Oddie, omdat wij dat ervan maken.'

'Ik ben een paar dingen van Jacob te weten gekomen. Hij is erg ziek geweest toen hij zeven was, is het niet?'

Ze knikte. 'Dat staat in zijn dossier. Zeker weet ik het niet, maar ik geloof… een of andere bloedinfectie. Het scheelde niet veel of hij was gestorven.'

'Uit dingen die Jacob zei, maak ik op dat Jenny zijn vader naar het ziekenhuis heeft laten komen. Het was geen warme gezinshereniging. Maar die naam – die zou wel eens de sleutel tot alles kunnen zijn.'

'Weet Jacob de naam niet?'

'Ik geloof niet dat zijn moeder hem die ooit heeft verteld. Maar daar staat tegenover dat ik geloof dat meneer Romanovich die weet.'

Verrast vroeg zuster Angela: 'Weet u die naam, meneer Romanovich?'

'Als hij die weet,' zei ik, 'zal hij dat niet vertellen.'

Ze fronste: 'Waarom wilt u me dat niet vertellen, meneer Romanovich?'

'Omdat,' legde ik uit, 'hij zich niet bezighoudt met informatieverstrekking. Integendeel.'

'Maar, meneer Romanovich,' zei zuster Angela, 'informatieverstrekking is toch juist een fundamenteel deel van het werk
van een bibliothecaris?'

'Hij is geen bibliothecaris,' zei ik. 'Hij beweert van wel, maar
als u doorvraagt, is het enige wat u van hem te horen krijgt veel
meer over Indianapolis dan u hoeft te weten.'

'Er schuilt geen kwaad,' zei Romanovich, 'in het vergaren
van diepgaande kennis over mijn geliefde Indianapolis. En feitelijk weet u de naam ook.'

Nog verbaasder wendde zuster Angela zich tot mij. 'Weet jij
de naam van Jacobs vader, Oddie?'

'Hij heeft een vermoeden,' zei Romanovich, 'maar hij wil eigenlijk niet geloven wat hij vermoedt.'

'Is dat waar, Oddie? Waarom wil je dat niet geloven?'

'Omdat meneer Thomas de man die hij verdenkt bewondert.
En omdat als zijn vermoeden waar is, hij misschien tegenover
een macht komt te staan die hij niet de baas kan.'

Zuster Angela vroeg: 'Oddie, bestaan er machten die je niet
de baas kunt?'

'O, dat is een lange lijst, zuster. Waar het om gaat is dat ik
zeker moet weten dat ik gelijk heb over de naam. En ik moet
zijn beweegredenen begrijpen, wat nog niet het geval is, niet
ten volle. Het zou gevaarlijk kunnen zijn hem zonder volledig
inzicht te benaderen.'

Zuster Angela wendde zich tot de Rus en zei: 'Meneer, u begrijpt toch wel dat als u Oddie de naam en de beweegredenen
van deze man vertelt, u dat doet om de kinderen te beschermen?'

'Geloof maar liever niet alles wat hij zegt,' zei ik. 'Onze vriend
met de berenmuts heeft zijn eigen agenda. En ik vermoed dat
hij tot het uiterste zal gaan om die uit te voeren.'

Met een stem die droop van afkeuring zei de moeder-overste: 'Meneer Romanovich, u hebt zich aan deze gemeenschap
gepresenteerd als een eenvoudige bibliothecaris die zijn geloof
wilde verrijken.'

'Zuster,' sprak hij haar tegen, 'ik heb nooit gezegd dat ik
eenvoudig was. Maar het is waar dat ik een gelovig man ben.
En wiens geloof is zo onwankelbaar dat het nooit verrijkt hoeft
te worden?'

Ze staarde hem even aan en wendde zich toen weer naar mij. 'Wat een boef.'

'Zeg dat wel, zuster.'

'Ik zou hem eigenhandig buiten de deur zetten als dat niet zo'n onchristelijke daad was – en als ik ook maar even geloofde dat ons dat zou lukken.'

'Ik geloof niet dat we dat voor elkaar zouden krijgen, zuster.'

'Ik evenmin.'

'Als u een kind kunt vinden dat dood is geweest, maar nog steeds kan praten,' bracht ik haar in herinnering, 'zou ik misschien via een andere weg dan meneer Romanovich te weten kunnen komen wat ik moet weten.'

Haar door de kap omlijste gezicht klaarde op. 'Dat is wat ik je wilde vertellen voor al dat gepraat over Jacobs vader. Er is een meisje dat Flossie Bodenblatt heet…'

'Dat zal toch niet,' zei Romanovich.

'Flossie,' ging zuster Angela verder, 'heeft veel meegemaakt, te veel, bijzonder veel – maar het is een meisje met karakter en ze heeft heel hard gewerkt bij spraaktherapie. Ze is goed te verstaan. Ze was in de revalidatiezaal, maar we hebben haar naar haar kamer gebracht. Loop maar mee.'

45

Flossie, negen jaar oud, was al een jaar in St. Bartholomew's. Volgens zuster Angela was het meisje een van de weinigen die op een dag de school zouden verlaten en in staat zouden zijn op zichzelf te wonen.

Ik las de naamplaatjes op de deur: FLOSSIE EN PAULETTE. Alleen Flossie zat binnen.

Ruches, stroken en poppen kenmerkten Paulettes helft van de kamer. Roze kussens en een klein groen met roze kaptafeltje.

Flossies domein stak daar eenvoudig bij af: fris, wit met blauw, alleen verfraaid met hondenposters.

De naam Bodenblatt deed me denken aan een Duitse of Scandinavische achtergrond, maar Flossie had een mediterrane teint, zwart haar en grote donkere ogen.

Ik was het meisje niet eerder tegengekomen, had haar misschien alleen van een afstand gezien. Mijn borst verkrampte en ik wist meteen dat dit wel eens moeilijker zou kunnen zijn dan ik had verwacht.

Toen we binnenkwamen, zat Flossie op een kleed op de vloer in een boek met hondenfoto's te bladeren.

'Lieve schat,' zei zuster Angela, 'dit is meneer Thomas, de meneer die graag even met je wil praten.'

Haar glimlach was niet de glimlach die ik me herinnerde van een andere plek en tijd, al scheelde dat niet veel, het was een gewonde en mooie glimlach.

'Hallo, meneer Thomas.'

Ik ging in kleermakerszit voor haar op de vloer zitten en zei: 'Ik vind het heel leuk kennis met je te maken, Flossie.'

Zuster Angela ging op de rand van Flossies bed zitten en

Rodion Romanovich stond tussen Paulettes poppen en ruches, als een beer die in het sprookje *Goudlokje* de rollen had omgedraaid. Het meisje droeg een rode broek en een witte trui met een applicatie van de Kerstman. Ze had zachte gelaatstrekken, een wipneusje en een fijne kin. Ze had kunnen doorgaan voor een elfje.

Haar linkermondhoek trok naar beneden en het linkerooglid hing iets.

Haar linkerhand was verkrampt tot een klauw en ze ondersteunde met die arm het boek op haar schoot, alsof ze er weinig meer mee kon doen dan dingen ondersteunen. Met haar rechterhand had ze de bladzijden omgeslagen.

Haar aandacht richtte zich nu op mij. Haar blik was direct en vast, vol vertrouwen verworven uit pijnlijke ervaringen – iets wat ik ook eerder had gezien, in ogen met dezelfde kleur.

'Ik zie dat je van honden houdt, Flossie.'

'Ja, maar niet van mijn naam.' Als ze vroeger een spraakgebrek had gehad als gevolg van hersenletsel, had ze dat overwonnen.

'Vind je Flossie niet leuk? Het is een mooie naam.'

'Het is een koeiennaam,' zei ze.

'Goh, nu je 't zegt, ik heb inderdaad wel eens gehoord van koeien die Flossie heten.'

'En het klinkt als wat je met je tanden doet.'

'Ook dat. Hoe zou je liever heten?'

'Kerstmis,' zei ze.

'Wil je je naam in Kerstmis veranderen?'

'Ja. Iedereen is dol op Kerstmis.'

'Dat is waar.'

'Met Kerstmis gebeurt er nooit iets naars. Dus dan zou iemand die Kerstmis heet nooit iets naars kunnen overkomen, toch?'

'Goed, we beginnen opnieuw,' zei ik. 'Ik vind het heel leuk kennis met je te maken, Kerstmis Bodenblatt.'

'Dat laatste st-st-stuk ga ik ook veranderen.'

'En welke naam heb je liever dan Bodenblatt?'

'Bijna alles. Dat heb ik nog niet besloten. Het moet een goede naam zijn om met honden te werken.'

'Wil je dierenarts worden als je groot bent?'

Ze knikte. 'Maar dat kan niet.' Ze wees naar haar hoofd en zei met pijnlijke directheid: 'Ik ben die dag in de auto een beetje van mijn verstand kwijtgeraakt.'

Ik zei zwakjes: 'Je lijkt me anders best slim.'

'Nee hoor. Niet dom maar niet slim genoeg om dierenarts te worden. Maar als ik goed oefen met mijn arm en mijn been en als die b-b-beter worden, kan ik bij een dierenarts werken, snapt u, hem helpen met de honden. Honden in b-b-bad doen. Trimmen en zo. Ik zou een heleboel met honden kunnen doen.'

'Zo te horen hou je veel van honden.'

'Ik ben dol op honden.'

Ze straalde als ze over honden praatte en blijdschap deed haar ogen minder gekwetst lijken.

'Ik heb een hond gehad,' zei ze. 'Hij was een brave hond.'

Intuïtie waarschuwde me dat vragen over haar hond ons naar oorden zouden voeren waar ik niet tegen opgewassen was.

'Bent u gekomen om over honden te praten, meneer Thomas?'

'Nee, Kerstmis. Ik kom je een gunst vragen.'

'Wat voor gunst?'

'Nou ja, dat is raar, zeg, dat weet ik niet meer. Wil je hier even op me wachten, Kerstmis?'

'Tuurlijk. Ik heb een hondenboek.'

Ik stond op en zei: 'Zuster, kunnen we even praten?'

De moeder-overste en ik liepen naar de andere kant van de kamer en met de zekerheid dat we bij een krachtmeting met hem toch het onderspit zouden delven kwam de Rus ook mee.

Met gedempte stem, bijna fluisterend, zei ik: 'Zuster... wat is dit meisje overkomen... wat heeft ze moeten doorstaan?'

'We bespreken de voorgeschiedenis van de kinderen niet met Jan en alleman,' zei ze, met een veelbetekenende blik op de Rus.

'Ik ben veel dingen,' zei Romanovich, 'maar geen roddelaar.'

'En ook geen bibliothecaris,' zei zuster Angela.

'Zuster, de kans bestaat dat dit meisje me kan helpen begrijpen wat ons boven het hoofd hangt – en ons allemaal kan redden. Maar ik ben... bang.'

'Waarvoor, Oddie?'

'Voor wat dit meisje misschien heeft moeten doorstaan.'

Zuster Angela dacht even na en zei toen: 'Ze woonde met haar ouders en grootouders, allemaal bij elkaar in één huis. Op een avond kwam haar neef langs. Negentien. Een probleemjongen en high van iets.'

Ik wist best dat ze geen tut was, maar ik wilde haar niet zien zeggen wat ik verwachtte dat ze zou zeggen. Ik deed mijn ogen dicht.

'Haar neef heeft ze allemaal doodgeschoten. Grootouders en ouders. Toen heeft hij het meisje... anaal verkracht. Ze was zeven.'

Die nonnen zijn geweldig. In wit gehuld begeven ze zich in het slijk van de wereld en halen daar kostbaarheden uit die ze naar hun beste vermogen weer oppoetsen. Met open ogen dalen ze keer op keer af in het slijk van de wereld en ze blijven altijd hopen, en als ze ooit bang zijn, tonen ze dat niet.

'Toen de drugs uitgewerkt raakten,' zei ze, 'besefte hij dat hij gepakt zou worden, dus sloeg hij de weg van de lafaard in. In de garage bevestigde hij een slang aan de uitlaat, draaide een raampje net ver genoeg open om het uiteinde van de slang de auto binnen te schuiven. Hij nam het meisje mee de auto in. Hij wilde haar in die toegetakelde staat niet alleen achterlaten. Hij moest haar meenemen.'

Altijd weer de roep van zinloze rebellie, het tot boven alles verheffen van het zelf, het narcisme dat alleen in de spiegel het gezicht van gezag ziet.

'Toen kneep hij ertussenuit,' vervolgde zuster Angela. 'Hij liet haar achter in de auto en ging het huis binnen om het alarmnummer te bellen. Hij vertelde de telefonist dat hij een zelfmoordpoging had gedaan en dat zijn longen brandden. Hij was kortademig en had hulp nodig. Toen ging hij zitten wachten op de ambulancebroeders.'

Ik deed mijn ogen open om kracht te putten uit haar blik. 'Zuster, één keer vannacht en vandaag nog een keer, heeft iemand aan gene zijde, iemand die ik ken, geprobeerd via Justine contact met me te zoeken. Volgens mij om me te waarschuwen voor dat wat eraan komt.'

'Ik begrijp het. Ik geloof dat ik het begrijp. Nee, goed dan. God sta me bij, ik neem het van je aan. Ga verder.'

'Er is iets wat ik kan doen met een muntstuk of een medaillon aan een ketting, eigenlijk met bijna alles wat glimt. Ik heb het geleerd van een bevriende goochelaar. Ik kan iemand onder een lichte hypnose brengen.'

'Met welk doel?'

'Een kind dat dood is geweest en later gereanimeerd, kan soms een brug zijn tussen deze wereld en de volgende. In ontspannen toestand, onder een lichte hypnose, kan ze een stem zijn voor die persoon aan gene zijde die niet in staat was via Justine tegen me te praten.'

Zuster Angela's gezicht betrok. 'Maar de Kerk veroordeelt belangstelling voor het occulte. En hoe traumatisch zou dit voor het kind zijn?'

Ik haalde een keer diep adem en liet de lucht ontsnappen. 'Ik doe het niet, zuster. Ik wil alleen dat u weet dat ik door dit te doen misschien te weten zou kunnen komen wat ons boven het hoofd hangt en dat ik het daarom misschien zou moeten doen. Maar ik ben te zwak. Ik ben bang en ik ben zwak.'

'Je bent niet zwak, Oddie. Ik ken je wel beter.'

'Nee, zuster. Ik schiet hopeloos tekort. Ik kan dit niet aan... met Kerstmis en zo en haar hart zo vol van honden. Het is me allemaal te veel.'

'Er is iets wat ik niet begrijp,' zei ze. 'Wat hou je voor me achter?'

Ik schudde mijn hoofd. Ik wist niet hoe ik de situatie moest uitleggen.

Na zijn met bont afgezette jas van Paulettes bed te hebben gepakt fluisterde Romanovich schor: 'Zuster, u weet dat meneer Thomas de vrouw heeft verloren die hij boven alles liefhad.'

'Ja, meneer Romanovich, dat weet ik,' zei ze.

'Meneer Thomas heeft die dag veel mensenlevens gered, maar was niet in staat haar te redden. Ze was een meisje met zwart haar en donkere ogen en een teint zoals dit meisje.'

Hij bracht dingen met elkaar in verband op een manier die

alleen mogelijk was als hij veel meer wist over mijn verlies dan wat er in de krant had gestaan.

Zijn ogen, die tot nog toe ondoorgrondelijk waren geweest, gaven nog steeds niets prijs; zijn boek bleef gesloten.

'Haar naam,' zei Romanovich, 'was Bronwen Llewellyn, maar ze had een hekel aan die naam. Ze vond Bronwen als een elf klinken. Ze noemde zichzelf Stormy.'

Hij stelde me niet meer alleen voor een raadsel. Hij verbijsterde me. 'Wie bent u?'

'Ze noemde zichzelf Stormy, zoals Flossie zichzelf Kerstmis noemt,' ging hij verder. 'Stormy was als meisje misbruikt, door haar adoptievader.'

'Dat weet niemand,' protesteerde ik.

'Niemand is te veel gezegd, meneer Thomas. Een paar welzijnswerkers weten ervan. Stormy heeft noch ernstige lichamelijke schade noch geestelijke achterstand opgelopen. Maar zoals u zult begrijpen, zuster Angela, maken de overeenkomsten het bijzonder moeilijk voor meneer Thomas.'

Bijzonder moeilijk, ja. Bijzonder moeilijk. En als bewijs van hoe vreselijk moeilijk het voor me was, schoot me op dat moment geen kwinkslag te binnen, niet eens een zure opmerking, geen magere, scherpe grap.

'Om te praten met de vrouw die hij heeft verloren,' zei Romanovich, 'via een medium dat hem sterk aan haar doet denken... is te veel. Dat zou voor iedereen te veel zijn. Hij weet dat het meisje gebruiken als kanaal voor een geest voor haar traumatisch zou zijn, maar hij houdt zich voor dat haar trauma acceptabel is als daarmee levens kunnen worden gered. Maar door wie ze is, of hóé ze is, kan hij niet doorgaan. Ze is een onschuldige, net als Stormy, en hij weigert een onschuldige te gebruiken.'

Kijkend naar Kerstmis met haar hondenboek zei ik: 'Zuster, als ik haar gebruik als brug tussen de levenden en de doden... stel dat ze daardoor de herinnering aan de dood terugkrijgt die ze is vergeten? Stel dat ze, als ik met haar klaar ben, met één voet in deze en met de andere in de volgende wereld staat en hier nooit volledig kan zijn en nooit vrede zal kennen? Ze is al een keer gebruikt alsof ze niet meer dan een voorwerp was, gebruikt en weggegooid. Ze mag niet nog eens gebruikt worden, ongeacht de rechtvaardigingen. Niet weer.'

Uit een binnenzak van de jas die over zijn arm hing haalde Romanovich een langwerpige, in de lengte dubbelgevouwen portefeuille en uit de portefeuille haalde hij een gelamineerd kaartje, dat hij niet meteen aan mij gaf.

'Meneer Thomas, als u een twintig pagina's lang rapport over mij zou lezen dat was opgesteld door geroutineerde informatieanalisten, zou u alles van mij weten wat de moeite van het weten waard is, plus veel dat zelfs voor mijn moeder niet interessant zou zijn geweest, hoewel mijn moeder me verafgoodde.'

'Uw moeder de sluipmoordenaar?'

'Dat is juist.'

Zuster Angela zei: 'Pardon?'

'Moeder was ook concertpianist.'

Ik zei: 'Waarschijnlijk was ze ook chef-kok.'

'Inderdaad heb ik het bakken van cakes van haar geleerd. Na het lezen van een twintig pagina's lang rapport over u, meneer Thomas, meende ik alles over u te weten, maar naar nu blijkt, wist ik maar weinig belangrijke zaken. Daarmee bedoel ik niet alleen uw… gave. Ik bedoel dat ik niet wist wat voor soort man u bent.'

Hoewel ik nooit zou hebben gedacht dat de Rus een medicijn tegen melancholie zou zijn, bleek hij opeens een effectieve stemmingoppepper.

'Wat deed uw vader, meneer?' vroeg ik.

'Hij maakte mensen gereed voor de dood, meneer Thomas.'

Dit was voor het eerst dat ik meemaakte dat zuster Angela onthutst was.

'Dat beroep zit dus in de familie. Waarom noemt u uw moeder zo onomwonden een sluipmoordenaar?'

'Omdat, ziet u, technisch gesproken een sluipmoordenaar iemand is die zich alleen bezighoudt met hooggeplaatste politieke doelen.'

'Terwijl een begrafenisondernemer minder kieskeurig is.'

'Een begrafenisondernemer is evenmin niet-kieskeurig, meneer Thomas.'

Als zuster Angela niet regelmatig als toeschouwer tennis-wedstrijden bezocht, zou ze de volgende ochtend een stijve nek hebben.

'Meneer, ik durf te wedden dat uw vader ook schaakmees-ter was.'

'Hij heeft maar eenmaal een nationaal kampioenschap ge-wonnen.'

'Te druk met zijn werk als begrafenisondernemer.'

'Nee. Helaas kreeg hij een gevangenisstraf van vijf jaar op-gelegd in de periode dat hij als schaker op zijn best was.'

'Wat jammer.'

Toen Romanovich mij het gelamineerde, van een foto voor-ziene legitimatiekaartje gaf dat hij uit zijn portefeuille had ge-haald, zei hij tegen zuster Angela: 'Dat alles heeft zich afge-speeld in de vroegere Sovjet-Unie en ik heb alles opgebiecht en ervoor geboet. Ik sta al heel lang aan de kant van waarheid en gerechtigheid.'

Ik las hardop voor wat er op het kaartje stond: 'Nationale Veiligheidsdienst.'

'Dat is juist, meneer Thomas. Na u te hebben gadegeslagen met Jacob en dit meisje hier, heb ik besloten u in vertrouwen te nemen.'

'We moeten voorzichtig zijn, zuster,' waarschuwde ik. 'Hij bedoelt misschien alleen maar dat hij een oplichter is.'

Ze knikte maar leek niet minder verbijsterd.

'We moeten een rustige plek zoeken om te praten,' zei Ro-manovich.

Ik gaf hem zijn legitimatiebewijs van de Nationale Veilig-heidsdienst terug en zei: 'Ik wil nog even met het meisje pra-ten.'

Toen ik weer tegenover Kerstmis op de vloer ging zitten, keek ze op van haar boek en zei: 'Ik vind katten ook leuk, m-m-maar katten zijn geen honden.'

'Dat klopt helemaal,' beaamde ik. 'Ik heb nog nooit een stel katten gezien die sterk genoeg waren om een hondenslee te trekken.'

Toen ze zich voor een slee gespannen katten voorstelde, moest ze giechelen.

'En een kat zal nooit een tennisbal apporteren.'

'Nooit,' beaamde ze.

'En honden hebben nooit muizenadem.'

'Getsie. Muizenadem.'

'Kerstmis, wil je echt op een dag met honden werken?'

'Echt waar. Ik weet dat ik veel met honden zou kunnen doen.'

'Dan moet je je best blijven doen bij de revalidatie, zo veel mogelijk kracht opbouwen in je arm en been.'

'Ik zorg dat ik alles t-t-terugkrijg.'

'Zo mag ik het horen.'

'Je moet de h-h-hersenen opnieuw trainen.'

'Ik hou contact met je, Kerstmis. En als je groot bent en klaar om op jezelf te gaan wonen, heb ik een vriend die ervoor zal zorgen dat je een baan krijgt waarin je prachtige dingen met honden kunt doen, als je dat dan nog steeds wilt.'

Haar ogen werden groot. 'Prachtige dingen – zoals wat bij-voorbeeld?'

'Dat mag je zelf beslissen. Terwijl je aansterkt en ouder wordt, moet je nadenken over wat je de mooiste baan lijkt waar-bij je met honden werkt – en die wordt het dan.'

'Ik had een brave hond, Zijn naam was F-Farley. Hij heeft geprobeerd me te redden, maar Jason heeft hem ook doodge-schoten.'

Ze sprak over die verschrikking met meer objectiviteit dan ik zou hebben kunnen opbrengen, sterker nog, ik had zelfs het gevoel dat ik me niet goed zou kunnen houden als ze er nog één woord over zei.

'Op een dag zul je alle honden hebben die je maar wilt. Je kunt wonen in een zee van vrolijke vacht.'

Hoewel ze niet direct van Farley overging tot giechelen, glimlachte ze. 'Een zee van vrolijke vacht,' zei ze, genietend van hoe dat klonk, en haar glimlach hield stand.

Ik stak haar mijn hand toe. 'Is dat afgesproken?'

Met een doodernstig gezicht dacht ze er even over na en toen knikte ze en pakte mijn hand. 'Afgesproken.'

'Je bent een harde onderhandelaar, Kerstmis.'

'O ja?'

'Ik ben uitgeput. Je hebt me afgemat. Ik ben doodmoe en

suf en uitgeteld. Mijn voeten zijn moe, mijn handen zijn moe, zelfs mijn haar is moe, en ik moet naar mijn bed en een hele tijd slapen, en ik moet echt heel nodig een schaaltje pudding eten.'

Ze giechelde. 'Pudding?'

'Je bent zo'n harde onderhandelaar, je hebt me zo vreselijk afgemat dat ik niet eens meer kan kauwen. Mijn tanden zijn moe. Ik geloof zelfs dat mijn tanden al slapen. Het enige wat ik nog kan eten is pudding.'

Grijnzend zei ze: 'U bent een malle.'

'Dat is me wel meer gezegd,' verzekerde ik haar.

Omdat we moesten praten op een plek waarvan niet aannemelijk was dat bodachs daar binnen zouden komen, leidde zuster Angela Romanovich en mij naar de apotheek, waar zuster Corrine de avondmedicijnen verdeelde over kleine kartonnen bekertjes waarop ze de namen van haar patiënten had geschreven. Ze stemde ermee in ons privacy te geven.

Toen de deur achter zuster Corrine dichtging, zei de moeder-overste: 'Goed dan. Wie is Jacobs vader en waarom is hij zo belangrijk?'

Romanovich en ik keken elkaar aan en toen zeiden we in koor: 'John Heineman.'

'Broeder John?' vroeg ze twijfelend. 'Onze weldoener? Die afstand heeft gedaan van zijn hele vermogen?'

Ik zei: 'U hebt dat Über-skelet niet gezien, zuster. Na het zien van dat Über-skelet zou u weten dat het niemand anders dan broeder John zou kunnen zijn. Hij wil zijn zoon dood en misschien alle kinderen hier.'

46

Rodion Romanovich had voor mij iets aan geloofwaardigheid gewonnen vanwege zijn legitimatiebewijs van de Nationale Veiligheidsdienst en ook omdat hij amusant was. Misschien raakte ik onder invloed van op drift geraakte moleculen van kalmerende middelen in de naar geneesmiddelen geurende lucht van de apotheek, want mijn bereidheid om hem te vertrouwen nam met de minuut toe.

Volgens de Hoosier had John Heinemans verloofde, Jennifer Calvino, vijfentwintig jaar voor we in deze sneeuwstorm in staat van beleg kwamen te verkeren, het leven geschonken aan hun zoon, Jacob. Niemand weet of ze een echo had laten maken of andere tests had laten uitvoeren, maar hoe het ook zij, ze had het kind voldragen.

Heineman, op zijn zesentwintigste al een fysicus van naam, had niet positief op haar zwangerschap gereageerd; hij had het gevoel dat hij in een val was gelokt. Na één blik op Jacob had hij het vaderschap ontkend, zijn huwelijksaanzoek ingetrokken, Jennifer Calvino uit zijn leven geschrapt en haar even snel uit zijn gedachten gezet als hij zou hebben gedaan met een operatief verwijderd basaalcelcarcinoom.

Hoewel Heineman toen al een bemiddeld man was, had Jennifer hem om niets gevraagd. Zijn vijandigheid jegens zijn mismaakte zoon was zo intens geweest dat Jennifer besloot dat Jacob zowel gelukkiger als veiliger zou zijn als hij geen contact had met zijn vader.

Moeder en zoon hadden het niet makkelijk, maar ze was dol op het kind en in haar zorg gedijde hij. Toen Jacob dertien was, stierf zijn moeder, na via een kerkelijke instelling regelingen te hebben getroffen voor zijn levenslange verzorging.

In de loop der jaren werd Heineman beroemd en schatrijk. Toen zijn onderzoek, zoals algemeen bekend was, hem tot de conclusie had gebracht dat de subatomaire structuur van het heelal wees op een ontegenzeglijk patroon, had hij zijn leven nog eens onder de loep genomen en uit iets als spijt zijn vermogen weggeschonken en zich in een klooster teruggetrokken.

'Een veranderd man,' zei zuster Angela. 'Als boetedoening voor de manier waarop hij Jennifer en Jacob had behandeld, heeft hij alles opgegeven. Hij kan zijn zoon toch niet dood willen. Hij heeft deze instelling gefinancierd voor de zorg van kinderen als Jacob. En voor Jacob zelf.'

Zonder in te gaan op de argumenten van de moeder-overste zei Romanovich: 'Zevenentwintig maanden geleden is Heineman uit zijn afzondering naar buiten getreden en begon hij zijn huidige onderzoek met voormalige collega's te bespreken, per telefoon en e-mail. Hij is altijd gefascineerd geweest door de zonderlinge orde die schuilgaat achter elke ogenschijnlijke chaos in de natuur, en gedurende zijn jaren van afzondering had hij met gebruikmaking van computermodellen van zijn ontwerp, ontwikkeld op twintig aan elkaar gekoppelde Cray-supercomputers, doorbraken bereikt die hem in staat zouden stellen om, zoals hij het verwoordde, "het bestaan van God te bewijzen".'

Zuster Angela hoefde niet over zijn stelling na te denken om de zwakke plek erin te vinden. 'We kunnen het geloof benaderen via een verstandelijke weg, maar uiteindelijk moet God op gezag worden aangenomen. Bewijzen zijn voor zaken van deze wereld, zaken in de tijd en van de tijd, niet voorbij de tijd.'

Romanovich vervolgde: 'Omdat diverse wetenschappers met wie Heineman sprak op de loonlijst van de Nationale Veiligheidsdienst staan en omdat zij risico's zagen die verband hielden met zijn onderzoek en met bepaalde defensietoepassingen, hebben ze hem aan ons gerapporteerd. Sindsdien verblijft steeds een van ons in het gastenverblijf van de abdij. Ik ben momenteel de gelukkige.'

'Om de een of andere reden,' zei ik, 'zag u genoeg reden om

nog een agent als postulant, inmiddels novice, het klooster binnen te halen: broeder Leopold.'

Zuster Angela's kap leek te verstijven van afkeuring. 'U hebt een man valse geloften aan God laten afleggen?'

'Het was niet onze bedoeling hem verder te laten gaan dan alleen maar het postulaat, zuster. We wilden dat hij enkele weken dieper in de gemeenschap zou doorbrengen dan een gast ooit zou kunnen. Naar bleek was hij een man die op zoek was naar een nieuw leven en dat heeft hij gevonden. We zijn hem aan u kwijtgeraakt – al vinden we wel dat hij ons zijn hulp schuldig is, voor zover zijn geloften dat toestaan.'

Haar dreigende blik was ontzagwekkender dan zijn blikken ooit waren geweest. 'Meer dan ooit, meneer Romanovich, vind ik u een dubieus sujet.'

'Daar kan ik niets tegen inbrengen. Hoe dan ook, we raakten verontrust toen broeder Constantine zelfmoord pleegde – want daarna zocht Heineman geen contact meer met zijn vroegere collega's en sindsdien heeft hij met niemand buiten St. Bartholomew's gecommuniceerd.'

'Misschien,' zei zuster Angela, 'heeft de zelfmoord hem ertoe gebracht zijn onderzoek te verruilen voor gebed en bespiegeling.'

'Wij denken van niet,' zei Romanovich op droge toon.

'En broeder Timothy is vermoord, zuster. Daar valt niet aan te twijfelen. Ik heb het lichaam gevonden.'

Hoewel ze het feit van zijn moord al had geaccepteerd, werd ze diep getroffen door deze harde bevestiging.

'Misschien kunt u de situatie makkelijker aanvaarden,' zei Romanovich, 'als ik u vertel dat Heineman zich misschien niet echt bewust is van het geweld dat hij heeft ontketend.'

'Maar, meneer Romanovich, met twee van ons dood en anderen bedreigd, hoe kan hij zich daarvan niet bewust zijn?'

'Ik meen me te herinneren dat die arme Dr. Jekyll in het begin niet besefte dat hij tijdens zijn poging zichzelf te bevrijden van alle slechte impulsen al doende Mr. Hyde had geschapen, wiens door en door slechte aard gespeend was van de goedheid van de doctor.'

Ik zag voor mijn geestesoog het überskelet de suv kantelen

en zei: 'Dat wezen in de sneeuw was niet alleen maar de duistere kant van een mens. Het had in het geheel niets menselijks.'

'Niet zijn duistere kant,' beaamde Romanovich, 'maar misschien wel geschapen door zijn duistere kant.'

'Wat betekent dat, meneer?'

'Dat weten we niet precies, meneer Thomas. Maar ik zie het als onze plicht om dat uit te zoeken – en wel heel snel. U hebt een loper gekregen.'

'Ja.'

'Waarom, meneer Thomas?'

'Broeder Constantine is een van de talmende doden. Mij werd een sleutel gegeven om me in staat te stellen mezelf overal toegang te verschaffen waar hij zich als poltergeist manifesteert. Ik probeer hem ertoe over te halen verder te trekken.'

'U leidt een interessant leven, meneer Thomas.'

'Hetzelfde kan ik van u zeggen, meneer.'

'U wordt zelfs toegelaten tot John's Mew.'

'Het klikte tussen ons, meneer. Hij bakt heerlijke koekjes.'

'U hebt dus een culinaire band.'

'Het komt me voor dat dat voor iedereen hier opgaat, meneer.'

Zuster Angela schudde haar hoofd. 'Ik kan niet eens water koken.'

Romanovich haalde de schakelaar om die zijn hydraulische wenkbrauwen verder over zijn ogen trok. 'Weet hij van uw gave?'

'Nee, meneer.'

'Ik denk dat u zijn Mary Reilly bent.'

'Ik hoop niet dat u weer in raadsels gaat spreken, meneer.'

'Mary Reilly was de huishoudster van Dr. Jekyll. Ondanks alles wat hij voor haar verborgen hield, hoopte hij onbewust dat ze hem zou betrappen en tegenhouden.'

'Heeft deze Mary Reilly het er levend afgebracht, meneer?'

'Dat kan ik me niet herinneren. Maar als u niet daadwerkelijk voor Heineman hebt lopen afstoffen, bent u waarschijnlijk veilig.'

'Wat nu?' vroeg zuster Angela.

'Meneer Thomas en ik moeten levend in John's Mew zien te komen.'

'En ook weer levend naar buiten,' zei ik.

Romanovich knikte. 'Dat zullen we zeker proberen.'

47

De in stormpak gestoken monniken waren met tien meer dan zeven. Slechts twee of drie van hen deden fluitend hun werk. Geen enkele was bijzonder klein. Maar terwijl ze het zuidoostelijke en noordwestelijke trappenhuis versterkten, verwachtte ik half-en-half dat Sneeuwwitje langs zou komen met water in flessen en bemoedigende woorden.

In het belang van de veiligheid konden de deuren van de trappenhuizen niet op slot worden gedraaid. Op elke verdieping was een ruime overloop en de deur draaide naar het trappenhuis open en niet andersom.

In de kelder en op de beneden- en tweede verdieping boorden de monniken vier gaten in elke deurlijst – twee aan de linkerkant, twee rechts – die ze voorzagen van een stalen buisje. In elk buisje werd een bout van ruim een centimeter in doorsnee gestoken.

De bouten staken tweeënhalve centimeter buiten de buisjes uit en voorkwamen dat de deur kon worden geopend. Dit systeem maakte niet alleen gebruik van de stevigheid van de lijst om de deur te versterken, maar van de hele muur.

Omdat de buisjes niet van schroefdraad waren voorzien en breder waren dan de boutcilinder, konden de bouten binnen luttele seconden worden verwijderd om een haastig vertrek via de trap mogelijk te maken.

Op de eerste verdieping, waar de slaapvertrekken van de kinderen zich bevonden, was het zaak een manier te bedenken om te voorkomen dat de deuren werden opengetrokken in het onwaarschijnlijke geval dat iemand zich op een andere verdieping via een met bouten versterkte deur met geweld toegang had weten te verschaffen tot het trappenhuis. De broeders beraadslaagden al over de voors en tegens van drie beveiligingsopties.

Uit de groep bij de zuidoosttrap rekruteerden Romanovich en ik broeder Boksbeugel en uit de groep bij de noordwesttrap broeder Maxwell voor de verdediging van Jacob Calvino. Ieder van hen nam twee honkbalknuppels mee voor het geval de eerste het in de strijd zou begeven.

Als het Mr. Hyde-deel van broeder John Heinemans persoonlijkheid vijandig stond tegenover alle geestelijk en lichamelijk gehandicapte personen, was geen kind in de school veilig. Ieder van hen zou op de nominatie kunnen staan vernietigd te worden.

Gezond verstand deed echter vermoeden dat Jacob – *Laat hem doodgaan* – het hoofddoel was. Hij zou hoogstwaarschijnlijk het enige slachtoffer of het eerste van vele zijn.

Toen we Jacobs kamer binnenliepen, werkte hij voor de verandering niet aan een tekening. Hij zat op een rechte stoel en een kussen op zijn schoot deed dienst als rustpunt voor zijn hand als hij dat nodig had. Met gebogen hoofd, uiterst geconcentreerd, borduurde hij met perzikkleurig garen bloemen op een wit lapje, misschien een zakdoek.

Borduren kwam me in eerste instantie niet echt voor als een geschikte bezigheid voor hem, maar hij bleek uiterst kundig. Terwijl ik toekeek hoe hij met naald en draad ingewikkelde patronen tevoorschijn toverde, besefte ik dat dit niet opmerkelijker – en ook niet minder opmerkelijk – was dan zijn vermogen om met die brede handen en dikke vingers gedetailleerde tekeningen aan een potlood te ontlokken.

Ik liet Jacob over aan zijn borduurwerk en Romanovich, Boksbeugel, broeder Maxwell en ik verzamelden ons bij het enige raam.

Broeder Maxwell was afgestudeerd aan de school voor journalistiek van de universiteit van Missouri. Hij had zeven jaar lang als misdaadverslaggever in Los Angeles gewerkt.

Het aantal zware misdrijven was groter dan het aantal beschikbare verslaggevers om ze te verslaan. Elke week pleegden tientallen ijverige misdadigers en gemotiveerde maniakken de meest grove misdaden om tot hun ontevredenheid te ontdekken dat hun in de pers nog geen vijf centimeter ruimte was gegund.

Op een ochtend had Maxwell moeten kiezen tussen het verslaan van een kinky seksmoord, een uiterst gewelddadige moord die met een bijl, een pikhouweel en een schep was gepleegd, een moord waarbij kannibalisme kwam kijken en de mishandeling en rituele verminking van vier Joodse vrouwen in een bejaardentehuis.

Tot niet alleen zijn eigen verbazing maar ook die van zijn collega's sloot hij zich op in de koffiekamer en weigerde naar buiten te komen. Hij had de beschikking over automaten vol chocoladerepen en met pindakaas gevulde kaascrackers en hij schatte dat hij zich daarmee op zijn minst een maand in leven kon houden voor hij als gevolg van een ernstig tekort aan vitamine c scheurbuik zou oplopen.

Toen Maxwells redacteur arriveerde om door de gebarricadeerde deur heen met hem te onderhandelen, eiste Maxwell óf een wekelijkse levering van vers sinaasappelsap via een ladder naar het raam van de koffiekamer die op de tweede verdieping lag – óf zijn ontslag. Na deze opties te hebben overwogen, waarvoor hij zo veel tijd nam als de onderdirecteur van personeelszaken van de krant noodzakelijk achtte om een rechtszaak wegens onrechtmatig beëindigen van de arbeidsovereenkomst te vermijden, ontsloeg de redacteur Maxwell.

Maxwell verliet triomfantelijk de koffiekamer en pas later, toen hij weer thuis was, barstte hij in lachen uit toen het tot hem doordrong dat hij ook gewoon ontslag had kunnen nemen. Journalistiek was voor hem meer op een kerkerstraf gaan lijken dan op een loopbaan.

Toen hij uitgelachen was besloot hij dat zijn vlaag van waanzin een godsgeschenk was geweest, een roep om uit Los Angeles te vertrekken en ergens heen te gaan waar hij een groter gemeenschapsgevoel en minder bendegraffiti zou vinden. Hij was vijftien jaar geleden postulant geworden, vervolgens novice en was inmiddels alweer tien jaar lang een monnik die de volledige kloostergelofte had afgelegd.

Hij bekeek nu het raam in Jacobs kamer en zei: 'Tijdens de verbouwing van de vroegere abdij tot de school is een aantal ramen op de benedenverdieping groter gemaakt en vervangen. Die hebben houten dwarslatten. Maar op deze verdieping zijn de oude ramen behouden. Ze zijn kleiner en ze zijn van massief brons – balken, stijlen, alles is van brons.'

'Daar zal niks zich makkelijk doorheen kunnen hakken of knagen,' zei broeder Boksbeugel.

'En de ruitjes,' zei Romanovich, 'zijn vijfentwintig centimeter in het vierkant. Die woesteling die we in de storm tegenkwamen zou er niet doorheen kunnen. Zelfs als dat wezen het hele raam eruit zou weten te rukken, zou het nog steeds te groot zijn om zich door het gat naar binnen te wurmen.'

Ik zei: 'Die ene in de koeltoren was kleiner dan dat geval dat de suv op zijn kant heeft gegooid. Het zou niet door een gat van vijfentwintig bij vijfentwintig passen, maar wel door een open raam van dit formaat.'

'Deze ramen zwaaien naar buiten open,' merkte broeder Maxwell op, tikkend op de raamkruk. 'Zelfs als het een ruitje stukslaat en naar binnen reikt, zou het het raam blokkeren dat het probeert te openen.'

'Terwijl het zich vastklampt aan de buitenmuur,' zei Romanovich.

'In een harde wind,' zei broeder Maxwell.

'Waartoe het misschien best in staat is,' zei ik, 'terwijl het tegelijkertijd zeven borden op zeven bamboestokken draaiende houdt.'

'Welnee,' zei broeder Boksbeugel. 'Hooguit drie borden, maar geen zeven. Dit raam is prima. Hoeven we niks aan te doen.'

Ik ging naast Jacob op mijn hurken zitten en zei: 'Dat is prachtig borduurwerk.'

'Bezig blijven,' zei hij, zijn hoofd gebogen, zijn blik op zijn werk.

'Bezig blijven is goed,' zei ik.

Hij zei: 'Bezig blijven is fijn,' en ik vermoedde dat zijn moeder hem had geleerd dat er voldoening en vrede te vinden zijn in het bijdragen van wat het ook is dat je in staat bent aan de wereld te geven.

Bovendien gaf zijn werk hem een reden oogcontact te vermijden. In zijn vijfentwintig jaar had hij waarschijnlijk in te veel ogen geschoktheid, afschuw, verachting en ongezonde nieuwsgierigheid gezien. Het was beter niemand in de ogen te kijken behalve de nonnen en de vrouw die je tekende met een potlood zodat je de liefde en tederheid kon arceren waarnaar je hunkerde.

'Er zal je niets overkomen,' zei ik.

'Hij wil me dood.'

'Wat hij wil en wat hij krijgt zijn twee verschillende dingen. Je moeder noemde hem de Nooitwas omdat hij er voor jullie nooit was toen jullie hem nodig hadden.'

'Hij is de Nooitwas en dat kan ons niet schelen.'

'Inderdaad. Hij is de Nooitwas, maar hij is ook de Zalnooit. Hij zal je niet deren, hij zal je nooit te pakken krijgen, niet zolang ik er ben, niet zolang er ook maar één zuster of één broeder is. En die zijn er allemaal, Jacob, omdat jij bijzonder bent, omdat jij hen en ook mij dierbaar bent.'

Hij tilde zijn misvormde hoofd op en keek me aan. Hij wendde niet meteen verlegen zijn blik af zoals hij eerder steeds had gedaan.

'Is alles goed met jou?' vroeg hij.

'Met mij wel. En met jou?'

'Ja. Alles goed. Ben... ben je in gevaar?'

Omdat hij een leugen zou herkennen zei ik: 'Misschien een beetje.'

Zijn ogen, het ene iets hoger dan het andere in zijn treurige gezicht, waren helder, vol schuchterheid en moed, mooi ondanks de ongelijke hoogte.

Zijn blik verscherpte op een manier die ik nooit eerder had gezien, en zijn zachte stem werd nog zachter: 'Heb je je zonden beleden?'

'Ja.'

'Vergiffenis gevraagd?'

'Die is me geschonken.'

'Wanneer?'

'Gisteren.'

'Je bent er dus klaar voor.'

'Dat hoop ik, Jacob.'

Hij bleef me niet alleen aankijken, maar leek ook mijn ogen te onderzoeken. 'Ik vind het heel erg.'

'Wat vind je heel erg. Jacob?'

'Dat van je meisje.'

'Dank je, Jacob.'

'Ik weet wat jij niet weet,' zei hij.

'Wat dan?'

'Ik weet wat ze in jou zag,' zei hij, en hij leunde met zijn hoofd tegen mijn schouder.

Hij had gedaan wat maar weinig mensen ooit is gelukt, hoewel velen dat waarschijnlijk hebben geprobeerd: hij had me zo diep geraakt dat ik geen woord kon uitbrengen.

Ik sloeg mijn arm om hem heen en zo bleven we even zitten, geen van beiden hoefden we iets te zeggen, want het ging ons allebei goed en we waren er klaar voor.

48

In de enige kamer waarin momenteel geen kinderen waren ondergebracht legde Rodion Romanovich een grote diplomatenkoffer op een van de bedden.

De koffer was zijn eigendom. Broeder Leopold had die eerder op de dag in het gastenverblijf uit de kamer van de Rus gehaald en meegebracht in de suv.

Hij maakte de koffer open. In de koffer lagen twee pistolen ingeklemd in een schuimrubberen bedje.

Hij pakte een van de wapens en zei: 'Dit is een Desert Eagle vijftig magnum. In een vierenveertig magnum- of drie-vijfzevenuitvoering is het een ontzagwekkend beest, maar de vijftig magnum maakt een ongelooflijk kabaal. U zult genieten van het kabaal.'

'Meneer, daarmee zou je in een cactusveld een flink eind weg kunnen mediteren.'

'Het is bijzonder effectief, maar het heeft een fikse terugslag, meneer Thomas, dus ik zou u aanraden het andere pistool te nemen.'

'Dank u, meneer, maar nee, dank u.'

'Het andere is een sig Pro drie-vijf-zeven, makkelijk te hanteren.'

'Ik hou niet van pistolen, meneer.'

'U hebt die schutters in het winkelcentrum neergehaald, meneer Thomas.'

'Jawel, meneer, maar dat was de eerste keer dat ik ooit een trekker heb overgehaald en bovendien was het pistool van iemand anders.'

'Dit pistool is ook van iemand anders. Het is van mij. Vooruit, pak aan.'

'Wat ik doorgaans doe is improviseren.'

'Improviseren?'

'Bij zelfverdediging. Als er geen slang in de buurt is, echt of van rubber, is er altijd wel een emmer of zoiets.'

'Meneer Thomas, ik ken u inmiddels beter dan gisteren, maar naar mijn mening blijft u in sommige opzichten een eigenaardige jongeman.'

'Dank u, meneer.'

De diplomatenkoffer bevatte twee volle magazijnen voor elk pistool. Romanovich stopte een magazijn in beide wapens en stak de reservemagazijnen in zijn broekzak.

De koffer bevatte tevens een schouderholster, maar die liet hij liggen. Hij pakte de pistolen goed vast en stak zijn handen in zijn jaszakken. Het waren diepe zakken.

Toen hij zijn handen uit zijn zakken trok, had hij de pistolen niet langer vast. De jas was zo goed gemaakt dat er bijna niets te zien was van de last in de zakken.

Hij keek naar het raam, toen naar zijn horloge en zei: 'Je zou niet denken dat het pas tien voor halfvier is.'

Achter de witte lijkwade van kolkende sneeuw wachtte het doodsgrauwe gezicht van de dag op de naderende begrafenis.

Hij sloot de diplomatenkoffer, schoof hem onder het bed en zei: 'Ik hoop oprecht dat hij alleen maar misleid is.'

'Wie, meneer?'

'John Heineman. Ik hoop dat hij niet krankzinnig is. Krankzinnige wetenschappers zijn niet alleen gevaarlijk, maar ook ergerlijk en ik heb geen geduld met ergerlijke mensen.'

Om de broeders niet te storen bij hun werk aan de twee trappenhuizen, daalden we met de lift naar de kelder af. Er was geen liftmuziek. Dat was prettig.

Zodra alle kinderen in hun kamer zaten en de trappenhuizen beveiligd waren, zouden de monniken beide liften naar de eerste verdieping halen. Daar zouden ze met de loper van de moeder-overste worden vastgezet.

Als er onverhoopt iets wist binnen te dringen in de schacht van een van beide liften, zou de liftcabine de toegang tot de eerste verdieping blokkeren.

Het plafond van de liften was voorzien van een ontsnappingsluik. De broeders hadden die luiken al aan de binnenkant beveiligd, zodat niets via die weg de cabine binnen kon komen.

Ze leken overal aan gedacht te hebben, maar het waren mensen en ze hadden dus beslist niet aan alles gedacht. Als we in staat zouden zijn aan alles te denken, zouden we nog steeds in het paradijs leven, vrij van het betalen van huur, met eet-zoveel-je-kuntbuffetten en een stukken betere tv-programmering overdag.

In de kelder liepen we naar de ketelruimte. De gasvlamringen sisten, de pompen rommelden en er hing een algemene blije atmosfeer van westers mechanisch vernuft.

Om John's Mew te bereiken konden we ons in de sneeuwstorm wagen en door diepe sneeuwbanken naar de nieuwe abdij ploeteren, met het risico zonder de beschutting van een suv een überskelet tegen het lijf te lopen. Voor een avontuur had die route veel spannende elementen: uitdagende weersomstandigheden, dreiging, lucht die zo koud was dat die je hoofd zou opklaren als die het slijm in je neusholten niet zou bevriezen, en de gelegenheid om sneeuwengelen te maken.

De diensttunnels boden een weg zonder weer en zonder gierende wind die de rammelende nadering van de schurken zou overstemmen. Als we het geluk hadden dat die bottenverzamelingen, hoeveel het er ook mochten zijn, allemaal naar boven waren gegaan om in afwachting van het vallen van de avond bij de school rond te sluipen, zouden we ongehinderd de kelder van de nieuwe abdij kunnen bereiken.

Ik pakte de speciale moersleutel van de haak naast de kruipdoortoegang tot de dienstgang en we lieten ons op onze knieën zakken voor het stalen toegangspaneel. We spitsten onze oren.

Na een halve minuut vroeg ik: 'Hoort u iets?'

Na het verstrijken van nog een halve minuut zei hij: 'Niets.'

Toen ik de sleutel op de eerste van de vier bouten zette en die begon los te draaien, meende ik aan de andere kant van het paneel een zacht schrapend geluid te horen.

Ik wachtte even, luisterde, en zei even later: 'Hoorde u iets?'

'Niets, meneer Thomas,' zei Romanovich.

Na nog een halve minuut aandachtig luisteren klopte ik met een knokkel op het toegangspaneel.

Achter het paneel ontplofte een waanzinnig geklikklak vol woede en behoeftigheid en kille hunkering, en het spookachtige geweeklaag dat het dolzinnige getapdans begeleidde leek voortgebracht te worden door drie of vier stemmen.

Nadat ik de bout die ik begonnen was los te draaien weer had vastgedraaid, hing ik de speciale moersleutel terug op de haak.

In de lift omhoog naar de benedenverdieping zei Romanovich: 'Ik vind het jammer dat mevrouw Romanovich er niet is.'

'Om de een of andere reden, meneer, zou ik niet hebben gedacht dat er een mevrouw Romanovich was.'

'O zeker wel, meneer Thomas. We zijn al twintig jaar gelukkig met elkaar getrouwd. We delen veel interesses. Als zij hier zou zijn, zou ze het enorm naar haar zin hebben.'

49

Als de uitgangen in de gaten werden gehouden door die bottenverzamelingen, zou hun aandacht waarschijnlijk het sterkst zijn gericht op de voordeur, de garagedeuren en de deur van de aan de keuken grenzende modderkamer.

Romanovich en ik kwamen overeen het gebouw te verlaten via een raam in het kantoor van zuster Angela omdat dit punt het verst verwijderd was van de drie deuren waarop de vijand zich waarschijnlijk concentreerde. Hoewel de moeder-overste er niet was, brandde haar bureaulamp.

Ik gebaarde naar de posters van George Washington, Flannery O'Connor en Harper Lee en zei: 'De zuster heeft een raadsel, meneer. Ze heeft grote bewondering voor een gedeelde eigenschap van deze drie mensen. Welke is dat?'

Hij hoefde niet te vragen wie de vrouwen waren. 'Vastberadenheid,' zei hij. 'Van Washington is bekend dat hij die eigenschap had. Mevrouw O'Connor leed aan lupus, maar weigerde zich daardoor uit het veld te laten slaan. En mevrouw Lee had vastberadenheid nodig om in die tijd te wonen waar ze woonde, dat boek uit te geven en het hoofd te bieden aan de bekrompen fanatici wier woede was gewekt door de manier waarop ze hen had geportretteerd.'

'Aangezien twee van de drie schrijver zijn, had u als bibliothecaris een voorsprong.'

Toen ik de lamp uitdeed en de gordijnen opentrok, zei Romanovich: 'Het is nog steeds een totale whiteout. Tien stappen van de school zullen we al gedesoriënteerd en verdwaald zijn.'

'Niet met mijn paranormaal magnetisme, meneer.'

'Stoppen ze nog steeds kleine cadeautjes in Cracker Jack-dozen?'

Met het nodige schuldgevoel trok ik een paar laden van zuster Angela's bureau open, vond een schaar en knipte twee meter van het gordijnkoord. Ik wikkelde het ene uiteinde om mijn in een handschoen gestoken rechterhand.

'Zodra we buiten staan, geef ik u het andere uiteinde, meneer. Dan worden we, zelfs als we sneeuwblind raken, niet van elkaar gescheiden.'

'Ik begrijp het niet, meneer Thomas. Bedoelt u dat het koord zal werken als een soort wichelroede en ons naar de abdij zal leiden?'

'Nee, meneer. Het koord zorgt alleen dat we elkaar niet kwijtraken. Als ik me concentreer op een persoon die ik moet vinden en dan een poosje ga rondrijden of -lopen, word ik bijna altijd door mijn paranormaal magnetisme naar die persoon toegetrokken. Ik zal denken aan broeder John Heineman, die in de Mew zit.'

'Hoogst interessant. Wat ik nog het interessantst vind, is het bijwoord *bijna*.'

'Nou ja, ik geef grif toe dat ik niet in het paradijs leef zonder huur te hoeven betalen.'

'En wat bedoelt u daarmee, meneer Thomas?'

'Dat ik niet volmaakt ben, meneer.'

Ik vergewiste me ervan dat mijn capuchon stevig onder mijn kin was vastgemaakt, schoof de onderste helft van het uit twee delen bestaande raam omhoog, klom naar buiten, het gebrul en geraas van de storm in en tastte met mijn blik de dag af op zoek naar een teken van uit het graf ontsnapte wezens. Als ik rondwandelende botten had gezien, zou ik goed in de narigheid hebben gezeten, want er was niet meer dan een armlengte zicht.

Romanovich volgde me en deed het raam achter ons dicht. We konden het niet vergrendelen, maar onze monnik- en nonnensoldaten konden hoe dan ook niet het hele gebouw bewaken en waren inmiddels allemaal naar de eerste verdieping gegaan om die overzichtelijkere positie te verdedigen.

Ik keek toe terwijl de Rus het losse uiteinde van het koord om zijn pols bond. De lijn die ons verbond was ongeveer anderhalve meter lang.

Zes stappen bij de school vandaan was ik al gedesoriënteerd. Ik had geen idee welke kant we op moesten om bij de abdij te komen.

Voor mijn geestesoog riep ik een beeld op van broeder John, gezeten op een van de leunstoelen in zijn geheimzinnige ontvangstkamer in de Mew, en zette me moeizaam in beweging, mezelf in herinnering brengend dat ik op mijn hoede moest zijn voor een vermindering van spanning op het koord. Overal was de sneeuw minstens kniediep en op sommige plekken kwam die bijna tot aan mijn heupen. Bergopwaarts ploeteren tijdens een lawine kon niet veel lastiger zijn.

Als een jongen uit de Mojave had ik maar net iets meer op met bittere kou dan met machinegeweervuur. Maar de kakofonie van de storm in combinatie met de whiteout was nog het ergste. Stap voor ijzige stap kreeg een vreemd soort openluchtclaustrofobie steeds meer vat op me.

Waar ik me ook aan stoorde was dat het oorverdovende gebulder en gegier van de wind verhinderde dat Romanovich en ik ook maar een woord konden wisselen. Tijdens de weken dat hij in het gastenverblijf had gewoond, was hij op mij overgekomen als een gesloten oude beer, maar naarmate deze dag zich had ontvouwd, was hij steeds spraakzamer geworden. Ik genoot nog meer van onze gesprekken nu we bondgenoten waren dan toen ik nog het idee had dat we vijanden waren.

De meeste mensen hebben nog maar weinig interessants te melden als ze het onderwerp Indianapolis en de vele wonderen van die stad hebben uitgeput.

Ik wist dat we de stenen trap, die omlaag voerde naar John's Mew, hadden bereikt toen ik er bijna af viel. Sneeuw had zich opgehoopt tegen de deur onder aan de trap.

De woorden LIBERA NOS A MALO op de gegoten bronzen plaat boven de deur gingen bijna geheel schuil achter een korst van sneeuw waardoor in plaats van *Verlos ons van den boze* alleen nog *den boze* te lezen was.

Met mijn loper draaide ik het slot op de vijfhonderd kilo zware deur open en de deur zwaaide geruisloos op kogellagerscharnieren naar binnen open en onthulde de stenen gang die baadde in blauw licht.

We liepen naar binnen en de deur viel dicht en we bevrijdden ons van de lijn die ons tijdens de moeizame tocht met elkaar had verbonden.

'Dat was bijzonder indrukwekkend, meneer Thomas.'

'Paranormaal magnetisme is niet een aangeleerde vaardigheid, meneer. Daar prat op gaan zou hetzelfde zijn als er prat op gaan hoe goed mijn nieren functioneren.'

We veegden de sneeuw van onze jassen en hij zette zijn berenmuts af om hem uit te schudden.

Bij de deur van geborsteld roestvrij staal met de glimmende letters LUMIN DE LUMINE sloeg ik mijn voeten tegen elkaar om zo veel mogelijk aangekoekte sneeuw te verwijderen.

Romanovich trok zijn van ritsen voorziene laarzen uit en stond daar op droge schoenen, een wellevender gast dan ik.

De woorden op de deur vertalend zei hij: '"Licht uit licht."'

'"Woest en doods, woest en doods. Duisternis lag over de oervloed,"' zei ik. 'Toen zei God dat er licht moest komen. Het licht van de wereld daalt neer van het Eeuwige Licht dat God is.'

'Dat is één betekenis,' zei Romanovich. 'Maar het zou ook kunnen betekenen dat het zichtbare uit het onzichtbare geboren kan worden, dat uit energie materie kan voortkomen, dat denken een vorm van energie is en dat de gedachte zelf geconcretiseerd kan worden tot het voorwerp waaraan is gedacht.'

'Tjongejonge, meneer, dat is een hele mondvol uit drie woorden.'

'Inderdaad,' beaamde hij.

Ik drukte de palm en vingers van mijn rechterhand tegen het plasmascherm in de brede stalen architraaf.

De pneumatische deur gleed open met het door broeder John ingebouwde gesis waarmee hij zichzelf eraan had willen herinneren dat in elke menselijke onderneming, hoe rechtschapen de bedoelingen ook mogen zijn, een serpent op de loer ligt. Bedenkend waartoe zijn werk hem kennelijk had geleid, hadden misschien behalve het gesis ook alarmbellen moeten gaan rinkelen en lichten moeten gaan flitsen, terwijl een onheilspellende op band opgenomen stem zei: *Er zijn dingen die nooit bedoeld waren om aan de mens kenbaar te worden.*

We stapten de naadloze, wasgele, porseleinen bak in waarbinnen botergeel licht van de muren afstraalde. De deuren gingen sissend achter ons dicht, het licht stierf weg en duisternis omsloot ons.

'Ik bespeur geen beweging,' zei ik, 'maar ik heb sterk de indruk dat dit een lift is en dat we een paar verdiepingen afdalen.'

'Ja,' zei Romanovich, 'en ik vermoed dat we omringd zijn door een reusachtig loden reservoir gevuld met zwaar water.'

'O? Dat was niet in me opgekomen.'

'Nee, allicht niet.'

'Wat is zwaar water, meneer, behalve dat het kennelijk zwaarder is dan gewoon water?'

'Zwaar water is water waarvan de waterstofatomen zijn vervangen door deuterium.'

'Ach, natuurlijk. Dat was ik vergeten. De meeste mensen kopen het bij de supermarkt, maar ik ga liever naar de groothandel voor zo'n vat van een miljoen liter.'

Voor ons ging een deur sissend open en we stapten de in rood licht ondergedompelde hal binnen.

'Meneer, waar wordt zwaar water voor gebruikt?'

'Voornamelijk als koelvloeistof in kernreactoren, maar hier heeft het naar mijn mening ook andere toepassingen, waaronder misschien, op het tweede plan, als extra beschermlaag tegen kosmische straling die subatomaire experimenten zou kunnen beïnvloeden.'

In de hal negeerden we de vlakke roestvrijstalen deuren links en rechts en liepen recht op de deur af waarin de woorden PER OMNIA SAECULA SAECULORUM waren gegrift.

'"Tot in alle eeuwigheid,"' zei Romanovich fronsend. 'Dat bevalt me in het geheel niet.'

Odd de dwaze optimist deed weer van zich horen: 'Maar, meneer, het is niet meer dan lof aan God. "Want aan u behoort het koningschap, de macht en de majesteit tot in eeuwigheid, amen."'

'Ik twijfel er niet aan dat dit Heinemans bewuste bedoeling was toen hij die woorden koos. Maar onbewust uitte hij misschien zijn trots op zijn eigen verrichtingen en wilde hij ermee zeggen dat het werk dat hij hier had uitgevoerd, tot in eeuwigheid zou voortleven, voorbij het eind der tijden, waar verder alleen het koninkrijk van God voortleeft.'

'Die interpretatie was me nog niet ingevallen, meneer.'

'Nee, vanzelfsprekend niet, meneer Thomas. Deze woorden kunnen wijzen op trots die uitstijgt boven aanmatiging, de zelfverheerlijking van een man die geen behoefte heeft aan loftuitingen of goedkeuring van anderen.'

'Maar broeder John is geen extreem egomaniakale krankzinnige, meneer.'

'Ik heb niet gezegd dat hij krankzinnig is. En het is heel waarschijnlijk dat hij oprecht gelooft dat hij met dit werk vroom en nederig probeert God te begrijpen.'

Zonder gesis gleed *Tot in alle eeuwigheid* open en we betraden het ronde vertrek van een meter of tien in doorsnee, waar in het midden, op een wijnkleurig Perzisch tapijt, vier oorfauteuils stonden en naast elke stoel een staande lamp. Drie van die lampen gaven momenteel licht.

Op een van die drie stoelen zat broeder John in zijn tunica en scapulier, zijn kap naar achteren geschoven, van zijn hoofd af.

50

In de knusheid van honingkleurig licht, het omringende vertrek in schaduw gehuld en de gebogen muur donker glanzend, installeerden Romanovich en ik ons in de twee stoelen die duidelijk voor ons bestemd waren.

Op de tafeltjes naast onze stoelen, waarop doorgaans een bord met drie verse warme koekjes stond, stonden nu geen koekjes. Misschien had broeder John het te druk gehad om te bakken.

Zijn half dichte ogen waren even doordringend als altijd, maar er leek geen achterdocht of vijandigheid uit te spreken. Zijn glimlach was warm, net als zijn diepe stem toen hij zei: 'Ik was vandaag onverklaarbaar vermoeid, af en toe zelfs licht neerslachtig.'

'Dat is interessant,' zei Romanovich tegen mij.

Broeder John zei: 'Ik ben blij dat je bent gekomen, Odd Thomas. Je bezoeken verkwikken mij.'

'Ach, weet u, broeder, soms heb ik het idee dat ik een lastpost ben.'

Broeder John knikte Romanovich toe. 'En u, onze bezoeker uit Indianapolis – ik heb u slechts een of twee keer vanaf een afstand gezien en nooit het genoegen gehad met u te praten.'

'Dat genoegen hebt u nu, doctor Heineman.'

Broeder John hief een grote hand in voorgewend protest en zei: 'Meneer Romanovich, die man ben ik niet meer. Ik ben gewoon John of broeder John.'

'Net zo ben ik gewoon agent Romanovich van de Nationale Veiligheidsdienst,' zei de zoon van de sluipmoordenaar, terwijl hij zijn legitimatie tevoorschijn haalde.

In plaats van naar voren te leunen en het gelamineerde kaartje aan te pakken en te bekijken, wendde broeder John zich tot mij. 'Is dit waar, Odd Thomas?'

'Nou, dit komt me aannemelijker voor dan zijn eerdere bewering dat hij bibliothecaris was, broeder.'

'Meneer Romanovich, de mening van Odd Thomas legt bij mij meer gewicht in de schaal dan een legitimatiebewijs. Waaraan dank ik de eer?'

Romanovich borg zijn legitimatiebewijs weer op en zei: 'U hebt hier een immens grote accommodatie tot uw beschikking, broeder John.'

'Dat valt wel mee. Het gevoel van immense grootte ontstaat mogelijk door de omvang van het werk, niet door de grootte van de accommodatie.'

'Maar er zijn ongetwijfeld veel deskundigen nodig om alles goed te laten functioneren.'

'Slechts zes broeders die een intensieve technische scholing hebben gehad. Mijn systemen zijn nagenoeg volledig getransistoriseerd.'

'Zo nu en dan wordt er per helikopter technische hulp uit Silicon Valley overgevlogen.'

'Dat klopt, meneer Romanovich. Ik ben verheugd maar ook verrast dat de Nationale Veiligheidsdienst belangstelling heeft voor het werk van een spiritueel zoeker.'

'Ik ben zelf ook een gelovig man, broeder John. Mijn nieuwsgierigheid werd gewekt toen ik hoorde dat u een computermodel hebt ontwikkeld dat u, naar u gelooft, de diepste, meest fundamentele structuur van de werkelijkheid heeft getoond, ver beneden het niveau van kwantumschuim.'

Broeder John deed er geruime tijd het zwijgen toe en zei toen: 'Ik moet aannemen dat een aantal door mij met voormalige collega's gevoerde gesprekken die ik mezelf enkele jaren geleden toestond, aan u zijn gerapporteerd.'

'Dat is juist, broeder John.'

De monnik fronste en slaakte toen een zucht. 'Nou ja, dat mag ik ze eigenlijk niet kwalijk nemen. In de in hoge mate prestatiegerichte seculaire wereld van de wetenschap kan men niet verwachten dat iets van deze aard vertrouwelijk blijft.'

'U gelooft dus dat u een computermodel hebt ontwikkeld dat

u de diepste structuur van de werkelijkheid heeft getoond?'

'Dat geloof ik niet alleen, meneer Romanovich. Ik wéét dat wat het model me toont waar is.'

'U klinkt bijzonder zeker van uw zaak.'

'Om een vooroordeel tegen mijn zienswijze te voorkomen: het model is geen schepping van mijn hand. We hebben de totaliteit van de substantieve kwantumtheorie en het ondersteunende bewijs ingevoerd en de computer het model laten ontwikkelen zonder menselijk vooroordeel.'

'Computers zijn scheppingen van mensen,' zei Romanovich, 'en dus is vooroordeel ingebouwd.'

Broeder John zei tegen mij: 'De neerslachtigheid die me vandaag parten heeft gespeeld is geen excuus voor slechte manieren. Heb je trek in een paar koekjes?'

Dat hij alleen mij koekjes aanbood leek veelzeggend. 'Nee dank u, broeder, ik hou liever wat ruimte over voor twee plakken cake na het avondeten.'

'Om even terug te komen op uw zekerheid,' zei Romanovich, 'hoe kunt u wéten dat wat het model u toont waar is?'

Een gelukzalige uitdrukking gleed over broeder Johns gezicht. Toen hij sprak was in zijn stem een trilling te horen die mogelijk voortkwam uit ontzag. 'Ik heb de les van het model toegepast… en het werkt.'

'En wat is de les van het model, broeder John?'

Hij leunde naar voren op zijn stoel en terwijl hij de stilte van het vertrek door de kracht van zijn persoonlijkheid leek te verfijnen, zei hij zacht: 'Onder het diepste niveau van schijnbare chaos vindt men opnieuw een zonderlinge orde, en het laatste niveau van orde is *gedachte*.'

'Gedachte?'

'Alle materie komt op het diepste niveau bezien voort uit een basisstructuur met alle kenmerken van gedachtegolven.'

Hij klapte één keer in zijn handen en de tot dan toe donkere, glanzende muren lichtten op. Op die muren, overal om ons heen, van vloer tot plafond, vormden ingewikkeld dooreengevlochten lijnen in ontelbare kleuren voortdurend veranderende patronen, in lagen die deden denken aan thermische stromingen in een onmetelijk diepe oceaan. Ondanks de com-

plexiteit waren de lijnen duidelijk geordend, de patronen doelbewust.

Het schouwspel was zo mooi en zo mysterieus dat ik tegelijkertijd erdoor gebiologeerd was en mijn blik wilde afwenden,
overweldigd door bewondering en angst, door ontzag maar
even sterk door een gevoel van onvolkomenheid waardoor ik
mijn handen voor mijn gezicht wilde slaan en alle verachte-
lijkheid in mijn wezen wilde opbiechten.

Broeder John zei: 'We zien hier niet de gedachtepatronen
van God die ten grondslag liggen aan alle materie, die we natuurlijk onmogelijk zouden kunnen zien, maar een computer-
weergave daarvan gebaseerd op het model waarover ik het had.'

Hij klapte tweemaal in zijn handen. De verbijsterende patronen vervaagden en de muren werden weer donker, alsof het
schouwspel werd bediend met zo'n apparaatje waarmee sommige oude mensen het licht aan en uit kunnen doen zonder
hun bed uit te hoeven komen.

'Dit kleine schouwspel maakt zo'n intense indruk op mensen,' zei broeder John, 'werkt zo diep op ons in, dat langer dan
een minuut ernaar kijken kan resulteren in extreme emotionele ontreddering.'

Ik zag er waarschijnlijk even onthutst uit als Rodion Romanovich.

'Dus,' zei de Rus, nadat hij zijn kalmte had hervonden, 'de
les van het model is dat het heelal – alle materie en vormen
van energie – voortkomt uit gedachten.'

'God stelt zich de wereld voor en de wereld ontstaat.'

Romanovich zei: 'Nou, we weten dat materie in energie kan
worden omgezet, zoals brandende olie warmte en licht voort-
brengt…'

'Zoals het splitsen van de kern van een atoom kernen van
lichtere atomen oplevert,' viel broeder John hem in de rede,
'waarbij tevens enorme energie vrijkomt.'

Romanovich legde hem het vuur aan de schenen: 'Maar wilt
u hiermee zeggen dat gedachte – althans goddelijke gedachte
– een vorm van energie is die zichzelf tot materie kan vormen,
het omgekeerde van kernsplitsing?'

'Nee, niet het omgekeerde. Dit is niet simpelweg kernfusie.

De gebruikelijke wetenschappelijke termen zijn niet van toepassing. Het is… voor de geest gehaalde materie tot bestaan roepen door de kracht van de wil. En aangezien ons denkvermogen, wil en verbeeldingskracht zijn gegeven, zij het op een menselijke schaal, beschikken ook wij over dit vermogen te scheppen.'

Romanovich en ik keken elkaar aan en ik zei: 'Meneer, hebt u de film *Forbidden Planet* gezien?'

'Nee, meneer Thomas, die heb ik niet gezien.'

'Ik geloof dat het een goed idee zou zijn om, als dit alles voorbij is, samen die film te bekijken.'

'Dan zorg ik voor popcorn.'

'Met zout en een snuifje chilipoeder?'

'U zegt het maar.'

Broeder John zei: 'Weet je zeker dat je geen koekjes wilt, Odd Thomas? Ik weet dat je mijn koekjes lekker vindt.'

Ik verwachtte half-en-half dat hij als een tovenaar met een zwaai van zijn hand naar het tafeltje naast mijn stoel chocoladekoekjes uit het niets tevoorschijn zou toveren.

Romanovich zei: 'Broeder John, u zei eerder dat u de les van uw computermodel hebt toegepast, de les die inhoudt dat alle materie zoals wij die kennen uit gedachte is voortgekomen. Het heelal, onze wereld, de bomen en de bloemen en de dieren… alles tot bestaan geroepen door het voor de geest te halen.'

'Ja. Ziet u, mijn wetenschap heeft me teruggeleid naar het geloof.'

'Wat bedoelt u als u zegt dat u hebt toegepast wat u geleerd meent te hebben?'

De monnik leunde naar voren op zijn oorfauteuil, zijn handen op zijn knieën tot vuisten gebald alsof hij moeite moest doen zijn opwinding in toom te houden. Zijn gezicht leek opeens veertig jaar te hebben afgeschud, hem te hebben teruggevoerd naar zijn jongensjaren, naar de wereld vol wonderen van een kind.

'Ik heb,' fluisterde hij, 'leven geschapen.'

51

Dit was de Californische Sierra, niet de Karpaten. Buiten viel sneeuw, geen regen, zonder donderklappen of bliksemflitsen. In deze kamer was een teleurstellend gebrek aan bizarre machines met vergulde gyroscopen, knetterende bogen elektriciteit en krankzinnige bultenaars met oplichtende ogen. In de tijd van Karloff en Lugosi hadden geleerden veel meer gevoel voor melodrama dan de krankzinnige wetenschappers van vandaag de dag.

Daarentegen is het een feit dat broeder John Heineman niet zozeer krankzinnig als wel misleid was. U zult zien dat dit waar is, al zult u ook zien dat de grenslijn tussen de krankzinnigen en de misleiden zo dun is als een gespleten haar die nog eens wordt gespleten.

'Dit vertrek,' zei broeder John, met een eigenaardige mengeling van opgewektheid en plechtstatigheid, 'is niet louter een vertrek, maar ook een revolutionaire machine.'

Tegen mij zei Rodion Romanovich: 'Dit is altijd foute boel.'

'Als ik me een voorwerp voorstel en dat beeld bewust projecteer,' vervolgde broeder John, 'dan ontvangt de machine dit, zij herkent de geprojecteerde aard ervan tussen alle andere gedachten, versterkt mijn gerichte mentale energie tot een aantal miljoen keer de oorspronkelijke kracht en produceert het voorwerp dat ik me voor de geest heb gehaald.'

'Lieve hemel, broeder, uw energierekening moet wel enorm zijn.'

'Die is niet gering,' erkende hij, 'maar niet zo hoog als je misschien zou denken. Om te beginnen gaat het niet zozeer om volts als wel om ampères.'

'En ik vermoed dat u als grootgebruiker korting krijgt.'

'Niet alleen dat, Odd Thomas: mijn laboratorium heeft bepaalde tariefsvoordelen omdat het in wezen een religieuze organisatie is.'

Romanovich zei: 'Wanneer u zegt dat u zich een voorwerp voor de geest kunt halen en dat het vertrek dat zal produceren – bedoelt u zoals de koekjes waarover u het had.'

Broeder John knikte. 'Zeker, meneer Romanovich. Wilt u een koekje?'

Met een dreigende blik zei de Rus: 'Koekjes leven niet. U zei dat u leven had geschapen.'

De monnik werd weer ernstiger. 'Ja. U hebt gelijk. Laten we er geen gezelschapsspelletje van maken. Dit heeft betrekking op Het Begin, de relatie van de mens tot God en de betekenis van het bestaan. Laten we onmiddellijk overgaan tot de hoofdattractie. Ik zal een hangoor voor u scheppen.'

'Een wat?' vroeg Romanovich.

'Dat zult u wel zien,' beloofde broeder John met een veelbetekenende glimlach.

Hij leunde achterover op zijn stoel, sloot zijn ogen en fronste zijn voorhoofd alsof hij diep nadacht.

'Doet u het nu?' vroeg ik.

'Als mij de gelegenheid wordt gegund me te concentreren, ja.'

'Ik dacht dat u een soort helm of zoiets nodig zou hebben, waaraan allerlei draden bevestigd zitten.'

'Dat is wel erg primitief, Odd Thomas. Dit vertrek is nauwkeurig afgestemd op de frequentie van mijn hersengolven. Het is een ontvanger en een versterker, maar alleen van mijn geprojecteerde gedachten en van niemand anders.'

Ik keek naar Romanovich. Zijn uitdrukking was zo mogelijk nog norser en afkeurender dan ik ooit had gezien.

Er waren misschien twintig seconden verstreken toen de lucht dikker aanvoelde, alsof de vochtigheid opeens was toegenomen, al had de zwaarte geen vochtigheidsgraad. Aan alle kanten voelde ik druk, alsof we waren afgedaald tot in de diepte van een oceaan.

Op het Perzisch tapijt voor broeder Johns stoel verscheen een zilverachtig schijnsel, als het weerkaatste licht van een glanzend voorwerp elders in het vertrek, al was het dat niet.

Even later verschenen er als uit het niets piepkleine witte blokjes, zoals rotssuiker kristalliseert om een touwtje dat in een glas sterk gezoet water hangt. Het aantal piepkleine blokjes nam razendsnel toe en tegelijkertijd begonnen ze met elkaar te versmelten. Het was alsof ik zat te kijken naar een terugspoelende video van de gebeurtenis in de garage.

Romanovich en ik kwamen overeind, ongetwijfeld aangespoord door dezelfde gedachte: *Stel dat 'hangoor' de koosnaam is die broeder John de wandelende bottenverzamelingen heeft gegeven?*

We hadden ons geen zorgen hoeven maken. Wat voor onze ogen vorm aannam was een diertje zo groot als een hamster. Het was spierwit, met kenmerken van een jong hondje, een poesje en een babykonijntje. Het deed enorm grote ogen open die even blauw waren als – zij het minder roofzuchtig dan – de ogen van Tom Cruise, schonk me een innemende glimlach en maakte een lieflijk, welluidend borrelend geluid.

Broeder John deed zijn ogen open, keek glimlachend naar zijn schepping en zei: 'Heren, mag ik u voorstellen aan uw eerste hangoor?'

Ik was er niet bij, maar het volgende is mij verteld over de gebeurtenissen die zich in de school ontvouwden terwijl broeder John in de Mew zijn onthullingen deed.

In kamer 14, waar Jacob zit te borduren, zet broeder Boksbeugel een stoel in de deuropening. Hij neemt daarop plaats, legt een honkbalknuppel op zijn knieën en houdt de gang in de gaten.

Broeder Maxwell hoopt misschien vijftien jaar na zijn journalistieke loopbaan dat hij niet na al die tijd en na het afleggen van zo'n lange weg met hetzelfde zinloze geweld zal worden geconfronteerd dat hij zonder een gelofte van armoede te hebben moeten afleggen in Los Angeles had kunnen meemaken.

Maxwell zit op een stoel naast het enige raam. Omdat de wervelende sneeuw een hypnotiserende uitwerking op hem heeft, concentreert hij zich niet op de wegstervende dag achter het glas.

Een geluid scherper dan de wind, een opeenvolging van zwak geklik en gepiep, trekt zijn aandacht naar het raam. Tegen de andere kant van de ruitjes zit een verschuivende caleidoscoop van botten gedrukt.

Langzaam opstaand van zijn stoel, alsof een plotselinge beweging het bezoek zou kunnen verontrusten, fluistert Maxwell: 'Broeder Salvatore.'

In de deuropening, met zijn rug naar de kamer, zit broeder Boksbeugel te denken aan het nieuwste boek van zijn lievelingsschrijfster, waarin de hoofdrol niet wordt gespeeld door een porseleinen konijn of een muis die een prinses redt, maar dat niettemin prachtig is. Hij hoort broeder Maxwell niet.

Broeder Maxwell loopt achteruit bij het raam vandaan, maar beseft opeens dat hij zijn beide honkbalknuppels naast de stoel heeft laten liggen waarop hij had gezeten. Hij fluistert nog eens Salvatores naam, maar waarschijnlijk niet harder dan de eerste keer.

De bottenpatronen voor het raam veranderen voortdurend, zij het niet opgewonden, bijna loom, waardoor de indruk wordt gewekt dat het wezen zich in een aan slaap gelijkende staat bevindt.

De dromerige aard van de caleidoscopische beweging brengt broeder Maxwell ertoe naar zijn stoel terug te gaan om een van de honkbalknuppels te pakken.

Terwijl hij zich vooroverbuigt en het wapen vastpakt, hoort hij boven zich een ruitje knappen en terwijl hij geschrokken overeind vliegt, schreeuwt hij: '*Salvatore!*'

Hoewel het uit blokjes was gevormd, was de hangoor even donzig, knuffelig en hangorig als zijn naam. Zijn grote oren hingen over zijn gezicht en hij streek ze met zijn pootje naar achteren. Toen ging hij op zijn achterpootjes staan. Een poezeliger troeteldier was haast niet voor te stellen.

Broeder Johns gezicht was een toonbeeld van betovering toen hij zei: 'Mijn leven lang ben ik al bezeten door orde. Met het vinden van orde binnen chaos. Met het afdwingen van orde aan chaos. En zie hier dit lieve kleine wezentje, geboren uit de chaos van gedachte, uit de leegte, uit het niets.'

Romanovich, die nog steeds stond, niet minder op zijn hoede dan toen hij had verwacht zo'n bottenverzameling voor zich vorm te zien aannemen, zei: 'Dit hebt u vast nog niet aan de abt laten zien.'

'Nog niet,' zei broeder John. 'Jullie zijn de eersten die dit… dit bewijs van God aanschouwen.'

'Weet de abt zelfs maar dat uw onderzoek heeft geleid tot… dit?'

Broeder John schudde zijn hoofd. 'Hij weet dat ik de bedoeling had te bewijzen dat onder de fysieke werkelijkheid, onder de onderste laag van schijnbare chaos, ordelijke gedachtegolven liggen, de geest van God. Maar ik heb hem nooit verteld dat ik *levend* bewijs zou scheppen.'

'Dat hebt u hem niet verteld,' zei Romanovich, wiens stem kreunde onder het gewicht van zijn verbijstering.

Met een glimlach op zijn gezicht keek broeder John naar zijn schepping terwijl het wezentje heen en weer drentelde. Toen zei hij: 'Ik wilde hem verrassen.'

'Hem verrassen?' Bij Romanovich maakte verbijstering plaats voor ongeloof. 'Hem verrássen?'

'Ja. Met het bewijs van het bestaan van God.'

Met nauwelijks onderdrukte verachting, directer dan ik het waarschijnlijk onder deze omstandigheden zou hebben gezegd, zei Romanovich: 'Dit is geen bewijs van het bestaan van God. Dit is godslasterlijk.'

Broeder John kromp ineen alsof hij een klap in zijn gezicht had gekregen, maar herstelde zich onmiddellijk. 'Ik vrees dat u niet helemaal hebt kunnen volgen wat ik u heb verteld, meneer Romanovich.'

De giechelende, ronddrentelende, grootogige hangoor leek op het eerste gezicht niet het product van opperste godslastering. Mijn eerste indruk was: *donzig, schattig, knuffelig, aanbiddelijk.*

Toen ik op het puntje van mijn stoel ging zitten en naar voren leunde om het schepseltje beter te kunnen bekijken, liepen de koude rillingen me over mijn rug, zo scherp als een ijspegel in het oog.

De grote blauwe kijkers van de hangoor wekten geen tederheid in me op, ze hadden niets van de nieuwsgierigheid van de ogen van een jong poesje of hondje. Ze waren wezenloos, erachter lag een leegte.

Het welluidende geborrel en het gegiechel waren bekoorlijk, als de opgenomen stem van een speeltje – tot ik mezelf eraan herinnerde dat dit geen speeltje was, maar een levend wezen. Opeens deden de geluidjes die het schepseltje maakte me denken aan het zachte geprevel van poppen met dode ogen in een nachtmerrie.

Ik stond op van de stoel en liep een paar stappen achteruit bij broeder Johns duistere wonder vandaan.

'Doctor Heineman,' zei Romanovich, 'u hebt het zelf niet kunnen volgen. U beseft niet wat u hebt gedaan.'

Broeder John leek van zijn stuk gebracht door de vijandigheid van de Rus. 'Onze zienswijzen komen niet overeen, begrijp ik, maar…'

'Vijfentwintig jaar geleden hebt u uw mismaakte, gehandicapte kind verworpen, hem verstoten en in de steek gelaten.'

Geschokt dat de Rus van die zonde op de hoogte was, maar tegelijk door schaamte overmand, zei broeder John: 'Ik ben niet langer die man.'

'Toegegeven, u hebt berouw gekregen, u werd zelfs door wroeging gekweld, en het wegschenken van uw vermogen was een ongelooflijk genereuze daad. U hebt de kloostergelofte afgelegd, u bent tot inkeer gekomen en bent misschien een beter mens, maar u bent nog altijd dezelfde man. Hoe kunt u zichzelf zoiets wijsmaken terwijl u zo vertrouwd bent met de theologie van uw geloof? Van het ene tot het andere uiteinde van dit leven draagt u alles mee wat u ooit hebt gedaan. Absolutie verleent u vergiffenis voor het verleden, maar wist het niet uit. De man die u was leeft nog altijd in uw binnenste, onderdrukt door de man die u met zo veel moeite bent geworden.'

Ik zei: 'Broeder John, hebt u Fredric March in *Dr. Jekyll and Mr. Hyde* gezien? Als we hier levend doorkomen, kunnen we die film misschien samen bekijken.'

52

De atmosfeer in de Mew was niet gezond, een constatering die op hetzelfde neerkomt als zeggen dat je liever niet wilt picknicken in de krater van een slapende vulkaan als de grond onder je voeten rommelt.

Broeder Johns gevoelens waren gekwetst toen zijn wonderbaarlijke werk minder geestdriftig was ontvangen dan hij had verwacht. In zijn teleurstelling lag een zweem van gewonde trots, een nauwelijks verhulde wrok, een verontrustend kinderlijke tegendraadsheid.

De schattige, griezelige, knuffelige, zielloze hangoor zat op de vloer met zijn pootjes te spelen en alle geluidjes te maken van een schepseltje dat zichzelf erg leuk vindt en zich voor ons uitslooft alsof het niet anders verwacht dan dat we in bewonderend gekir zouden uitbarsten. Maar het giechellachje klonk met de seconde humorlozer.

De bottenmonsters, de torenfantoom en nu ook deze demonische Beanie Baby hadden een ijdelheid tentoongespreid die in echte bovennatuurlijke entiteiten ontbrak. Ze bestonden buiten de verticale as van de heilige ordening van menselijke wezens en geesten. Hun ijdelheid weerspiegelde de ijdelheid van hun gestoorde schepper.

Ik dacht aan Tommy Cloudwalkers driehoofdige coyoteman en besefte dat er nog een verschil was tussen het echte bovennatuurlijke en de bizarre wezens die we in de afgelopen twaalf uur hadden gezien: het in wezen *organische* karakter van alles wat bovennatuurlijk is, hetgeen eigenlijk niet verrassend is aangezien ware geesten ooit een vleselijk bestaan hebben gehad.

De bottenschepsels hadden niet organisch geleken, maar als

machines. Toen de Dood uit de klokkentoren was gesprongen, was hij tijdens zijn val uiteengevallen, opgebroken in geometrische fragmenten, zoals een machine met een constructiefout. De hangoor was niet het equivalent van een hondje of poesje, maar van een opwindspeeltje.

Rodion Romanovich, met zijn handen in de zakken van zijn jas, alsof hij op het punt stond de .50-kaliber Desert Eagle tevoorschijn te halen en de hangoor aan gruzelementen te schieten, zei: 'Doctor Heineman, wat u hebt gemaakt is geen leven. Als het sterft, vergaat het niet. Het splitst zich op, in een proces dat op atoomsplitsing lijkt, maar dat niet is, zonder warmte te produceren en met achterlating van niets. Wat u hebt geschapen is *anti*-leven.'

'Deze prestatie gaat duidelijk uw verstand te boven,' zei broeder John. Als de gevel van een zomerhotel dat voor de winter wordt dichtgespijkerd verdwenen langzaam het licht en de opwinding van zijn gezicht.

'Doctor,' vervolgde Romanovich, 'ik ben ervan overtuigd dat u de school hebt gebouwd als boetedoening voor het in de steek laten van uw zoon en ik ben ervan overtuigd dat u Jacob hierheen hebt laten brengen als daad van berouw.'

Broeder John staarde hem aan en trok zich steeds verder terug achter luiken en dichtgespijkerde ramen.

'Maar de man die u was schuilt nog steeds in de man die u bent, en die had zijn eigen beweegredenen.'

Deze beschuldiging bracht broeder John weer bij de les. 'Wat wilt u daarmee zeggen?'

Wijzend naar de hangoor zei Romanovich: 'Hoe kunt u een eind maken aan dat ding?'

'Ik ben in staat het door middel van denken te doen verdwijnen, met hetzelfde gemak als waarmee ik het heb geschapen.'

'Doe dat dan in hemelsnaam.'

Broeder John klemde zijn kaken op elkaar en kneep zijn ogen tot spleetjes en leek niet geneigd gevolg te geven aan het verzoek.

De Rus straalde niet alleen het gezag uit van een overheidsdienaar, maar ook moreel gezag. Hij trok zijn linkerhand uit zijn jaszak en maakte een schiet-opgebaar.

Broeder John deed zijn ogen dicht, fronste zijn voorhoofd en dacht de hangoor tot niet-bestaan. Het gegiechel hield god-zijdank op. Toen viel het schepseltje uiteen in rammelende, stuiptrekkende blokjes. Het verdween.

Toen de monnikwetenschapper zijn ogen weer opendeed, zei Romanovich: 'U merkte zelf op dat u uw leven lang een obsessie met orde hebt gehad.'

'Ieder redelijk denkend mens verkiest orde boven anarchie, orde boven chaos,' zei broeder John.

'Dat ben ik met u eens, doctor Heineman. Maar als jonge man was u zo geobsedeerd met orde dat u wanorde niet alleen afkeurde, maar verachtte alsof het om een persoonlijke beledi-ging ging. U verafschuwde wanorde, deinsde ervoor terug. U had geen geduld met mensen die volgens u wanorde in de maat-schappij bevorderden. Ironisch genoeg hebt u blijk gegeven van wat men zou kunnen noemen een verstandelijke in plaats van een emotionele obsessief-compulsieve gedragsstoornis.'

'U hebt met afgunstige mensen gesproken,' zei broeder John.

'Toen uw zoon werd geboren zag u zijn mismaaktheid en handicaps als een biologische ontregeling, des te onverdraag-lijker omdat dit kind uit u was voortgekomen. U hebt hem ver-stoten. U wilde dat hij stierf.'

'Ik heb hem nooit dood gewenst. Dat is ongehoord.'

Ik voelde me een beetje een verrader toen ik zei: 'Broeder, Jacob herinnert zich die keer dat u hem in het ziekenhuis hebt bezocht en u er bij zijn moeder op hebt aangedrongen de in-fectie op zijn beloop te laten, onbehandeld.'

Het ronde gezicht boven op zijn lange, slanke lichaam ging op en neer als een ballon aan een touwtje, en ik kon niet uit-maken of hij instemmend knikte of ontkennend zijn hoofd schudde. Misschien deed hij beide. Hij kon geen woord uit-brengen.

Op een toon die niet langer gekenmerkt werd door be-schuldiging en waarin eerder een zachte smeekbede lag, zei Ro-manovich: 'Doctor Heineman, bent u zich eigenlijk wel bewust dat u gedrochten hebt geschapen die zich buiten dit vertrek hebben gematerialiseerd en die hebben gemoord?'

In de school, in kamer 14, staat broeder Maxwell, één bonk spanning, met zijn honkbalknuppel geheven, terwijl broeder Boksbeugel, die in eerdere jaren met maar al te veel malloten te maken had gehad en onlangs nog met een suv een über-skelet had neergemaaid, wel op zijn hoede is, maar niet zo strakgespannen als een vioolsnaar.

Onverschillig op zijn honkbalknuppel geleund alsof die een wandelstok was, zei hij: 'Je hebt van die potige gasten die den-ken dat jij, als zij een beetje met hun spierballen gaan lopen pronken, zal afdruipen met je staart tussen je benen, maar het enige wat ze kunnen is snoeven, ze hebben het lef niet hun bluf waar te maken.'

'Dit wezen,' zegt Maxwell, 'heeft helemaal geen spierballen, alleen maar botten.'

'Dat zeg ik toch?'

De helft van het gebarsten ruitje valt uit de bronzen dwars-latten en valt aan diggelen op de vloer.

'Die sukkel kan onmogelijk door dat raam, niet met al die kleine ruitjes.'

Het resterende deel van het gebroken ruitje raakt los en valt op de vloer.

'Mij maak je niet bang,' zegt Boksbeugel tegen de hond van de Nooitwas.

Maxwell zegt: 'Mij wel.'

'Welnee,' zegt Boksbeugel geruststellend. 'Je hoeft nergens bang voor te zijn, broeder, jij houdt stand.'

Een graaiende klauw van zich rekkende en spannende bot-ten graait door het gat in het venster.

Een tweede ruitje barst en een derde spat uiteen en sproeit glasscherven over de schoenen van de twee monniken.

Aan de andere kant van de kamer zit Jacob met het kussen op schoot, zijn hoofd gebogen over zijn borduurwerk, zonder angst te tonen, prachtige orde scheppend uit het witte doekje en het perzikkleurige garen, terwijl het wanordelijke schepsel bij het raam nog eens twee ruitjes verbrijzelt en druk uitoefent op de bronzen dwarslatten.

Broeder Fletcher komt vanuit de gang de kamer binnen. 'Dus het is zover. Hebben jullie hulp nodig?'

Broeder Maxwell zegt ja, maar broeder Boksbeugel zegt: 'Ik heb in Jersey moeilijkere gasten als deze meegemaakt. Hou jij de lift in de gaten?'

'Die wordt bewaakt,' verzekert broeder Fletcher hem.

'Dan kun je misschien bij Jacob in de buurt blijven zodat je hem snel de kamer uit kan werken als deze sukkel zich door het raam weet te wurmen.'

Broeder Maxwell protesteert: 'Je zei dat hem dat niet zou lukken.'

'Dat zal ook niet gebeuren, broeder. Hij maakt er een grootse vertoning van, maar in feite is die mafketel bang voor ons.'

De bronzen dwarslatten en rails van het raam kraken en kreunen onder de spanning.

'Gedrochten?' Broeder Johns ronde gezicht leek op te zwellen en rood aan te lopen onder de druk van nieuwe duistere mogelijkheden die zijn geest nauwelijks kon bevatten. 'Scheppen zonder bewust besef? Onmogelijk.'

'Als dat onmogelijk is,' zei Romanovich, 'hebt u ze dan doelbewust geschapen? Want ze bestaan echt. We hebben ze gezien.'

Ik ritste mijn jack open en haalde een opgevouwen vel dat ik uit Jacobs tekenblok had gescheurd uit mijn binnenzak. Toen ik het vel papier openvouwde leek de beweging de tekening van het monster tot leven te brengen.

'Uw zoon heeft dit bij zijn raam gezien, broeder. Hij zegt dat het de hond van de Nooitwas is. Jennifer noemde u de Nooitwas.'

Broeder John pakte de tekening aan en bekeek hem gefascineerd. De twijfel en angst op zijn gezicht logenstrafte de zelfverzekerdheid in zijn stem toen hij zei: 'Dit betekent niets. De jongen is geestelijk gehandicapt. Dit is de fantasie van een verwrongen geest.'

'Doctor Heineman,' zei de Rus, 'zevenentwintig maanden geleden al hebben uw voormalige collega's uit dingen die u door middel van telefoontjes en e-mails aan hen hebt verteld, opgemaakt dat u misschien al iets had... geschapen.'

'Dat klopt. Ja. Dat heb ik u luttele seconden geleden laten zien.'

'Dat zielige schepsel met zijn hangoren?'

In Romanovich' stem lag eerder medelijden dan misprijzen en broeder John hoorde dit zwijgend aan. IJdelheid reageert op medelijden als een wesp op bedreiging van zijn nest, en een verlangen om te steken bracht een duivelse giftige schittering in de paarsblauwe half geloken ogen van de monnik.

'Dat u in deze zevenentwintig maanden geen verdere vooruitgang hebt geboekt,' zei Romanovich, 'zou misschien kunnen zijn omdat een gebeurtenis van om en nabij twee jaar geleden u uit vrees uw onderzoek heeft doen staken en dat u pas recentelijk weer uw godmachine heeft ingeschakeld en weer aan het "scheppen" bent geslagen?'

'Broeder Constantines zelfmoord,' zei ik.

'Die geen zelfmoord was,' zei Romanovich. 'Onbewust had u een gedrocht de nacht ingestuurd, doctor Heineman, en toen Constantine dat zag, mocht hij niet in leven blijven.'

Of de tekening had de monnikwetenschapper in een duistere betovering gevat of hij durfde ons niet in de ogen te kijken.

'U vermoedde wat er was gebeurd en hebt uw onderzoek stilgezet — maar verwrongen trots heeft u er recentelijk toe gebracht het weer op te pakken. Nu is broeder Timothy dood... en op dit moment laat u uw zoon achtervolgen door dit wanstaltige surrogaat.'

Zonder zijn blik los te maken van de tekening en met een kloppende slagader in zijn slapen, zei broeder John gespannen: 'Lang geleden heb ik mezelf aan de kaak gesteld voor mijn zonden jegens mijn zoon en zijn moeder.'

'En ik geloof zelfs dat uw biecht oprecht was,' gaf Romanovich toe.

'Ik heb absolutie gekregen.'

'U hebt gebiecht en bent vergeven, maar een duister zelf in uw binnenste heeft niet gebiecht en vond niet dat hij vergiffenis nodig had.'

'Broeder, de moord op broeder Timothy vannacht was... afgrijselijk, onmenselijk. U moet ons helpen dit een halt toe te roepen.'

Nu, zoveel later, verdriet het mij te moeten schrijven dat toen broeder Johns ogen zich met tranen vulden, die hij wist tegen te houden voordat ze over zijn wangen stroomden, ik half-en-half geloofde dat die niet Tim maar zichzelf golden.

Romanovich zei: 'U bent opgeklommen van postulant naar novice naar geprofest monnik. Maar u hebt zelf gezegd dat u bang werd toen uw onderzoek u ertoe bracht te gaan geloven in een geschapen heelal, dus kwam u uit vrees tot God.'

Tussen opeengeklemde tanden door zei broeder John: 'De motivatie doet er minder toe dan de boetvaardigheid.'

'Misschien,' gaf Romanovich toe. 'Maar de meeste mensen komen tot Hem uit liefde. En een deel van u, een Andere John, is helemaal niet tot Hem gekomen.'

Uit een plotselinge ingeving zei ik: 'Broeder John, de Ander is een nijdig kind.'

Eindelijk keek hij op van de tekening en ontmoette mijn blik.

'Het kind dat op veel te jonge leeftijd anarchie in de wereld zag en daar bang voor werd. Het kind dat ontstemd was omdat het in zo'n wanordelijke wereld was geboren en ernaar hunkerde daarin orde te vinden.'

Van achter zijn paarsblauwe vensters bezag de Ander me met de minachting en zelfachting van een kind dat nog niet bekend was met empathie en compassie, een kind van wie de Betere John afstand had genomen maar aan wie hij niet was ontsnapt.

Ik vestigde zijn aandacht nog eens op de tekening. 'Broeder, het geobsedeerde kind dat uit zevenenveertig dozen lego een model van kwantumschuim heeft gebouwd is hetzelfde kind dat dit complexe mechanisme van kille botten en doelmatige gewrichten heeft bedacht.'

Terwijl hij de architectuur van het bottenmonster bestudeerde, moest hij schoorvoetend toegeven dat de obsessie achter het legomodel dezelfde was die deze griezelige constructie had uitgedacht.

'Broeder, er is nog tijd genoeg. Tijd genoeg voor dat jongetje om zijn woede los te laten en zijn pijn te laten verlichten.'

Opeens brak de oppervlaktespanning van zijn onderdrukte

tranen en gleed er een langs elke wang. Hij keek naar me op en met een stem waarin niet alleen droefheid maar ook verbittering doorklonk, zei hij: 'Nee. Het is te laat.'

53

Misschien was de Dood al in het vertrek aanwezig geweest toen de rondlopende muren waren opgebloeid met kleurrijke patronen van een voorgestelde goddelijke gedachte en had die zich bewogen toen wij ons hoofd omdraaiden om steeds net buiten ons gezichtsveld te blijven. Maar hij kwam nu op me af alsof hij zojuist in kille razernij het vertrek was binnengestoven, greep me vast, tilde me op en trok me naar zich toe.

In plaats van de eerdere leegte in de kap zag ik nu een hardvochtige versie van het gezicht van broeder John, hoekig in plaats van rond, hard in plaats van zacht, het idee van een kind niet zozeer van het gezicht van de Dood als wel van het gezicht van belichaamde Macht. Het kindgenie dat de chaos van de wereld had herkend en gevreesd, maar niet bij machte was geweest daarin orde aan te brengen, had nu zichzelf met macht opgeladen.

Zijn adem was die van een machine en stonk naar rokend koper en schroeiend staal.

Hij slingerde me over de oorfauteuil alsof ik een lappenpop was. Ik sloeg tegen de koele rondlopende muur, maar voordat ik goed en wel was geland, stond ik alweer overeind.

Een oorfauteuil vloog door de lucht, ik bukte en maakte dat ik weg kwam. De muur zong als een glazen klok, wat hij niet had gedaan toen ik ertegenaan sloeg. De stoel bleef liggen, maar ik bleef in beweging. En daar kwam de Dood weer aan.

De bronzen rails en dwarslatten staan onder hoge druk maar houden stand. Het geweeklaag van de gefrustreerde belager wordt luider dan het gerammel van zijn ijverige botten.

'Deze mafketel,' zegt broeder Maxwell, 'is niet bang voor ons.'

'Dat wordt-ie echt wel voor we met hem klaar zijn,' verzekert Boksbeugel hem.

Vanuit het caleidoscopische monster en door een van de lege ruimten waar een ruitje had gezeten dringt een woest uitvallende grijparm van scharende botten anderhalve meter de kamer binnen.

De broeders struikelen verrast achteruit.

De grijparm breekt af of wordt door de moedervorm afgestoten en valt op de vloer. De afgebroken uitloper zet zich onmiddellijk om in een versie van het grote wezen.

Scharend, gestekeld, gekromd en vol weerhaken komt het wezen, dat zo groot is als een industriële stofzuiger, met de snelheid van een kakkerlak aanstormen en Boksbeugel legt al zijn kracht in de zwaai met zijn knuppel.

De Louisville-honkbalknuppel ramt enige corrigerende discipline in de delinquent en versplintert clustertjes botten. Boksbeugel doet een stap dichter naar het wezen toe terwijl het huiverend achteruitdeinst en slaat het met een tweede zwaai aan gruzelementen.

Door het raam komt een tweede graaiende grijparm en als ook die loskomt, schreeuwt broeder Maxwell tegen broeder Fletcher: 'Jacob moet de kamer uit!'

Broeder Fletcher, die in zijn jonge jaren als saxofonist aardig wat schnabbels in gevaarlijke tenten had gehad, weet als geen ander hoe belangrijk het is om te maken dat je wegkomt als het publiek op elkaar begint te schieten, en maakt zich al met Jacob uit de voeten voordat Maxwell het hem toeschreeuwt. Op de gang hoort hij broeder Gregory schreeuwen dat er iets in de liftkoker is dat verwoede pogingen doet zich een weg te banen door het plafond van de blokkerende cabine.

Terwijl de Dood mij weer aanviel, viel Rodion Romanovich de Dood aan. Met de onverschrokkenheid van een geboren begrafenisondernemer nam hij Magere Hein met de Desert Eagle onder vuur.

Zijn belofte van een ongelooflijke herrie werd bewaarheid. De knal van het pistool klonk maar enkele decibellen zachter dan het gebulder van mortiervuur.

Ik telde niet hoeveel schoten Romanovich afvuurde, maar de Dood spatte in geometrische brokstukken uiteen, net als toen hij van de klokkentoren naar beneden was gesprongen, het fragmenterende gewaad even bros als de gedaante die het omhulde.

De fragmenten en scherven en splinters van deze onnatuurlijke constructie stuiptrekten en schokten met wat leven leek maar niet was – en voegden zich in luttele seconden weer aaneen.

Toen het wezen zich omdraaide naar Romanovich, schoot hij het pistool erop leeg, wierp het lege magazijn weg en trok met paniekerige haast het reservemagazijn uit zijn broekzak.

Minder vergruizeld door het tweede spervuur dan door het eerste verrees de Dood al snel weer uit het puin.

John, die op dit moment geen broeder was, maar een zelfvoldaan kind, stond met zijn ogen dicht en dacht de gedaante van de Dood weer tot bestaan, en toen hij zijn ogen opendeed, waren het niet de ogen van een man van God.

Broeder Maxwell slaat een homerun dwars door de tweede indringer in kamer 14 en ziet dan dat Boksbeugel daar staat in te rammen op de eerste, die zichzelf weer rammelend in elkaar heeft gezet met de snelheid van een opbloeiende roos in stopmotionfotografie.

Een derde uitsteeksel van de moedermassa valt aan en Maxwell slaat het aan gruzelementen met zowel een voorwaartse als een achterwaartse zwaai, maar het eerste wezen dat hij had vernield heeft zich opnieuw samengevoegd en het vliegt op hem af en stoot twee dikke van weerhaken voorziene stekels in zijn borst.

Broeder Boksbeugel draait zich om en ziet hoe Maxwell wordt doorboord, en vol afgrijzen kijkt hij toe terwijl zijn broeder als door besmetting verandert in een caleidoscoop van kronkelende, draaiende botten die zich uit het stormpak wurmt alsof hij zich uit een cocon bevrijdt en een geheel wordt met de bottenverzameling die hem had doorboord.

Boksbeugel rent de kamer uit, trekt paniekerig de deur achter zich dicht en terwijl hij die dicht houdt, schreeuwt hij om hulp.

Er was rekening gehouden met de mogelijkheid van een dergelijke hachelijke situatie en er komen twee broeders aanrennen met een ketting, die ze vastmaken aan de deurkruk. Het andere uiteinde van de ketting wordt bevestigd aan de deurkruk van de aangrenzende kamer zodat de ene deur het slot vormt van de andere.

De herrie vanuit de liftkoker zwelt aan en doet de muren schudden. Vanachter de gesloten liftdeuren komt het geluid van het plafond van de cabine dat ontwricht wordt en het tokkelen van kabels die bijna tot het breekpunt gespannen zijn.

Jacob is waar hij het veiligst is: tussen zuster Angela en zuster Miriam, die zelfs de duivel in eigen persoon beslist met uiterste behoedzaamheid zal bejegenen.

De Dood, opnieuw herboren, liet mij links liggen en richtte zich op de Rus, die net iets sneller bleek dan Magere Hein. Romanovich klikte het reservemagazijn vast in de Desert Eagle, liep naar de man die ik eens had bewonderd en haalde tweemaal de trekker over.

De impact van de .50-kaliber kogels sloeg John Heineman tegen de grond, waar hij bleef liggen. Hij was niet in staat zichzelf met zijn gedachte weer op te bouwen aangezien hij, ongeacht wat dat verloren duistere deel van zijn ziel misschien geloofde, niet zijn eigen schepping was.

De gedaante van de Dood bereikte Romanovich en legde een hand op diens schouder, maar viel hem niet aan. In plaats daarvan gleed de blik van het fantoom naar Heineman, als overdonderd door het besef dat zijn god-met-een-kleine-g als een doodgewone sterveling was verslagen.

Dit keer viel de Dood uiteen in een massa blokjes die zich opsplitsten in nog meer blokjes, een berg dansende dobbelstenen, die zichzelf kronkelend als larven opgooiden en hun stiploze zijden rammelend tegen elkaar sloegen tot ze moleculen waren en toen atomen en toen niets meer dan een herinnering aan hoogmoed.

54

Tegen elf uur die avond, toen de storm in kracht begon af te nemen, arriveerde de eerste afvaardiging agenten van de Nationale Veiligheidsdienst – twintig man – in sneeuw verslindende monstervoertuigen. Aangezien de telefoonlijnen dood waren, had ik geen flauw idee hoe Romanovich met hen in verbinding had kunnen treden, maar ik was inmiddels zo ver dat ik moest bekennen dat de hem omhullende sluier van geheimzinnigheid mijn sluier van geheimzinnigheid daarmee vergeleken een lichte nevel deden lijken.

Tegen vrijdagmiddag had de groep van twintig zich uitgebreid tot vijftig en vielen het terrein van de abdij en alle gebouwen onder hun gezag. De broeders, de zusters en een aangeslagen gast werden diepgaand ondervraagd, maar op aandringen van de nonnen werden de kinderen met rust gelaten.

De Nationale Veiligheidsdienst draaide een aannemelijk verhaal in elkaar met betrekking tot de dood van broeder Timothy, broeder Maxwell en John Heineman. De families van Timothy en Maxwell zou worden verteld dat ze waren omgekomen bij een ongeluk met de suv en dat de stoffelijke overschotten te gehavend waren voor een open doodskist.

Voor ieder van hen was al een begrafenismis gehouden. Hoewel er niets meer was om te begraven, zouden er in het voorjaar grafstenen worden neergezet op de begraafplaats aan de rand van het bos. Zo zouden ze toch nog, al was het maar als een naam in steen, tussen mensen staan die ze hadden gekend en die hen dierbaar waren geweest en voor wie zij zelf dierbaar waren geweest.

John Heineman, voor wie eveneens een mis was gehouden,

zou in de ijskast worden bewaard. Over een jaar, als zijn dood niet meer in verband zou worden gebracht met het overlijden van Timothy en Maxwell, zou bekend worden gemaakt dat hij was gestorven aan een hartaanval.

Hij had geen familie behalve de zoon die hij nooit had geaccepteerd. In weerwil van alle verschrikkingen en het diepe leed dat Heineman St. Bartholomew's had gebracht, kwamen de broeders en zusters overeen dat hij in de geest van genade een plek zou krijgen op hun begraafplaats, zij het op kiese afstand van de anderen die daar hun laatste rustplaats hadden gevonden.

Heinemans verzameling supercomputers werd door de Nationale Veiligheidsdienst in beslag genomen. Ze zouden te zijner tijd uit John's Mew worden weggehaald en afgevoerd. Al die zonderlinge vertrekken en de scheppingsmachine zouden worden bestudeerd, minutieus gedemonteerd en weggehaald.

Van de broeders en zusters – en van ondergetekende – werd verlangd dat we een gelofte van stilzwijgen ondertekenden en we beseften dat de zorgvuldig opgestelde straffen op overtreding strikt zouden worden toegepast. Ik geloof niet dat de agenten zich zorgen maakten over de monniken en nonnen, wier leven in het teken staat van het zich houden aan geloften, maar ze staken er heel wat tijd in om mij alle nuances van lijden die besloten liggen in de woorden 'wegrotten in de gevangenis' duidelijk te maken.

Toch heb ik dit manuscript geschreven, omdat schrijven voor mij therapie is en een soort van boetedoening. Mijn verhaal zal pas uitgegeven worden, zo dat ooit gebeurt, als ik deze wereld heb verlaten en ben doorgereisd naar glorie of verdoemenis, waar zelfs de Nationale Veiligheidsdienst me niet kan bereiken.

Hoewel abt Bernard niet verantwoordelijk was voor John Heinemans onderzoek of daden, besloot hij tussen Kerstmis en het nieuwe jaar af te treden en van dat voornemen liet hij zich niet afbrengen.

Hij had John's Mew het adyton genoemd, het heilige der heiligen. Hij had het valse denkbeeld omarmd dat je God kon leren kennen via de wetenschap, wat hem diep kwelde, maar zijn grootste wroeging kwam voort uit het feit dat hij niet in staat was geweest te zien dat John Heineman niet werd gedreven door een gezonde trots op zijn hem door God geschonken genialiteit, maar door ijdelheid en een in de diepte sudderende woede die al zijn verrichtingen corrumpeerde.

Droefheid daalde neer op de gemeenschap van St. Bartholomew's en ik dacht niet dat die binnen een jaar zou wegtrekken. Aangezien de bottenmonsters die een bres hadden geslagen in de verdedigingslinies van de eerste verdieping op het moment van Heinemans dood uiteen waren gevallen in steeds kleiner wordende blokjes, net als de gedaante van de Dood, was broeder Maxwell het enige slachtoffer van de strijd. Maar Maxwell, Timothy en die arme Constantine zouden in elk seizoen dat het leven hier zonder hen doorging, opnieuw worden beweend.

Op zaterdagavond, drie dagen na de crisis, kwam Rodion Romanovich naar mijn kamer in het gastenverblijf. Hij bracht van alles mee: twee flessen goede wijn, vers brood, kaas, koude rosbief en diverse sausjes, en hij had niets vermengd met vergif.

Boo bleef bijna de hele avond op mijn voeten liggen, alsof hij bang was dat die koud zouden worden.

Ook Elvis kwam even langs. Ik had het idee gehad dat hij eindelijk was doorgereisd, zoals Constantine kennelijk had gedaan, maar de King was er nog. Hij maakte zich zorgen om mij. Ook had ik sterk het vermoeden dat hij misschien wachtte op het juiste moment, met dat gevoel voor drama en stijl dat hem beroemd had gemaakt.

Tegen middernacht, toen we aan een klein tafeltje bij het raam zaten, waar ik een paar dagen eerder op de sneeuw had zitten wachten, zei Rodion: 'Zo je wilt mag je maandag vertrekken. Of blijf je nog?'

'Misschien kom ik ooit nog eens terug,' zei ik, 'maar op dit moment is dit niet de plek voor mij.'

'Volgens mij vinden de broeders en zusters, niet één uitgezonderd, dat dit voor altijd de plek voor jou zal zijn. Je hebt hen allemaal gered, jongen.'

'Nee, meneer, niet allemaal.'

'Alle kinderen. Timothy is omgebracht binnen een uur nadat je de eerste bodach hebt gezien. Er was niets wat je voor hem had kunnen doen. En wat Maxwell betreft, aan zijn dood ben ik schuldiger dan jij. Als ik de situatie ten volle had begrepen en Heineman eerder had doodgeschoten, zou Maxwell nog in leven zijn.'

'Meneer, u bent verrassend mild voor een man die mensen gereedmaakt voor de dood.'

'Ach, weet je, in sommige gevallen is de dood een gunst, niet alleen voor de persoon die het leven laat, maar ook voor de mensen die hij misschien had kunnen vernietigen. Wanneer vertrek je?'

'Volgende week.'

'Waar ga je heen, jongen?'

'Naar huis, naar Pico Mundo. En u? Terug naar uw geliefde Indianapolis?'

'Ik ben er triest genoeg van overtuigd dat de Indiana State Library aan 150 North Senate Avenue in mijn afwezigheid een janboel is geworden. Maar in plaats daarvan ga ik naar de woestijn in Californië om mevrouw Romanovich te verwelkomen bij haar terugkeer uit de ruimte.'

We hadden een bepaald ritme voor deze zaken die het noodzakelijk maakte dat ik een slokje wijn nam en van de smaak genoot voor ik vroeg: 'Uit de ruimte – bedoelt u zoals de maan, meneer?'

'Dit keer minder ver weg dan de maan. Een maand lang heeft de schone mevrouw Romanovich werk verricht voor dit fantastische land aan boord van een zeker platform dat in een baan rond de aarde draait, waarover ik verder niets mag zeggen.'

'Zal ze Amerika voor altijd veilig maken, meneer?'

'Niets is voor altijd, jongen. Maar als ik het lot van het land zou moeten toevertrouwen aan één paar handen, zou ik geen handen kunnen bedenken waarin ik meer vertrouwen heb dan de hare.'

'Ik zou haar graag leren kennen, meneer.'

'Misschien gebeurt dat ooit.'

Elvis lokte Boo bij me vandaan voor een buikmassage en ik

zei: 'Ik maak me zorgen om de data in doctor Heinemans computers. In verkeerde handen...'

Hij boog zich dicht naar me toe en fluisterde: 'Daarover hoef je je geen zorgen te maken, jongen. De data in die computers is prietpraat. Daar heb ik voor gezorgd voor ik mijn hulptroepen heb opgeroepen.'

Ik hief mijn glas in een toost. 'Op de zonen van sluipmoordenaars en de echtgenoten van ruimtehelden.'

'En op het meisje dat je verloren hebt,' zei hij, zijn glas tegen mijn glas tikkend, 'dat in haar nieuwe avontuur jou in haar hart koestert zoals jij haar.'

55

De ochtendhemel was helder en diep. De met sneeuw bedekte weide was zo fris en schoon als de ochtend na de dood, wanneer de tijd de tijd zal hebben verslagen en iedereen is verlost.

Ik had de avond tevoren al afscheid genomen en had ervoor gekozen te vertrekken terwijl de broeders de mis bijwoonden en de zusters druk bezig waren met de ontwakende kinderen.

De wegen waren schoon en droog en de aangepaste Cadillac kwam, zonder gerinkel van sneeuwkettingen, snorrend aanrijden. Hij stopte voor de treden naar het gastenverblijf, waar ik stond te wachten.

Ik haastte me hem te zeggen dat hij niet uit hoefde te stappen, maar hij weigerde achter het stuur te blijven zitten.

Mijn vriend en mentor Ozzie Boone, de beroemde schrijver van detectiveromans over wie ik in mijn eerste twee manuscripten veel heb geschreven, is een ontzaglijk dikke man, honderdtachtig kilo op zijn slankst. Hij beweert dat hij in een betere conditie is dan de meeste sumoworstelaars en misschien is dat ook wel zo, maar toch ben ik elke keer dat hij opstaat van een stoel bang dat de inspanning net te zwaar zal blijken voor zijn hart.

'Lieve Odd,' zei hij, terwijl hij me, staand naast het open portier, stevig omhelsde. 'Je bent vermagerd, vrees ik. Je bent een spriet.'

'Niet waar, meneer. Ik weeg nog precies hetzelfde als toen u me hier hebt afgezet. Misschien lijk ik magerder omdat u bent aangekomen.'

'Ik heb een knoert van een zak heerlijke bittere chocolaatjes in de auto liggen. Als je je er een beetje op toelegt, kun je twee kilo zijn aangekomen tegen de tijd dat we in Pico Mundo terug zijn. Ik zal je bagage even in de kofferbak opbergen.'

'Nee, niet nodig, meneer. Dat kan ik zelf wel.'

'Lieve Odd, je bent al jarenlang bang dat ik bij de minste inspanning dood neerval en dat zul je over tien jaar nog steeds zijn. Ik zal zo'n omvangrijk ongemak zijn voor de mensen die mijn lichaam moeten afleggen dat God, zo die ook maar het geringste beetje medegevoel heeft voor begrafenisondernemers, me misschien wel voor altijd in leven laat.'

'Meneer, laten we het nu niet over de dood hebben. Kerstmis komt eraan. In de mensen een welbehagen en zo.'

'Wat je zegt. Laten we praten over zilveren klokjes die boven een haardvuur liggen te roosteren en al die andere geneugten van Kerstmis.'

Terwijl hij toekeek en ongetwijfeld een list probeerde te bedenken om toch een van mijn tassen van de grond te grissen en in te laden, stouwde ik mijn bagage in de kofferbak. Toen ik het kofferdeksel dichtdeed en opkeek, zag ik dat alle broeders, die geacht werden de mis bij te wonen, zich stilletjes op de treden voor het gastenverblijf hadden verzameld.

Ook zuster Angela en een stuk of tien nonnen stonden erbij. Zuster Angela zei: 'Oddie, mag ik je iets laten zien?'

Ik liep naar haar toe en ze ontrolde een koker die een groot vel tekenpapier bleek te zijn. Jacob had een perfect portret van mij getekend.

'Dat heeft hij heel goed gedaan. En het is erg lief van hem.'

'De tekening is niet voor jou,' zei ze, 'maar voor de muur in mijn kantoor.'

'Dat gezelschap is veel te verheven voor mij, zuster.'

'Jongeman, het is niet aan jou om te zeggen wiens gelijkenis ik elke dag wil aanschouwen. Het raadsel?'

Ik had het vastberadenheid-antwoord dat Rodion Romanovich zo overtuigend had doen klinken al op haar uitgeprobeerd.

'Zuster, ik kan niks meer verzinnen.'

Ze zei: 'Wist je dat de grondleggers van ons land na de Amerikaanse Revolutie George Washington hebben aangeboden hem tot koning te kronen en dat hij dit heeft geweigerd?'

'Nee, zuster, dat wist ik niet.'

'Wist je dat Flannery O'Connor zo stilletjes leefde dat het merendeel van haar medebewoners in het stadje niet wist dat ze een van de grootste schrijvers van haar tijd was?'

'Een zuidelijke excentriekeling, veronderstel ik.'

'Veronderstel je dat echt?'

'Ik vermoed dat als ik over deze materie een proefwerk zou moeten maken, ik een onvoldoende zou halen. Ik was op school ook nooit een uitblinker.'

'Harper Lee,' zei zuster Angela, 'die voor haar prachtige boek talloze eredoctoraten en onnoemelijk veel prijzen kreeg aangeboden, heeft daar geen enkele van aanvaard. En ze weigerde beleefd de haar bewonderende verslaggevers en professoren binnen te laten die op bedevaart voor haar deur verschenen.'

'Dat mag u haar niet kwalijk nemen, zuster. Zo veel ongenode gasten zou voor iedereen een kwelling zijn.'

Ik geloof niet dat haar maagdenpalmblauwe ogen ooit feller hadden geschitterd dan die ochtend op de stoep voor het gastenverblijf.

'*Dominus vobiscum*, Oddie.'

'En ook met u, zuster.'

Ik was nog nooit door een non gekust. Ik had er ook nooit een gekust. Haar wang was satijnzacht.

Toen ik instapte in de Cadillac, zag ik dat Boo en Elvis op de achterbank zaten.

De broeders en zusters stonden in stilte op de stoep voor het gastenverblijf en toen we wegreden keek ik keer op keer achterom, tot de weg afdaalde en een bocht maakte en St. Bartholomew's uit het zicht verdween.

56

De Cadillac was structureel verstevigd om zonder over te hellen Ozzies gewicht te dragen, en de bestuurdersplaats was aan zijn omvang aangepast.

Hij reed als een NASCAR-rijder en we vlogen de bergen uit naar vlakker terrein met een soepelheid die je bij zulke snelheden onmogelijk zou achten.

Na een poosje zei ik tegen hem: 'Meneer, u bent naar elke maatstaf een vermogend man.'

'Ik ben zowel fortuinlijk als arbeidzaam geweest,' beaamde hij.

'Ik wil u om een gunst vragen, zo'n grote gunst dat ik het bijna niet durf.'

Grijnzend van genoegen zei hij: 'Je staat nooit iemand toe iets voor je te doen. Toch ben je als een zoon voor mij. Aan wie moet ik al mijn geld nalaten? Terrible Chester zal het echt niet allemaal nodig hebben.'

Terrible Chester was zijn kat, die niet geboren was met deze naam maar die had verdiend.

'Er is een klein meisje op de school.'

'St. Bartholomew's?'

'Ja. Ze heet Flossie Bodenblatt.'

'Lieve hemel.'

'Ze heeft het zwaar gehad, meneer, maar ze is een zonnestraaltje.'

'Wat verlang je van mij?'

'Zou u voor haar een trust fund willen opzetten, meneer, ter grootte van honderdduizend dollar netto?'

'Komt voor elkaar.'

'Met als doel haar op weg te helpen als ze de school verlaat zodat ze voor zichzelf een leven kan opbouwen waarin ze met honden kan werken.'

'Ik zal mijn advocaat het precies zo laten specificeren. En wil e dat ik als de tijd daar is er persoonlijk op toezie dat haar overgang van de school naar de buitenwereld soepel verloopt?'

'Als u dat zou willen doen, ben ik u eeuwig dankbaar, meneer.'

'Ziezo,' zei hij, zijn stuur net lang genoeg loslatend om in zijn handen te wrijven van genoegen, 'dat was niet moeilijker dan een stuk roomtaart eten. Voor wie zullen we vervolgens een trust fund opzetten?'

Justines hersenletsel was te ernstig om baat te hebben bij een trust fund. Geld en schoonheid zijn afweermiddelen tegen het leed van deze wereld, maar geen van beide kan het verleden ongedaan maken. Alleen de tijd zal zegevieren over de tijd. De weg vooruit is de enige weg terug naar onschuld en vrede.

We reden een tijdlang verder, pratend over Kerstmis, toen ik opeens werd overrompeld door een sterker voorgevoel dan ik ooit eerder had ervaren.

'Meneer, kunt u alstublieft even stoppen?'

Door de toon van mijn stem vormde zijn overvloedige gezicht met de dubbele kin een frons van elkaar overlappende lagen. 'Wat is er?'

'Dat weet ik niet. Misschien is het niet iets akeligs. Maar iets... belangrijks.'

Hij stuurde de Cadillac een parkeerhaven in de schaduw van een groepje majestueuze pijnbomen in en zette de motor af.

'Oddie?'

'Een ogenblikje, meneer.'

We bleven in stilte zitten terwijl vleugeltjes zonlicht en de gevederde schaduwen van de pijnbomen op de voorruit fladderden.

Het gevoel werd zo sterk dat dit negeren hetzelfde zou zijn als verloochenen wie en wat ik ben.

Mijn leven is niet van mij. Ik zou mijn leven hebben gegeven om het leven te redden van het meisje dat mij is ontvallen, maar die ruil had niet op de agenda van het lot gestaan. Nu leef ik een leven dat ik niet nodig heb en weet ik dat de dag zal komen dat ik het zal geven voor de juiste zaak.

'Ik moet hier uitstappen, meneer.'

'Wat… voel je je niet lekker?'

'Ik voel me prima, meneer. Paranormaal magnetisme. Ik moet te voet verder.'

'Maar met Kerstmis ben je thuis.'

'Dat geloof ik niet.'

'Te voet verder? Waarheen dan?'

'Dat weet ik niet, meneer. Daar kom ik al lopend wel achter.'

Hij weigerde achter het stuur te blijven zitten en toen ik maar één tas uit de kofferbak van de auto pakte, zei hij: 'Je kunt niet zomaar weglopen met alleen die ene tas.'

'Hierin zit alles wat ik nodig heb,' verzekerde ik hem.

'Welke narigheid ga je nu weer tegemoet?'

'Misschien helemaal geen narigheid, meneer.'

'Wat zou het anders kunnen zijn?'

'Misschien narigheid,' zei ik. 'Maar misschien vrede. Dat weet ik niet. Maar de roep is erg sterk.'

Hij keek beteuterd. 'Maar ik verheugde me zo op…'

'Ik ook, meneer.'

'Iedereen in Pico Mundo mist je.'

'En ik mis iedereen daar. Maar dit is hoe het moet zijn. U weet toch hoe ik in elkaar zit, meneer.'

Ik sloot de achterklep.

Hij wilde niet wegrijden en mij daar achterlaten.

'Ik heb Elvis en Boo,' zei ik. 'Ik ben niet alleen.'

Hij is een moeilijke man om te omhelzen, er is zo veel van hem.

'U bent een vader voor mij geweest,' zei ik. 'Ik hou van u, meneer.'

Het enige wat hij kon uitbrengen was: 'Zoon.'

Ik stond op de parkeerhaven en keek hem na tot zijn auto uit het zicht was verdwenen.

Toen begon ik te lopen langs de berm van de snelweg, in de richting waarin mijn intuïtie me leek te leiden.

Boo kwam naast me lopen. Hij is de enige spookhond die

ik ooit heb gezien. Dieren reizen altijd verder. Om de een of andere reden was hij ruim een jaar in de abdij blijven rond-hangen. Misschien wachtend op mij.

Een tijdlang liep Elvis met me op en toen begon hij voor me achteruit te lopen, grijnzend alsof hij zojuist de grootste grap ooit met me had uitgehaald en ik dat nog niet wist.

'Ik had eigenlijk gedacht dat je inmiddels wel verder zou zijn getrokken,' zei ik. 'Je weet dat je er klaar voor bent.'

Hij knikte, nog steeds grijnzend als een dwaas.

'Ga dan. Ik red me wel. Iedereen wacht op je. Ga.'

Achteruitlopend wuifde hij ten afscheid en stap voor ach-terwaartse stap vervaagde de koning van rock-'n-roll tot hij voor altijd van deze wereld verdween.

We hadden de bergen al ver achter ons gelaten. In dit Ca-lifornische dal was de dag een milde aanwezigheid op het land en de bomen rezen op naar het licht en de vogels.

Ik had na het vertrek van Elvis misschien honderd meter af-gelegd toen ik opeens merkte dat er iemand naast me liep.

Ik keek hem verbaasd aan en zei: 'Goedemiddag, meneer.'

Hij liep met het colbert van zijn pak over zijn schouder en zijn shirtmouwen opgerold. Hij lachte zijn innemende glim-lachje.

'Ik ben er zeker van dat dit interessant gaat worden,' zei ik, 'en het zal me een eer zijn als ik mogelijk voor u kan doen wat ik voor hem heb gedaan.'

Hij trok aan de rand van zijn hoed, alsof hij hem in een ge-baar van respect afzette zonder hem echt af te zetten, en knip-oogde.

Over enkele dagen was het Kerstmis en wij volgden de berm van de snelweg, op weg naar het onbekende, waarheen elke wandeling ooit altijd voert: ik, mijn hond Boo en de geest van Frank Sinatra.

(JULLIE ZIJN VOORBESTEMD EEUWIG BIJ ELKAAR TE BLIJVEN.)

OPMERKING VAN DE AUTEUR

De boeken die het leven van broeder Boksbeugel hebben veranderd zijn allebei geschreven door Kate DiCamillo. Het zijn *De wonderbaarlijke reis van Edward Tulane* en *Despereaux, of het verhaal van een muis, een prinses, een schoteltje soep en een klosje garen*, en het zijn prachtige verhalen. Hoe het mogelijk is dat ze *ruim een decennium voordat ze daadwerkelijk werden uitgegeven* Boksbeugel ertoe hebben gebracht het leven in de misdaad te verruilen voor een leven van goedheid en hoop, is me een raadsel. Het enige wat ik kan zeggen is dat het leven vol raadsels is en dat de magie van mevrouw DiCamillo daar misschien iets mee te maken heeft gehad.

Odd Thomas